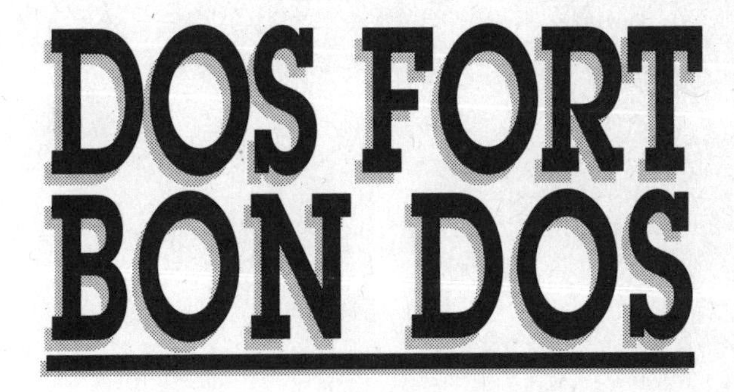
DOS FORT
BON DOS

Couverture
- Conception graphique:
  Katherine Sapon
- Photo:
  Maryse Raymond
- Stylisme:
  Sandra Lirette

DISTRIBUTEURS EXCLUSIFS:

- Pour le Canada et les États-Unis:
  LES MESSAGERIES ADP*
  955, rue Amherst, Montréal H2L 3K4
  Tél.: (514) 523-1182
  Télécopieur: (514) 521-4434
  * Filiale de Sogides Ltée
- Pour la Belgique et le Luxembourg:
  PRESSES DE BELGIQUE
  96, rue Gray, 1040 Bruxelles
  Tél.: (32-2) 640-5881
  Télécopieur: (32-2) 647-0237
- Pour la Suisse:
  TRANSAT S.A.
  Route du Grand-Lancy, 2, C.P. 125, 1211 Genève 26
  Tél.: (41-22) 42-77-40
  Télécopieur: (41-22) 43-46-46
- Pour la France et les autres pays:
  INTER FORUM
  13, rue de la Glacière, 75624 Paris Cédex 13
  Tél.: (33.1) 43.37.11.80
  Télécopieur: (33.1) 43.31.88.15
  Télex: 250055 Forum Paris

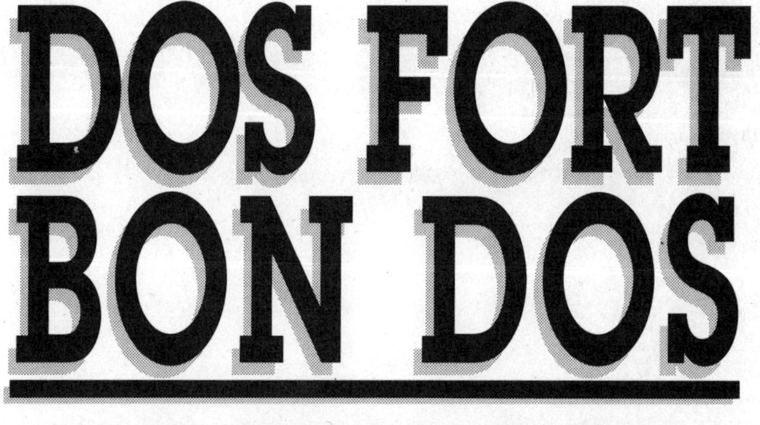

DAVID IMRIE ■ LU BARBUTO

Traduit de l'américain
par Alain-Xavier Arpino

Données de catalogage avant publication (Canada)

Imrie, David

Dos fort, bon dos

Traduction de: The back power program.

ISBN 2-7619-0873-2

1. Dorsalgie - Thérapeutique par l'exercice.
I. Barbuto, Lu. II. Titre.

RD768.I5614 1989 617.5'64 C90-096055-8

Édition originale: *The Back Power Program*
Stoddart Publishing Co. Ltd
(ISBN 0-7737-2222-X)

Bibliothèque nationale du Québec
Dépôt légal — 4e trimestre 1989

ISBN 2-7619-0873-2

À tous nos anciens patients, qui nous ont appris
ce que nous savons aujourd'hui; grâce à eux,
nos lecteurs peuvent profiter des meilleures méthodes possibles
pour le soin de leur dos.

Les procédés et les explications publiés dans cet ouvrage sont basés sur des travaux de recherche et de consultation effectués par du personnel médical et infirmier. Au mieux de nos connaissances, les procédés et les explications décrits sont le reflet des pratiques médicales actuellement en vigueur; en aucun cas, ils ne peuvent être considérés comme des recommandations infaillibles et universelles. Les conseils de traitement ne doivent être pris en considération qu'en fonction de l'état de santé de chacun et ils doivent d'abord être soumis à l'approbation d'un médecin. Les auteurs et l'éditeur déclinent toute responsabilité dans les effets néfastes qui pourraient résulter de la mise en application directe ou indirecte des procédés suggérés, les erreurs ayant pu passer inaperçues dans le texte ou l'interprétation abusive du texte par le lecteur.

PREMIÈRE PARTIE

HISTORIQUE DU MAL DE DOS

INTRODUCTION

Médecine et chiropractie

L'Association médicale américaine (AMA) est la plus puissante organisation médicale du monde et elle représente le second lobby en importance aux États-Unis — juste après celui de l'industrie aérospatiale. Elle compte 225 000 médecins. L'AMA a aussi été la plus importante source «officielle» d'information sur les méthodes de la chiropractie.

Le 27 août 1987, un tribunal de Chicago statuait que l'AMA et diverses autres organisations affiliées, comme le Collège américain de radiologie (ACR), s'étaient illégalement associées entre 1966 et 1980 pour tenter de limiter les actes des chiropraticiens et de faire disparaître leur profession.

Le 25 septembre de la même année, ce tribunal émettait l'injonction suivante à l'intention de l'AMA:

> L'AMA, ses officiers, ses agents et ses employés, ainsi que toute personne œuvrant conjointement avec l'un de ces groupes [...] sont enjoints de cesser définitivement de restreindre, de réglementer ou d'entraver d'une quelconque ma-

> nière [...] la liberté d'action de tout membre de l'AMA, de toute institution ou de tout hôpital, et de décider à titre personnel si un membre de l'AMA, une institution ou un hôpital peut s'associer professionnellement ou non avec des chiropraticiens, des étudiants en chiropractie ou des institutions où l'on pratique cette forme de traitement.
>
> — Jugement de la cause Wilk, procès en violation des lois antitrust commencé en 1976, publié dans toute la presse américaine le 26 septembre 1987.

Nous avions suivi le procès Wilk avec le plus grand intérêt et non sans quelque étonnement. Comment deux professions vouées à la santé — toutes deux destinées à servir l'humanité en soulageant ses souffrances — pouvaient-elles se retrouver confrontées devant les tribunaux?

Cette animosité entre médecins et chiropraticiens allait à l'encontre de notre expérience personnelle: pendant plus de dix ans, nous avions collaboré pour améliorer notre approche thérapeutique du plus vieil ennemi de l'humanité souffrante — *le mal de dos*. En *associant* nos compétences professionnelles, nous avions pu mettre au point un programme de traitement efficace que nous avons intitulé *programme de renforcement du dos*. Mais, avant de vous expliquer en détail ce que ce programme peut faire pour vous soulager, nous aimerions vous raconter d'abord comment un médecin et un chiropraticien en sont venus à une telle collaboration.

David Imrie, médecin

Un médecin fait le point

De tous les problèmes rencontrés par le spécialiste en médecine du travail, les plus importants sont, sans conteste, les problèmes de dos. Les maux de dos affectent plus de patients et pendant plus longtemps que la plupart des autres affections. Ces maux n'ont pas leurs pareils pour éprouver la patience des médecins qui tentent de les diagnostiquer et de les traiter, et celle des patients qui essaient de s'en débarrasser. Problème aussi complexe que coûteux, l'incidence des maux de dos est de la même importance que celle des maladies cardiovasculaires, du cancer et des maladies respiratoires.

Quand j'ai commençé à pratiquer la médecine à la fin des années soixante, il était admis que les problèmes de dos étaient la conséquence de lésions ou de blessures occasionnées par un effort excessif: mauvaise manière de soulever un poids, glissade ou chute. On croyait également qu'ils étaient peut-être causés par une quelconque maladie qui s'extériorisait ainsi. J'avais été formé dans cet esprit. En tant que spécialiste en médecine du travail, j'utilisais une charte neuro-orthopédique conçue pour déterminer si l'affection provenait d'une maladie, d'une blessure ou d'une atteinte structurelle, et si une intervention chirurgicale s'imposait. En examinant de nombreux patients qui souffraient de douleurs lombaires, j'ai été étonné du nombre relativement restreint de cas pour lesquels je pouvais diagnostiquer une affection nécessitant la mise en œuvre de traitements médicaux ou chirurgicaux. Fort heureusement, la plupart des patients guérissaient de leur crise douloureuse indépendamment du type de traitement utilisé — mais cette constatation ne me satisfaisait pas vraiment. Jeune médecin sorti d'un hôpital universitaire avec un solide bagage scientifique, j'étais curieux d'en savoir plus sur une affection pour laquelle les méthodes conventionnelles de la science semblaient n'aboutir qu'à peu de découvertes cliniques. Mon esprit scientifique n'admettait pas l'hypothèse selon laquelle de légères déchirures des disques intervertébraux causaient des douleurs à un si grand nombre de patients. On admettait aussi que ces déchirures étaient si petites qu'elles échappaient aux moyens de détection conventionnels. Cette conclusion me donnait l'impression de manquer de rigueur scientifique et de n'émettre que des hypothèses jamais vérifiées.

Ma tâche de spécialiste en médecine du travail m'amenait à rédiger des certificats d'aptitude au travail pour mes patients guéris d'une blessure au dos et, pour les futurs employés d'une entreprise, des certificats d'aptitude à leur nouvelle occupation. Les méthodes habituelles d'examen ne nous menaient pas aux découvertes qui auraient pu faire avancer nos connaissances. Cette situation ne me permettait pas de garantir que tous ces employés pourraient travailler sans avoir de nouveaux maux de dos, ni de prévoir qu'une rechute surviendrait au bout d'une semaine, de six semaines, de six mois ou de six ans. De toute évidence, mon expérience clinique se heurtait aux concepts habituellement admis en matière d'examen et de traitement des douleurs lombaires.

Que penser des chiropraticiens?

J'ai vite été confronté à une autre réalité: dans les entreprises qui faisaient appel à mes services, de nombreux travailleurs souffrant de maux de dos ou d'autres affections musculaires et osseuses avaient eu recours à des chiropraticiens. Non seulement ces travailleurs semblaient ravis des résultats obtenus, mais ils étaient prêts à retourner voir le chiropraticien si le besoin s'en faisait sentir. J'ai aussi constaté que nombre d'entre eux étaient d'abord réticents à m'avouer qu'ils avaient consulté un chiropraticien, craignant que cette révélation ne me déplaise ou ne complique nos relations. En m'apercevant de la confiance dont les chiropraticiens semblaient jouir dans le public, j'ai rapidement compris que ces spécialistes avaient quelque chose à offrir. J'étais bien déterminé à découvrir de quoi il s'agissait. En même temps, j'ai passé en revue toutes les opinions défavorables qui circulaient parmi mes confrères au sujet des chiropraticiens. Elles tournaient essentiellement autour de quatre grandes considérations.

Les chiropraticiens ont une autre définition de la maladie et de la santé. Les médecins considèrent surtout la santé comme l'absence de maladie et définissent la maladie comme l'installation d'un processus pathologique dans un organisme sain. Le but de l'approche médicale est par conséquent de diagnostiquer et de supprimer les causes de cette maladie. Les chiropraticiens insistent sur l'importance de la prise de conscience. Ils sont persuadés que l'amélioration de l'état de santé ne repose pas que sur les manipulations vertébrales, mais également sur les bonnes habitudes de vie; une bonne alimentation, le grand air, le sommeil et les bonnes habitudes de travail. Bref, les chiropraticiens sont les pionniers de l'approche holiste, ou globale, des soins de santé.

Le traitement chiropratique est empirique. Alors que la médecine considère la maladie du point de vue de la pathologie organique — son traitement demande l'utilisation de médicaments et parfois de la chirurgie —, la chiropractie ne fait intervenir ni les médicaments ni la chirurgie. La chiropractie s'intéresse d'abord à la colonne vertébrale — à son influence sur le système nerveux et, par conséquent, sur la santé du patient.

La formation des chiropraticiens est insuffisante, surtout en matière d'examen du patient. Les médecins accusent les chiropraticiens de ne pas diagnostiquer la maladie — ce qui entraîne des conséquences désastreuses — et de traiter, par de simples manipulations, des maladies que les médecins croient pouvoir traiter uniquement par des moyens médicaux plus complexes. (J'ai découvert par la suite que la formation scientifique de base des chiropraticiens est la même que celle qui conduit au diplôme de médecin — sauf en ce qui concerne la pharmacologie. Comme les autres spécialistes de la santé, les chiropraticiens sont capables de reconnaître la nécessité d'une intervention médicale ou chirurgicale dans le cadre d'une affection quelconque.)

Les chiropraticiens font un usage excessif de la radiographie. Les médecins qui recherchent une maladie structurelle ou un traumatisme n'ont habituellement besoin que de trois à cinq radiographies statiques pour faire leur diagnostic. Les chiropraticiens ont souvent besoin de beaucoup plus de clichés pour arriver au même résultat. La raison en est qu'ils étudient le fonctionnement et le mouvement de la colonne vertébrale afin de pouvoir déterminer ce qui est normal et ce qui ne l'est pas.

Mais ces préoccupations sont assorties du vieil adage: «La perpétuation de la profession médicale est sa plus grande force... mais elle peut aussi être sa plus grande faiblesse.» J'éprouvais quelques craintes à faire des investigations sur les méthodes de travail des chiropraticiens, mais j'étais aussi déterminé à en apprendre plus à leur sujet.

Premièrement, je souhaitais pouvoir mieux soigner mes patients qui souffraient de troubles de la colonne vertébrale. J'avais été convaincu de l'utilité de la chiropractie en constatant le nombre de personnes qui m'affirmaient que les résultats de ce type de traitement étaient bien supérieurs aux miens!

Deuxièmement, pour des raisons purement professionnelles, j'étais convaincu de la nécessité de trouver de meilleures solutions à ces affections si communes, si coûteuses et si frustrantes pour un médecin. J'avais le sentiment qu'il me fallait apprendre tout ce que les chiropraticiens pouvaient m'enseigner.

Troisièmement, ma curiosité était piquée: que faisaient donc les chiropraticiens pour s'attirer une telle confiance et un tel enthousiasme de la part du public, ce qui avait pour résultat final une diminution de la sympathie ou même une certaine hostilité envers ma propre profession?

J'ai donc rassemblé tout mon courage et j'ai téléphoné au doyen du Canadian Memorial Chiropractic College afin d'obtenir un rendez-vous avec l'un de ses résidents. Je souhaitais apprendre le contenu de l'approche en chiropractie. C'est ainsi que j'ai rencontré Lu Barbuto. Petit à petit, nous avons commencé à collaborer pour mettre au point une nouvelle approche plus satisfaisante visant à mieux traiter les troubles qui affligent nos patients.

Lu Barbuto, chiropraticien

La blessure que je me suis infligée au dos en jouant au football, pendant mes études collégiales, m'a permis de découvrir la troisième plus importante profession reliée au domaine de la santé en Amérique du Nord: la chiropractie.

L'examen médical et les radiographies n'avaient rien révélé d'anormal au niveau de mon dos, mais je continuais à souffrir. Après avoir passé un été à me soigner, je suis retourné à mes études et j'ai tenté de reprendre mes activités sportives. Comme ma douleur persistait, mon entraîneur de lutte, un excellent athlète que j'admirais beaucoup, m'a conseillé de consulter un chiropraticien. J'avais seize ans, je ne savais rien de la chiropractie et de ses méthodes, et je suis allé à mon rendez-vous avec beaucoup d'appréhension.

Le traitement de mon affection a été un franc succès. J'ai été impressionné par l'aspect conservateur et structurel de cette méthode et j'ai immédiatement décidé de devenir chiropraticien.

Lorsque David Imrie m'a contacté pour en apprendre plus sur les méthodes de la chiropractie et sur la manière dont les chiropraticiens pourraient l'aider dans son exercice de la médecine du travail, je me suis souvenu de mes premiers traitements chiropratiques. Ils m'avaient offert une occasion unique d'expérimenter et de comparer les principales caractéristiques des approches médicale et chiropratique des soins de santé. La première approche avait été un fiasco malgré le fait que les méthodes employées relevaient de la haute technologie. Par contre, l'approche empirique de la chiropractie s'était révélée un franc succès.

Sur le plan des problèmes lombaires, j'ai pu apporter à David Imrie une vision plus nette de la relation qui existe entre la colonne vertébrale, les muscles, les os et la totalité du corps. Cela représente toute une nouvelle perspective pour un médecin de l'école conventionnelle.

Un chiropraticien regarde en arrière

La chiropractie peut se définir comme l'étude des problèmes de santé et des maladies d'un point de vue structurel, avec une attention spéciale portée sur la mécanique de la colonne vertébrale et sur ses relations avec le système nerveux.

Mes six ans d'études en chiropractie m'ont appris à explorer et à remettre en question de nombreux concepts en ce qui a trait à la santé et à la maladie. La médecine conventionnelle que nous connaissons aujourd'hui adhère parfaitement à la philosophie occidentale basée sur la prévention, l'arrêt de l'évolution de la maladie et sa guérison au moyen de médicaments ou d'interventions chirurgicales. Ce concept est renforcé par les institutions comme les hôpitaux, qui offrent un vaste échantillonnage de «magie technologique», de spécialistes et de services auxiliaires avec, comme gardiens, les membres d'une corporation professionnelle. Malgré les énormes progrès technologiques et les grands succès de la médecine, l'abus des soins médicaux s'est installé, le traitement des effets secondaires est devenu souvent plus coûteux que le seul traitement de l'affection, et il ne semble pas exister de limite prévisible à l'augmentation du coût des soins de santé.

Telle était la situation et tels étaient mes doutes lorsque j'ai commencé à travailler avec David Imrie. Durant toutes ces années, nous nous sommes mutuellement influencés dans notre conception de la santé et de la maladie en échangeant et en comparant nos points de vue. Nous en sommes arrivés à la conclusion que la santé ne pouvait en aucun cas demeurer le privilège d'une seule et unique profession. Au contraire, en confrontant nos conceptions et en pratiquant une approche interdisciplinaire des problèmes posés par le diagnostic et le traitement des maux de dos, nous avons atteint notre but commun: vous aider à mieux vous prendre en charge, *que vous ayez ou non déjà souffert de maux de dos*. C'est le sujet de cet ouvrage que nous avons intitulé: «Dos fort, bon dos».

CHAPITRE I

Historique du programme de renforcement du dos

À la fin des années soixante, la médecine était en pleine ascension vers la gloire, perçant les mystères de la cellule et de son ADN, mettant au point de puissants antibiotiques, perfectionnant les méthodes de transplantation d'organes ou remplaçant les organes déficients par d'extraordinaires organes artificiels. C'était une ère de révolution basée sur la haute technologie.

Il n'y a pas plus de 125 ans que, pour la première fois, différents symptômes ont été regroupés pour permettre le diagnostic des maladies, car jusqu'alors, chaque symptôme était traité séparément. Jusqu'au milieu des années 1800, la saignée servait à traiter toutes les affections fiévreuses. Ce n'est qu'en 1847 qu'un obstétricien et physicien hongrois, Ignaz Semmelweis, a compris l'importance de la stérilisation des instruments chirurgicaux et de la désinfection des mains du médecin avant l'examen de ses patients.

Avec la compréhension que des états comme la fièvre et la douleur sont de véritables symptômes de maladie organique, et que certains agents infectieux sont la cause des maladies, vint la compréhension du fait qu'il existe un traitement spécifique pour chacune d'elles. La médecine moderne évoluant, ses objectifs se sont élargis. Aujourd'hui, nous ne cherchons pas seulement à limiter l'évolution normale d'une maladie (qui s'aggrave si elle n'est pas traitée), mais nous essayons aussi de prolonger la durée de la vie et d'en améliorer la qualité.

La médecine moderne

Qui sont les pères de la médecine moderne telle que nous la connaissons aujourd'hui? Rudolf Virchow, le grand pathologiste prussien, fut le premier à reconnaître les anomalies des organes et des tissus du corps. Il a différencié des maladies en comprenant qu'elles se révélaient par des symptômes particuliers et des examens spécifiques. Son idée de tenir compte de plusieurs manifestations pathologiques afin d'identifier la maladie constitue sa principale contribution à l'«âge d'or» de la médecine. Virchow a été suivi par Louis Pasteur, qui étudia les microbes et leurs relations avec les maladies et inventa un procédé de stérilisation (la pasteurisation), par Pierre et Marie Curie, qui découvrirent les effets de la radioactivité à la fin du siècle dernier, par Sir Alexander Fleming, qui découvrit la pénicilline, et par Sir Frederick Banting et Charles Best, qui mirent au point l'insuline pour le traitement du diabète.

À l'époque de la Deuxième Guerre mondiale, la médecine amorçait son intégration à l'ère de la science. La durée de la vie s'allongeait et sa qualité augmentait, mais tout le crédit fut attribué aux nouvelles technologies conçues par la médecine. Bien peu de gens comprirent que ce grand bond en avant ne provenait pas des merveilles technologiques affectées au *traitement* des maladies, mais de l'amélioration discrète des méthodes *préventives*. La purification de l'eau potable, le traitement des eaux usées et les vaccinations massives avaient plus contribué à allonger la vie et à en améliorer la qualité que tous les traitements antibiotiques réunis.

En 1962, le prix Nobel de physiologie et de médecine fut décerné à Francis Crick, Maurice Wilkins et James D. Watson pour leur découverte de la double hélice de l'ADN — ce fut le début du génie génétique qui fouille dans le code structurel de la vie. Aujourd'hui, ce génie génétique est capable de concevoir des gènes artificiels et d'autres produits génétiques qui peuvent restructurer la vie.

Cependant, nombreux sont ceux qui, tout en acceptant l'avance technologique de la médecine, regrettent le temps des médecins pour qui établir un diagnostic relevait de l'art. La lettre suivante, extraite d'un journal médical, décrit les caractéristiques d'une époque qui n'est pas si lointaine:

> «En 1935, ma petite trousse noire contenait les nombreux médicaments dont la plupart des médecins formés depuis les vingt-cinq dernières années n'ont jamais entendu parler, ou qu'ils n'ont du moins jamais prescrits: des expectorants comme le chlorure d'ammonium ou l'ipéca, des toniques contenant de la noix vomique ou de l'arsenic, des bromures aux fonctions variées et supposées spécifiques, et la teinture de valériane, un sédatif particulièrement efficace dans les cas de psychonévrose. Ces médicaments étaient ceux qu'un médecin donnait alors à son patient avec l'espoir de le guérir ou de le soulager.
>
> De nos jours, le médecin qui les emploierait serait certainement considéré comme un charlatan. Leur présence dans la composition des médicaments actuels est même désapprouvée. Mais il y a cinquante ans, la guérison de nombreuses maladies passait obligatoirement par ces produits.
>
> Aujourd'hui, nous déplorons que la médecine ne soit plus considérée comme un art. N'était-ce pas un art que d'instiller au patient la foi en son médecin et la confiance en ce que ce dernier lui prescrivait? Autrement dit, n'était-ce pas la foi en la médecine qui guérissait avant la découverte des médicaments miracles? La confiance du patient stimulait les défenses naturelles de son organisme et renforçait sa capacité de guérison en agissant probablement sur le système immunitaire.
>
> La foi en son médecin était, il me semble, plus totale qu'aujourd'hui. Je me souviens d'une aventure qui est arrivée à mon père, médecin lui aussi: en 1912, il était dans le train parti de Red Deer, en Alberta, pour Toronto. À Regina, on lui remet un télégramme portant les mots suivants: «Mon épouse gravement malade de pneumonie. Avons besoin de vous.» Mon père est reparti pour Red Deer par le train sui-

vant et il est resté auprès de sa patiente jusqu'à ce qu'elle aille mieux. Il est bien difficile de ne pas croire qu'une telle confiance témoignée envers le médecin puisse intervenir dans la guérison des malades.»

Docteur W.B. Parsons, Sylvan Lake, Alberta
(*CMA Journal*, vol. 133, 1er octobre 1985)

David Imrie, médecin

Haute technologie et empirisme

En recevant mon diplôme, en 1968, j'ai pris la décision de pratiquer la médecine générale pendant quelques années pour acquérir une bonne formation clinique avant de me spécialiser — en ophtalmologie, pensais-je alors. J'ai donc été en contact avec les maladies «banales» et j'ai pris conscience de la différence qu'il y a entre la pratique en cabinet et ce que l'on peut voir dans un centre hospitalier universitaire. J'avais été formé à l'approche scientifique pour identifier les maladies: principale manifestation, histoire médicale ancienne et récente, examen complet, analyses, élimination des autres affections par diagnostic différentiel, formulation du diagnostic final, traitement et pronostic de guérison. Je savais mettre un bébé au monde, ôter un appendice, faire un lavage de sinus et traiter une crise cardiaque. Mais je n'avais que peu de connaissances sur la manière de traiter les douleurs, les blessures et les rhumes, je ne savais pas donner des conseils sur des problèmes simples comme le bébé qui refuse son lait ou un médicament, j'ignorais quoi dire aux personnes âgées et comment traiter les patients souffrant de troubles mentaux ou de détresse sociale. Il s'agissait de problèmes empiriques, nécessitant une approche empirique, et ma formation scientifique ne m'avait pas vraiment préparé à les résoudre.

Mes premières années de pratique m'ont mis devant une grande variété de maladies, et je me suis surtout occupé de traiter des affections chroniques ou dégénératives qui ne pouvaient s'améliorer ou cesser d'évoluer qu'au moyen de profonds changements dans le style de vie ou dans le comportement des patients. Il ne s'agissait pas de situations de traitement, mais de situations de prévention dans certains cas et de *gestion* dans d'autres. La plupart du temps, la haute technologie n'était simplement pas adaptée à leur solution.

Médecine préventive: l'incidence du style de vie

C'était l'époque des grands changements dans les soins médicaux. Il apparut alors aux politiciens et aux administrateurs que la médecine de haute technologie et son potentiel infini était sur le point de crever le plafond de l'accessibilité économique. Un pourcentage sans cesse croissant du produit national brut était englouti dans les traitements et les soins médicaux. La fin de l'augmentation annuelle des coûts de la santé paraissait très improbable.

Parallèlement à cette évolution, on observait un changement dans les types des maladies qui affligeaient la population de la seconde moitié du XXe siècle. Le comportement et le style de vie de chacun commencèrent à être reconnus comme ayant une énorme influence sur les *genres* de maladies et leur type de manifestations. Le rapprochement entre l'usage de la cigarette et le cancer du poumon était fait depuis longtemps, bien que toujours mis en doute par certains. L'augmentation significative des maladies cardiovasculaires comme la crise cardiaque, l'infarctus et d'autres affections comparables commençait à être attribuée aux anomalies liées aux excès alimentaires — surtout l'obésité et l'hypercholestérolémie — et à l'absence d'exercice physique. Les maux de dos, l'arthrite, les ulcères d'estomac, l'asthme, la bronchite et de nombreuses autres affections chroniques paraissaient dépendre du style de vie de ceux qui en souffraient.

Cette époque se caractérisait donc par l'habitude de définir la santé comme l'absence de maladie, par l'augmentation astronomique des coûts, par la corrélation de plus en plus étroite entre le style de vie, le comportement et la maladie. Tous ces facteurs ont été étudiés par Marc Lalonde, alors ministre fédéral de la Santé au Canada. Dans son rapport intitulé: «Une nouvelle perspective sur la santé des Canadiens», il soulignait le fait que la santé dépendait d'un grand nombre de facteurs, dont tous ceux qui déterminent le style de vie: l'environnement physique, social et professionnel. Il se fit l'avocat d'un renouveau dans la prévention des troubles de santé, et insista sur la nécessité de modifier tous les facteurs ayant des conséquences négatives ou préjudiciables. Je fus frappé de découvrir les possibilités que recelait ce rapport.

Méthode empirique et Marathon de Boston

Au début des années soixante-dix, à proximité de ma propre clinique, le docteur Terry Kavanagh révolutionnait le traitement des patients qui se remettaient de maladies cardiaques. Spécialiste de la réadaptation, le docteur Kavanagh s'opposait aux conventions de l'époque avec son approche empirique.

Traditionnellement, on conseille aux malades ayant fait une crise cardiaque d'éviter toute activité physique pouvant les fatiguer — on les condamne à se reposer pour le reste de leur vie. Cependant, dès que leur cœur était suffisamment fortifié, les patients du docteur Kavanagh suivaient un régime alimentaire et se conformaient à un plan d'exercices physiques adaptés à leur condition. Les résultats étaient étonnants. Ces patients pouvaient mener une vie nettement meilleure qu'avant leur crise cardiaque. Certains ont même couru le Marathon de Boston! Avec plus de 42 kilomètres, un marathon est une expérience que bien peu de gens oseront *entreprendre* au cours de leur vie, et encore moins terminer. Ce groupe n'a jamais vraiment concurrencé les gagnants, mais ses membres ont fini la course sans aucun problème. (Le fait que cet exploit ait été un peu éclipsé depuis par celui d'un greffé du cœur qui a couru un marathon n'enlève rien à sa signification.)

Je me suis intéressé aux résultats que le docteur Kavanagh a obtenus avec ses patients cardiaques, et j'ai commencé à inclure cette philosophie (changement de style de vie et de comportement) dans ma pratique personnelle de la médecine. Ce faisant, je me suis aperçu que les affections que nous considérons comme des maladies à diagnostiquer et à traiter étaient plutôt des états qui pouvaient mieux se *gérer* en combinant un traitement avec l'amélioration du mode de vie à long terme. Cette approche nécessitait la mise en œuvre de toutes mes qualités de médecin et la coopération des patients.

L'Organisation mondiale de la santé (OMS) a défini la santé non pas comme la simple absence de maladie, mais comme un véritable bienfait de la vie quotidienne: «Le degré auquel un individu ou un groupe parvient à réaliser ses aspirations et à modifier l'environnement ou à s'y adapter.» La santé, en d'autres termes, se définissait mieux comme une *capacité fonctionnelle* — la capacité à *vivre,* à bien travailler et à bien s'amuser.

L'épidémie sournoise

Tout en étant médecin de famille, j'ai pris très tôt la direction du cabinet de médecine du travail que le docteur Wilf Auger avait fondé trente ans plus tôt. Connu comme étant la plus ancienne clinique de médecine du travail du Canada, ce cabinet desservait un grand nombre d'entreprises industrielles.

Alors que ma connaissance des problèmes s'étoffait, l'influence du travail et de son milieu sur la santé de l'individu m'apparaissait de plus en plus évidente. Certaines nuisances étaient flagrantes: un niveau de bruit élevé pendant de nombreuses années sur les lieux du travail provoquait la surdité, les travailleurs en contact avec des résines époxydes souffraient de dermites ou d'eczéma, le contact professionnel avec les isocyanates organiques provoquait l'asthme.

Cependant, ce qui m'a le plus intéressé a été ce que je me plais à qualifier d'épidémie sournoise: tous les gens qui souffrent de maux de dos et de nuque, ainsi que d'autres affections des muscles et des os. Ces affections représentaient de loin la plus grande part des problèmes que je rencontrais en médecine du travail.

Lorsqu'un patient venait se plaindre de ce genre de douleurs, mon attitude consistait à en diagnostiquer la cause et à les soulager. La difficulté ne venait pas du soin que j'avais apporté à examiner le dos, du nombre d'examens et de radiographies que j'avais prescrits, ni du nombre de spécialistes que je l'avais envoyé consulter; elle venait du fait qu'il m'était rarement possible de diagnostiquer une maladie spécifique, d'en établir le pronostic exact et de proposer le traitement approprié. Les problèmes lombaires étaient beaucoup plus frustrants à traiter que les problèmes dus à une fracture, à une perforation d'appendice ou à une crise cardiaque, car leur nature me paraissait imprécise, leur cause difficile à trouver, leur pronostic et leur traitement difficiles à établir. De plus, il semblait qu'une fois installée, l'affection ne s'améliorait jamais au cours de la vie professionnelle du travailleur; lors de chaque nouvel examen, elle paraissait même s'aggraver, la durée de ses épisodes aigus s'allongeant et la difficulté du traitement s'intensifiant.

Il était doublement frustrant d'essayer de découvrir un quelconque trouble de la région lombaire qui aurait pu réagir à une quelconque forme de prévention. Je me trouvais devant un dilemme. L'approche médicale traditionnelle basée sur l'étude des symptômes avant la formulation d'un diagnostic ne s'appliquait plus. Lorsque je songeais à la haute technologie, je ne voyais d'autre solution que la transplantation de disques intervertébraux. En me souvenant des méthodes du docteur Kavanagh, j'ai réalisé que le bon sens, ainsi qu'une approche empirique, pourraient peut-être apporter quelques améliorations.

Le facteur musculaire

À ce stade, sachant que les radiographies conventionnelles de la région lombaire ne seraient d'aucun secours pour évaluer les risques futurs, je me suis intéressé à la musculature. Je me souviens très bien du jour où j'ai examiné Henri, un mécanicien de quarante-cinq ans qui s'était blessé au dos en travaillant et qui souffrait, depuis, de douleurs intermittentes. Il était assis de profil, dans mon bureau, et avait l'air d'un homme en mauvaise condition physique qui souffre d'embonpoint. En réfléchissant à son cas, je repensais à mon père.

Papa était mécanicien-ajusteur et, à quarante-cinq ans, il s'était blessé au dos en travaillant. Tout comme Henri, ses douleurs lombaires s'étaient répétées tout au long de sa vie professionnelle et avaient été encore compliquées par un accident. Il avait consulté son médecin de famille qui lui avait fait voir un orthopédiste de renommée internationale. Il avait subi divers examens, sans résultat. Les médicaments, les traitements de physiothérapie et de chiropractie l'avaient un peu soulagé, mais ses douleurs persistaient. Nuit après nuit, il dormait sur le plancher et il était souvent irritable à cause de la douleur et du manque de sommeil. Il n'avait cependant jamais manqué un seul jour de travail.

Je n'oublierai jamais le soir où il a annoncé, durant le repas, qu'il abandonnait remèdes et traitements. Il s'était abonné au YMCA et pensait que, si ça ne l'achevait pas, ça le remettrait sûrement en bonne condition physique. Très vite, il se produisit une chose étonnante: comme il faisait de l'exercice et qu'il commençait à améliorer sa forme tout en maigrissant, il constata qu'il avait moins mal au dos. Il continua ses exercices, et ses douleurs finirent par disparaître totalement pour ne plus jamais se faire sentir.

En regardant mon patient mécanicien, je me suis rendu compte que je savais fort peu de choses sur la bonne condition physique du dos. En consultant mes livres de médecine, j'ai eu la surprise de ne pratiquement rien découvrir au sujet du traitement des muscles affaiblis, fatigués ou déséquilibrés. Je me suis alors souvenu d'un cours très bref que j'avais suivi à l'université sur la thérapie physique et les muscles. Ce cours avait eu lieu au printemps, au moment où la lassitude de l'hiver se faisait le plus sentir...

La mise au point d'un programme

Je possédais un grand avantage. Ma sœur Janet était physiothérapeute et, lors de mes débuts en médecine du travail, elle avait travaillé pendant plusieurs années pour le compte d'un chirurgien orthopédiste dans le cadre de la Société canadienne de l'arthrite. Janet avait mis au point un programme d'exercices physiques pour le dos appelé «Protégez votre dos». Il s'agissait d'un programme éducatif conçu pour aider les patients souffrant de douleurs lombaires, et ces derniers l'avaient très bien accueilli.

Janet et moi avons donc commencé à travailler avec des groupes de patients pour leur apprendre la manière de bien se servir de leur dos. Nous n'avions cependant pas cessé de travailler chacun de notre côté avec nos patients qui souffraient de douleurs lombaires. Il s'avérait que la plupart des gens manquaient de connaissances sur leur anatomie, ainsi que sur la manière correcte de s'asseoir, de se tenir debout et de marcher. Nous avons également constaté qu'après avoir été apprises, ces connaissances devaient aussi être intégrées correctement — comme il est, par exemple, impossible d'enseigner les règles du football à quelqu'un et de s'attendre à ce qu'il se mette immédiatement à jouer. L'implication personnelle ainsi que beaucoup d'efforts sont absolument indispensables.

Nous avions aussi un autre défi majeur à relever et nous avions même intitulé sa solution la «loi Imrie»: *l'intérêt du patient envers ses maux de dos est inversement proportionnel au temps écoulé depuis ses dernières douleurs.* Autrement dit, dès que les maux de dos disparaissent, la plupart des gens se croient de nouveau en parfaite condition physique. Ils ne sont pas convaincus qu'il faille un petit effort supplémentaire pour maintenir leur dos en bon état.

Persuadés qu'une démonstration simple et éloquente était nécessaire pour que l'attention des patients se porte sur la condition de leur dos et qu'ils veillent à son bon état — même lorsqu'ils n'en souffrent pas —, nous avons cherché à définir ce qu'était un dysfonctionnement de la région lombaire.

La filière Kraus

Une quinzaine d'années plus tôt, un spécialiste new-yorkais, le docteur Hans Kraus, avait aussi éprouvé le besoin d'une telle évaluation. Soucieux de la condition physique et de la santé de la colonne vertébrale, il avait mis au point les tests Kraus-Weber qui furent incorporés à un programme spécial de remise en forme et d'exercices pour le dos conçu par le YMCA et le YWCA.

Dans le cadre de la médecine du travail, Janet et moi avons fait subir à nos patients les six tests Kraus-Weber qui avaient été conçus pour que chacun puisse identifier ses forces et ses capacités. Avec l'expérience, nous nous sommes cependant aperçus que ces tests procuraient souvent une sensation de fausse sécurité à ceux qui les subissaient. Dans de trop nombreux cas, les travailleurs qui avaient déjà souffert de maux de dos, et qui risquaient d'en souffrir encore, passaient très facilement ces tests. Nous en avons conclu que l'idée des tests, bien que fondamentalement excellente, nécessitait une remise à jour et certaines améliorations.

En apportant ces améliorations, nous avons insisté sur les fonctions de la colonne vertébrale: elle permet le libre mouvement et la souplesse; elle exige une stabilisation pour soulever et transporter des objets lourds sans risques de blessure. Nos propres tests devaient être conçus pour mesurer la force de quatre groupes musculaires du tronc: les muscles de l'abdomen, ceux du dos, les muscles psoas et les obliques. En partant de cette idée, nous avons mis au point le «Test d'évaluation du dos». Il n'allait pas seulement nous aider à définir ce qu'était un dos faible, mais aussi nous guider pendant la remise en condition des muscles du dos d'un patient.

L'école de l'échec

Nous avons d'abord utilisé un programme d'exercices basé sur une routine d'assouplissement. Cela signifiait que nous donnions une grande importance au renforcement des muscles de l'abdomen tout en incorporant un mouvement de renversement arrière du bassin. Ce mouvement est un exercice qui apprend au patient à coordonner l'action du tronc lors d'un mouvement de soulèvement et favorise un bon équilibre.

Cette routine a été très profitable pour beaucoup de patients, bien qu'un assez grand nombre n'ait pas vraiment réussi avec ce type d'approche et que, pour un petit groupe de malchanceux, elle ait été un fiasco: leurs maux de dos se sont aggravés.

Nous avons alors compris que l'échec constituait la meilleure école — et l'avenir l'a souvent confirmé. Les erreurs sont plus riches d'enseignement que les succès. Dans notre cas, le plus intéressant était que le groupe pour lequel la routine d'assouplissement n'avait pas donné de résultats était composé d'individus assez athlétiques, qui paraissaient en bonne forme physique. Ils étaient minces, semblaient en bonne santé et en bonne condition physique, mais cela ne les empêchait pas de se plaindre de maux de dos.

De cet échec, nous avons pu tirer la leçon qui a fait évoluer notre programme: la force musculaire provient d'un muscle de longueur équilibrée, ce qui s'obtient grâce aux exercices de musculation et d'assouplissement. Cette leçon devait être vérifiée par l'expérience personnelle.

Étirement

Depuis que j'avais quitté la faculté de médecine, je jouais régulièrement au hockey tous les jeudis soir, été comme hiver, avec un groupe d'«anciens» comme moi. Le jeu me maintenait en bonne forme physique et me permettait d'évacuer la tension accumulée dans l'exercice de ma profession de médecin.

Un soir, durant une partie, je me suis étiré un muscle de l'aine. Il s'agit d'une blessure fréquente au hockey, et elle m'a d'abord paru assez légère. Dès que je la croyais guérie, je recommençais à patiner, mais au moindre effort excessif, je blessais mon muscle de nouveau. J'ai alors pensé que j'allais devoir interrompre ma carrière de joueur dans l'équipe des anciens.

À cette époque, j'ai eu la chance de rencontrer Gord Stewart, célèbre expert en conditionnement physique et auteur de livres sur le sujet. Sa science de l'éducation physique lui venait de son expérience personnelle et de sa carrière de décathlonien, le décathlon étant l'épreuve la plus épuisante des Jeux olympiques.

En m'entendant parler de ma blessure, Gord me fit asseoir sur le sol et me montra un exercice d'étirement musculaire et d'assouplissement. En prenant position pour effectuer l'exercice, je me suis aperçu que le muscle blessé était devenu beaucoup plus court et plus tendu que celui de l'autre jambe. Lors de la première blessure, il s'était contracté, puis rétracté; bien que la douleur eût disparu, il demeurait plus court et plus faible. Ce muscle était donc particulièrement exposé à de nouvelles blessures.

Cet accident m'a permis de comprendre que la même complication était certainement responsable des problèmes lombaires de mes patients. Je me suis alors souvenu de l'expérience de la courbe de Blix sur la contraction musculaire, qui datait de mes années de préparation aux études médicales. Cette expérience illustre la relation entre la longueur et la force d'un muscle: les muscles «rigides» et tendus peuvent manquer de force et ont besoin d'être étirés jusqu'à leur longueur optimale.

En incluant des exercices d'assouplissement et d'étirement à notre plan de traitement du dos, nous avons découvert qu'un groupe de patients qui réussissaient mal auparavant présentaient alors une nette amélioration.

Ainsi, la «première pierre» de notre programme de renforcement du dos venait d'être posée: un test pour mesurer la force et la souplesse de chacun des quatre groupes de muscles du tronc, suivi d'un programme d'exercices choisis selon les résultats.

Bien qu'ayant encore beaucoup de choses à apprendre, j'ai alors décidé d'étudier les méthodes de la chiropractie. Mon association avec Lu Barbuto allait me permettre de poursuivre l'élaboration de ce programme.

Lu Barbuto, chiropraticien

L'importance du fonctionnement

Historiquement parlant, c'est Hippocrate qui, le premier, a reconnu la chiropractie comme une forme de thérapie: le mot *chiropractie* vient du grec et sa traduction signifie «traitement par les mains». Le Canadien David Palmer est considéré comme le fondateur de la chiropractie moderne, qu'il a fondée vers 1895.

La chiropractie repose, par bien des aspects, sur l'empirisme. En rendant chaque personne responsable des soins de son dos, elle affirme que le corps humain possède une capacité naturelle à lutter contre les maladies et à rester en bonne santé. Ma formation m'avait ouvert à l'approche holiste (l'approche globale) des soins de santé avant que la mode ne s'en empare à travers toute l'Amérique du Nord.

Aujourd'hui, les chiropraticiens reçoivent une instruction et une formation très complètes sur le traitement manuel de la colonne vertébrale — les «manipulations vertébrales» — sans risques pour le patient. Avec notre manière d'insister sur la *fonction* plutôt que sur la *structure,* nous recherchons les anomalies de fonctionnement de la colonne vertébrale du patient alors que le médecin en recherche plutôt les anomalies de structure.

Lorsque j'ai commencé à collaborer avec David dans sa clinique, nous nous sommes vite aperçus que même notre terminologie de base différait énormément. J'ai néanmoins accepté de travailler avec lui deux demi-journées par semaine pour que nous examinions chacun de notre côté les maux de dos les plus complexes. Nous devions ensuite comparer nos notes. David a rapidement compris l'importance des mouvements de la colonne vertébrale et a appris les techniques manuelles d'examen et de diagnostic.

Bien que le chemin à parcourir m'apparût alors très long, il me semblait aussi très prometteur. Toutefois, nous n'avions pas réalisé la profondeur de nos différences. Une de mes convictions portait sur le bon fonctionnement des articulations et sur le déblocage de celles qui étaient figées, alors que David croyait à la qualité du soutien musculaire de la région lombaire, et à la prépondérance de la force et de la souplesse dans l'équilibre du corps. Chacun demeurant très tolérant à l'égard des convictions de l'autre, nous avions pourtant tendance, chacun de notre côté, à nous fier surtout à l'approche que nous connaissions le mieux.

Franchissons le fossé

Au début de notre collaboration, nous avons participé à plusieurs séminaires sur les manipulations vertébrales. David était quelque peu surpris d'y rencontrer non seulement des chiropraticiens et des ostéopathes, mais aussi des médecins tout aussi intéressés que lui par les techniques d'ajustement des vertèbres.

Progressivement, David a appris l'importance du mouvement normal des vertèbres, ainsi que les relations de ce mouvement avec le soulagement de la douleur et la *prévention* des dysfonctionnements. Il a compris très vite la signification des mouvements d'ensemble du dos et de chaque partie de la colonne vertébrale, en relation avec la prédisposition des vertèbres à la faiblesse et à la douleur.

Mon entraînement me permettait de montrer à David comment

reconnaître qu'un blocage, à un certain niveau de la colonne vertébrale, provoquait parfois de faux mouvements, des douleurs et une certaine instabilité à d'autres niveaux — qu'un problème à un certain endroit de la colonne vertébrale pouvait influencer d'autres vertèbres et provoquer de nouveaux problèmes, voire une maladie.

À la «loi Imrie», j'ajouterais l'«amendement Barbuto»: *toujours penser fonctionnement et non douleur pour éviter les récidives.*

Nous avons fini par comprendre que toute l'approche des maux de dos serait beaucoup plus rationnelle si nous additionnions nos points de vue. Les muscles ont leur importance, mais le fonctionnement des articulations a aussi la sienne. Il nous a alors semblé que le défi ultime de notre démarche consistait à déterminer *qui avait besoin de quelle sorte de traitement* pour soigner et prévenir les douleurs lombaires.

Le programme de renforcement du dos: un tout cohérent

Ce sont probablement les patients de notre clinique de médecine du travail qui ont le plus influencé le programme de renforcement du dos. Nous les écoutions et ils nous apprenaient beaucoup de choses. Ils connaissaient les contraintes de leur travail, leur douleur et son intensité mieux que nous pourrons jamais l'imaginer. C'est en les écoutant que nous avons appris ce qui était efficace et ce qui ne l'était pas. Nous nous préparions alors à vous faire profiter de toute cette expérience.

Le programme de renforcement du dos n'est pas seulement un programme de *traitement,* c'est aussi un programme de *gestion* des problèmes de dos. Il ne cherche pas à guérir: c'est un véritable programme de contrôle. Nous ne considérons pas seulement les *maux de dos* dans ce programme, nous tenons aussi compte de l'importance du *dysfonctionnement indolore* qui risque de devenir douloureux avec le temps et qui peut entraîner faiblesse et déficience. Mais nous ne nous occupons pas exclusivement de prévention; notre principal souci a plutôt été d'instituer une forme de prévention naturellement reliée au traitement et à la disparition complète des maux de dos lorsqu'ils se font sentir.

Le programme de renforcement du dos n'est pas axé sur la médecine du travail. Il offre plutôt ce que les professions médicales peuvent apporter de mieux. En même temps, il incite chacun à faire de son mieux pour traiter son problème et le gérer seul.

Le programme n'est pas le résultat d'une vision étroite d'un problème, c'est l'intégration de nombreuses compétences — celles d'un médecin, d'un chiropraticien, d'une physiothérapeute, d'un expert en conditionnement physique et de nombreux patients. Son originalité est basée sur l'équilibre: équilibre entre les muscles et les articulations, entre la science et l'art, entre les efforts du praticien et ceux du patient, entre le traitement curatif et la prévention, entre la chiropractie et la médecine.

Et le secret de tout cela tient dans l'identification du *déséquilibre* — la mise en évidence de *qui a besoin de quoi*.

DEUXIÈME PARTIE

APPRENDRE À CONNAÎTRE LE BON FONCTIONNEMENT DE SON DOS

CHAPITRE II

Les causes et les conséquences des maux de dos

La douleur est probablement la manifestation la plus fréquente et la plus inquiétante d'une maladie: une douleur dans la poitrine peut être causée par une affection des artères coronaires, les coliques néphrétiques sont provoquées par des calculs rénaux, la violente douleur au bas et à droite de l'abdomen est le signe de la crise d'appendicite aiguë. Dans notre société moderne, l'apparition de la douleur suscite immédiatement deux questions: quelle en est la cause et comment la soulager?

La manière habituelle de traiter la douleur est d'abord d'en diagnostiquer la maladie responsable, puis de la soigner afin d'en supprimer les causes et de soulager le patient. Dans le cas des coliques néphrétiques, par exemple, le traitement de la douleur commence dès que le diagnostic est posé et on entreprend immédiatement des procédures d'évacuation du calcul.

Comme nous allons le voir, la manière habituelle de traiter les affections de la colonne vertébrale a presque toujours été de soulager rapidement les douleurs plutôt que d'établir un diagnostic précis et de corriger les problèmes mécaniques responsables.

L'évaluation de la douleur

La gestion pratique de la douleur et l'approche des divers problèmes liés à sa perception sont grandement compromises par notre incapacité à déterminer sa nature et à mesurer objectivement son intensité. Pour évaluer la douleur, le médecin dépend entièrement de la perception et du comportement de son patient, ainsi que de l'interprétation personnelle qu'il fait des symptômes présentés ou décrits. Nombre de patients expriment leur frustration en essayant de décrire l'intensité de leur douleur par des remarques comme: «Docteur, vous ne pouvez pas voir dans ma tête et vous ne pouvez pas sentir à quel point j'ai mal.»

Il paraît assez probable que des douleurs lombaires affecteront un jour ou l'autre la qualité de vie d'un grand nombre de nos contemporains. De plus, nombreux sont ceux qui exagèrent l'importance de la plus petite douleur, qu'ils essaient ensuite d'éliminer avec beaucoup d'acharnement. Reculons un peu dans le temps. Les maux de dos, les maux de dent, les maux de tête, les douleurs rhumatismales et autres désagréments comparables existent depuis des millénaires. Bien que les remèdes naturels et les plantes médicinales, tout comme l'alcool et certains narcotiques, aient permis de lutter contre ces maux pendant longtemps, aucune société avant la nôtre n'a eu accès à une telle profusion d'analgésiques, de calmants et d'euphorisants, ni — et ceci est la conséquence logique de cela — ne les a employés avec autant d'insouciance. Aujourd'hui, les médicaments contre la douleur vendus avec ou sans ordonnance ne rivalisent qu'avec les tranquillisants dans la course aux médicaments les plus utilisés.

La nature de la douleur aurait-elle tellement évolué au cours des siècles pour justifier une réaction aussi partagée? Notre capacité et notre désir de résister au désagrément se sont-ils modifiés proportionnellement à notre accès plus facile au bien-être artificiel? Notre recherche du confort et du bonheur a-t-elle suscité des attentes et des besoins irréalistes?

Cet état de fait est partiellement responsable de la mauvaise manière que nous avons de traiter les troubles de la colonne vertébrale: nous accordons trop d'importance à la douleur et nous oublions trop souvent les perturbations fonctionnelles. La nature et l'intensité des douleurs musculaires et osseuses sont très mal supportées par les patients, tout comme le stress qu'elles engendrent. Cependant, les caractéristiques de la douleur, comme son intensité, sa durée, ainsi que la posture et les mouvements qui la déclenchent, peuvent constituer un bon point de départ pour sa description.

L'importance de la douleur

Pour ceux que l'étude des troubles de santé intéresse, il est presque inutile de souligner la valeur de la douleur comme symptôme. La douleur est une perception sensorielle désagréable et différente des autres perceptions comme la sensation de chaleur ou de froid. La douleur transmet une information sur l'état du corps, mais, à la différence des autres perceptions, elle ne nous apprend rien sur la nature du stimulus responsable. Pour celui qui ne l'aurait jamais ressentie auparavant, la douleur ne peut pas être définie avec des mots. Elle est de nature subjective et, lorsqu'elle touche les muscles ou le squelette, elle peut être causée par la fatigue, une mauvaise posture, un dysfonctionnement de la colonne vertébrale, un effort musculaire asymétrique, une blessure ou un traumatisme, une crampe, un étirement ligamentaire ou une maladie de la colonne vertébrale — nous expliquerons toutes ces causes en détail.

La douleur signale un dommage tissulaire déclaré ou latent, et une bonne connaissance de la manière dont le système nerveux la transmet et l'interprète est indispensable au praticien comme au patient. Ces dernières années, des sciences comme la neurohystologie et la neurophysiologie (sciences de l'anatomie des cellules et du fonctionnement du système nerveux) ont beaucoup progressé. Il en résulte une plus grande compréhension de la signification clinique des douleurs de la colonne vertébrale. Car une chose est certaine: *Les douleurs de la colonne vertébrale sont anormales. Elles doivent donc être diagnostiquées, comprises et traitées.*

Le mode de transmission de la douleur au cerveau

La figure 2.1 illustre le chemin de la douleur vers le cerveau. La douleur est perçue par les fibres nerveuses *afférentes*. (Les nerfs afférents sont les nerfs qui transmettent l'influx nerveux d'un point quelconque du corps *vers* le cerveau. Réciproquement, les nerfs *efférents* acheminent l'influx *hors* du cerveau vers un quelconque point du corps.) Nos récepteurs de la douleur sont situés dans la peau, au niveau des tissus profonds comme les muscles et les *aponévroses* (enveloppes des organes qui les relient entre eux), et sur les organes internes.

FIG. 2.1 LA TRANSMISSION DE LA DOULEUR AU CERVEAU

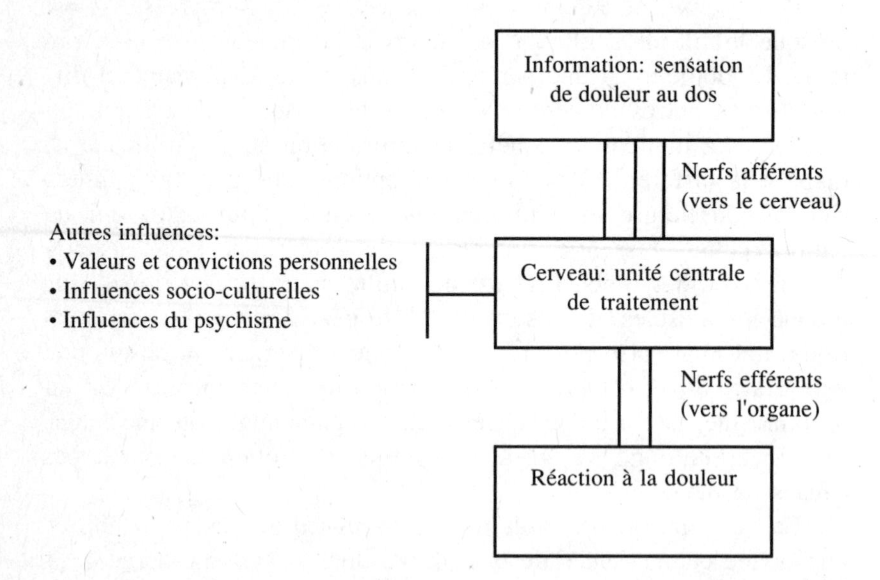

Lorsqu'un influx nerveux est produit par la stimulation d'un récepteur de la douleur, il pénètre dans la moelle épinière et monte jusqu'au cerveau. À cet endroit, il est localisé et interprété par différentes parties du cerveau qui le comparent aux sensations de douleur déjà éprouvées. La peau, par exemple, qui est stimulée très souvent, permet à la zone de perception du cerveau d'être si souvent sollicitée par la douleur qu'elle peut la localiser avec une très grande précision. L'influx nerveux provenant de tissus plus profonds — comme les ligaments intervertébraux — atteint plus rarement le cerveau et lui est donc moins familier.

La douleur est subjective

La perception des sensations ne dépend pas que des cellules réceptrices de la peau, des muscles, des articulations ou des organes, ni du bon état des nerfs périphériques et de la moelle épinière. Elle dépend surtout d'un réseau de liaisons complexes qui s'établissent à travers le cerveau, et elle peut être influencée par les pensées et les émotions.

Ainsi, toutes les sensations, y compris la douleur, sont subjectives. Chacun de nous possède sa propre gamme de perceptions, et les autres peuvent la connaître seulement par la description que nous en faisons. Cette description implique d'ailleurs une série d'interactions complexes qui allient les aspects psychologique, physiologique, socio-culturel et clinique de la douleur.

La douleur n'est qu'un symptôme

Pendant plus d'un siècle, les médecins ont utilisé le «modèle médical» pour découvrir la cause de la maladie. Cette méthode consiste à questionner et à examiner le patient afin de découvrir la cause des symptômes qu'il éprouve. Ceux-ci peuvent être une éruption cutanée, la perturbation d'une fonction ou une douleur. Il est indispensable de bien comprendre que la douleur n'est qu'un *symptôme* et non pas une affection en elle-même. Pour les maux de dos, il faut aussi comprendre que le modèle médical ne permet que rarement de diagnostiquer une affection.

Étudions maintenant la structure du dos et la nature de ses affections possibles — les affections pouvant engendrer le *symptôme* des maux de dos.

La structure du dos

La colonne vertébrale est le pilier du corps, l'organe qui nous permet de rester debout malgré la force de gravité. Elle est construite pour fournir le maximum de stabilité tout en conservant le maximum de souplesse. Elle ressemble à un chapelet d'os (les vertèbres) qui sont solidement maintenus ensemble.

Les deux fonctions apparemment incompatibles que sont le soutien (la rigidité) et la mobilité (la souplesse) rendent la colonne vertébrale très vulnérable aux blessures. Ce n'est que grâce à l'action des ligaments et des muscles que ces deux fonctions sont réalisées simultanément.

La tête est supportée par sept *vertèbres cervicales* qui constituent le cou. Les *vertèbres dorsales* sont au nombre de douze et servent d'ancrages pour les côtes. La région lombaire compte cinq *vertèbres lombaires* qui sont comprises entre la poitrine et le bassin. La base de la colonne vertébrale est composée du *sacrum* et du *coccyx* qui ferment l'arrière de la cavité du bassin (voir figure 2.2).

FIG. 2.2 LA COLONNE VERTÉBRALE

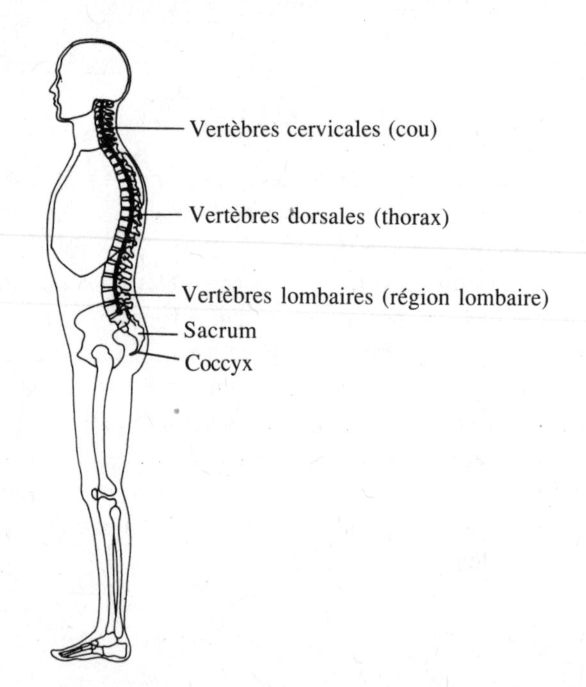

La colonne vertébrale est souvent comparée à une tige constituée d'une série de bobines (les vertèbres) empilées les unes sur les autres. La moelle épinière passe à travers le trou central des bobines et les nerfs rachidiens sortent dans l'espace qui les sépare entre elles. Cet espace est rempli par un coussin amortisseur en tissu spongieux appelé le *disque intervertébral*. Les disques donnent sa forme et son élasticité à la colonne vertébrale, car ils ont la possibilité de se comprimer sous l'action d'une charge, puis de reprendre leur forme première lorsque la charge est enlevée, en laissant les vertèbres reprendre leur position d'origine.

Vue latéralement, la colonne vertébrale présente trois légères courbures vers l'avant et vers l'arrière (voir figure 2.3). Ces courbures portent le nom de *lordose cervicale,* de *cyphose dorsale* et de *lordose lombaire.* Elles doivent rester alignées dans un plan vertical passant par le centre de gravité du corps afin de bien équilibrer la masse corporelle et de contrebalancer la charge excentrée qui s'applique sur chacune d'elles. Ces courbures donnent de la force à la colonne vertébrale, mais si cette dernière dévie trop de l'axe vertical ou que les courbures deviennent trop prononcées, elle s'affaiblit et devient plus vulnérable aux tensions, aux torsions et aux blessures.

FIG. 2.3 LES COURBURES NORMALES DE LA COLONNE VERTÉBRALE

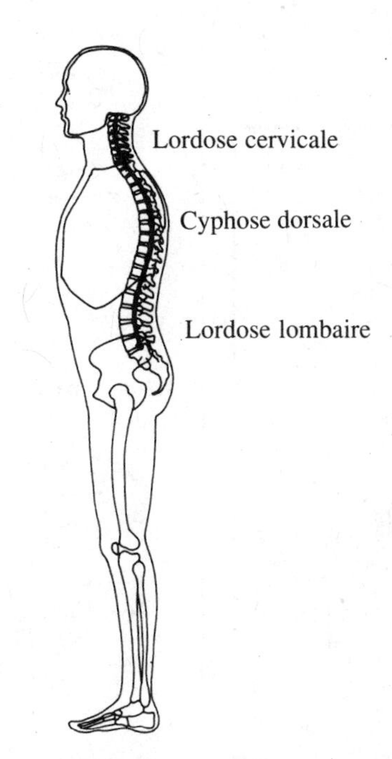

La colonne vertébrale de l'adulte est composée de 25 p. 100 de cartilage (les disques intervertébraux) et de 75 p. 100 d'os (les vertèbres). La figure 2.4 illustre l'aspect d'une vertèbre et sa liaison avec ses voisines.

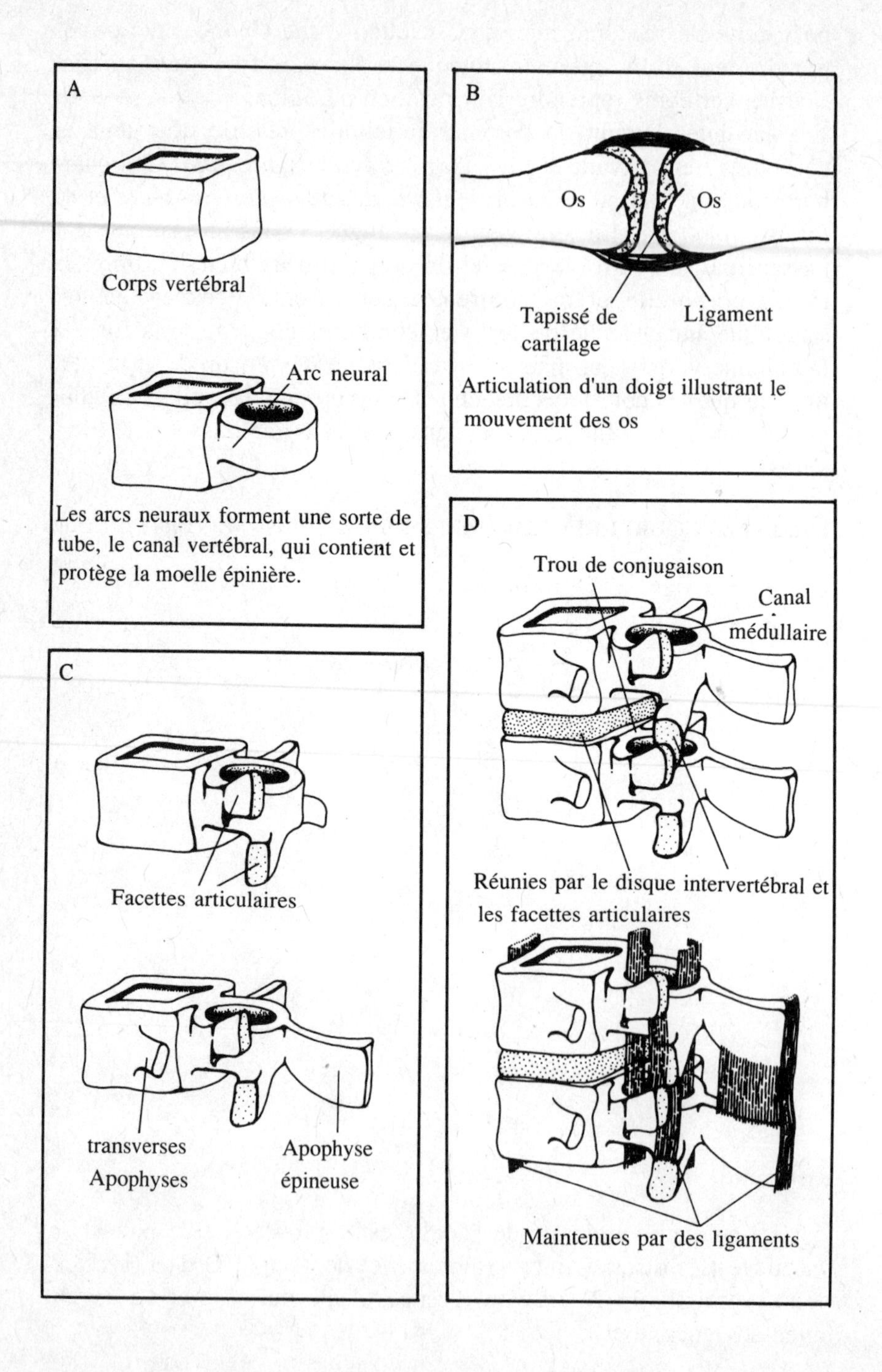
A
Corps vertébral
Arc neural
Les arcs neuraux forment une sorte de tube, le canal vertébral, qui contient et protège la moelle épinière.
B
Os
Os
Tapissé de cartilage
Ligament
Articulation d'un doigt illustrant le mouvement des os
C
Facettes articulaires
transverses
Apophyses
Apophyse épineuse
D
Trou de conjugaison
Canal médullaire
Réunies par le disque intervertébral et les facettes articulaires
Maintenues par des ligaments

L'avant, ou la partie la plus épaisse de chaque vertèbre, est extrêmement solide et s'appelle le *corps vertébral;* à l'arrière se trouvent les *facettes articulaires,* reliées au corps vertébral par l'*arc neural* (A). Les facettes articulaires, réunies par des ligaments, autorisent le mouvement et la souplesse de la colonne vertébrale. Semblables aux articulations des doigts (B), elles sont constituées de deux os recouverts de cartilage, ce qui leur donne une résistance élastique et leur permet d'absorber les chocs. Le capitonnage de l'articulation est enfermé sous la *membrane synoviale* contenant un liquide qui remplit la cavité formée et améliore encore l'amortissement.

Les protubérances osseuses situées sur le côté de la vertèbre se nomment les *apophyses transverses* et elles permettent l'insertion des muscles; à l'arrière, se trouve l'*apophyse épineuse* sur laquelle s'insèrent des muscles et des ligaments (C). Le corps de chaque vertèbre est séparé du précédent par le disque intervertébral, et il est rattaché au suivant par deux facettes articulaires.

Toute la colonne vertébrale est maintenue par une série de solides cordons fibreux (les ligaments) qui maintiennent les os ensemble quelle que soit leur position (D). Toutes les vertèbres s'ajustent les unes aux autres avec précision pour former la tige creuse, le long tube osseux qui contient et protège la moelle épinière. Le trou de chaque vertèbre à travers lequel passe la moelle épinière s'appelle le *canal médullaire;* les deux trous qui permettent la sortie des nerfs rachidiens de chaque vertèbre s'appellent *trous de conjugaison.*

L'origine des maux de dos

On peut classer les douleurs de la colonne vertébrale selon leurs tissus d'origine. Par désir de simplicité, nous nous contenterons de les décrire brièvement et de regrouper ceux qui sont susceptibles de générer la douleur.

On pense que le tissu de certains ligaments intervertébraux est sensible à la douleur. Les ligaments jaunes et les ligaments interépineux n'y semblent pas sensibles ou, du moins, ils ne joueraient qu'un très petit rôle dans la perception de la douleur.

La garniture cartilagineuse de l'extrémité des facettes articulaires et le tissu des capsules articulaires sont richement pourvus de récepteurs sensitifs (les terminaisons nerveuses): ils sont donc extrêmement sensibles à la douleur.

Les crampes musculaires qui accompagnent souvent un dysfonctionnement ou une maladie de la colonne vertébrale peuvent aussi être génératrices de douleur.

La douleur engendrée par une blessure au dos peut donc avoir de multiples causes, dont l'inflammation des articulations et des ligaments et la contracture musculaire qui l'accompagne. Divers facteurs peuvent donc générer la douleur au niveau de chaque constituant de la colonne vertébrale. Les nerfs et les vaisseaux sanguins sont aussi des tissus sensibles à la douleur. Cependant, lorsque tout va bien, le système récepteur des terminaisons nerveuses situé à l'intérieur et autour de la colonne vertébrale reste virtuellement passif tant qu'il n'est pas sollicité mécaniquement ou chimiquement.

Tests de dépistage des maladies de la région lombaire

L'histoire médicale du patient

Dans le cas des maux de dos, comme dans la majorité des autres troubles de santé, la plus importante partie de l'examen médical est l'écoute de l'histoire du patient: il s'agit d'une description de son *trouble principal,* la douleur au dos en l'occurrence, et de sa relation possible avec une *maladie déclarée.* Les questions permettant de préciser l'endroit, la date du début des douleurs, le mode d'action et l'intensité de la douleur sont essentielles. Où avez-vous mal? Dans la région lombaire ou dans les fesses? La douleur descend-elle dans une jambe ou dans les deux? Remonte-t-elle jusque dans les épaules et la nuque? Comment a-t-elle commencé? S'est-elle installée progressivement? S'est-elle manifestée à la suite d'une blessure ou d'un traumatisme quelconque? Si c'est le cas, quand est-ce arrivé? Comment évolue la douleur? A-t-elle augmenté ou diminué? Est-elle continue ou intermittente?

La relation entre la douleur et le mouvement est extrêmement importante. La douleur augmente-t-elle avec le mouvement et diminue-t-elle au repos (comme dans le cas d'une affection purement mécanique du dos), ou — et c'est un symptôme important — est-elle plus vive pendant la nuit? La douleur nocturne intense est habituellement associée à des maladies graves.

Viennent ensuite les questions concernant le *passé de l'affection*. Avez-vous déjà eu mal au dos auparavant? Si oui, quels ont alors été le diagnostic et le traitement? Pendant combien de temps la douleur s'est-elle fait sentir et quelle a été la durée de son traitement? Le *passé professionnel* a aussi son importance. Quel est votre genre de travail? Et vos autres activités? La douleur affecte-t-elle votre vie de famille, vos activités sportives, vos loisirs, votre vie sexuelle?

Le *passé familial* a parfois son importance, surtout dans le cas de l'arthrite. Et enfin, jouissez-vous d'une bonne santé générale ou souffrez-vous d'autres troubles? Prenez-vous des médicaments ou suivez-vous un traitement quelconque?

L'examen physique doit être pratiqué sur un patient vêtu seulement d'un sous-vêtement et le praticien ne doit pas le limiter à la seule région lombaire, mais doit aussi l'étendre aux hanches, à la totalité du dos et aux jambes. Nous recevons beaucoup de patients qui ne s'attendent pas à devoir se déshabiller pour un examen du dos, car ils ont été auparavant examinés tout habillés. Ce détail est surprenant, mais il est aussi révélateur.

Il est important pour nous de pouvoir étudier la démarche du patient, la courbure naturelle de sa région lombaire et sa posture, puis de vérifier l'amplitude de ses mouvements — sa capacité à se courber vers l'arrière et vers l'avant — ainsi que de pouvoir palper chaque côté de sa colonne vertébrale pour vérifier la relaxation des muscles ou leur tension. L'examen se poursuit par une évaluation soigneuse de la pression exercée sur les nerfs rachidiens, et il comporte encore une évaluation de la force des muscles des hanches, des genoux, des chevilles et des orteils. Ensuite vient l'épreuve de sensibilité aux piqûres, ainsi que d'autres tests de vérification de la perception sensorielle comme l'hypersensibilité ou l'absence de sensation à l'extrémités des membres. Les réflexes tendineux du genou et de la cheville sont aussi vérifiés. Nous terminons par un test d'élévation des jambes pour lequel nous faisons allonger le patient sur le dos et nous élevons chacune de ses jambes à la verticale (ou le plus près possible).

L'examen physique se généralise ensuite et porte sur différents organes et d'autres régions du corps. À ce stade, chez la plupart des patients, nous avons déjà fait une découverte significative. Si toute éventualité de maladie est exclue, nous prescrivons alors un traitement à base de repos et de produits calmant la douleur, avec parfois des applications de chaleur.

Les radiographies de la région lombaire

Nous prescrivons habituellement d'autres examens si nous suspectons une anomalie grave, si la douleur est très violente ou si elle n'a pas disparu à la suite du premier traitement. Le premier de ces examens complémentaires est la radiographie de la région lombaire — un examen très simple qui n'expose le patient qu'à une dose minime de rayons X. La radiographie est utile pour le diagnostic d'une fracture ou d'une *spondylolisthésis,* comme nous allons le voir, mais elle ne donne souvent que peu d'informations sur l'état de la colonne vertébrale. La difficulté provient du fait que la colonne vertébrale présente souvent de petites anomalies qui pourraient être une cause de douleurs. La radiographie de la région lombaire complique souvent la situation, car elle peut donner lieu à des erreurs de diagnostic.

Scanner, R.M.N., myélographie et autres examens

Si l'examen clinique du patient laisse supposer la compression de la racine d'un nerf rachidien, il existe trois examens, parmi d'autres, qui permettent d'en préciser l'origine: l'examen au scanner, la résonnance magnétique nucléaire (R.M.N.) et la myélographie.

Le scanner (tomodensitométrie par ordinateur)

Lors d'un examen au scanner (ou *CATscan*), la région lombaire est soumise à une série de radiographies qu'un ordinateur analyse dans ses trois dimensions. Cet examen constitue un excellent moyen de diagnostiquer une affection de la région lombaire — depuis les fractures osseuses et les tumeurs, en passant par toutes les blessures des tissus mous comme la hernie discale. Cet examen fait partie de ce que l'on nomme les techniques «non invasives» et ne comporte que très peu de risques pour le patient. Il permet de localiser précisément les lésions de la région lombaire qui peuvent être traitées par la chirurgie.

La R.M.N.

La R.M.N. (résonnance magnétique nucléaire) est une technique de diagnostic dans laquelle de très gros aimants créent un champ magnétique dans le corps du patient et provoquent des modifications au niveau des cellules, modifications visualisées sous forme de variations de couleur sur un écran vidéo et permettant d'identifier les affections. Cet examen fait aussi partie des techniques «non invasives», mais il possède certaines limites.

La myélographie

La myélographie (du grec *muelos,* moelle, et *grafos,* image) fait partie des techniques «invasives». C'est une radiographie qui nécessite l'injection d'un liquide opaque aux rayons X dans le canal rachidien, à l'aide d'une aiguille passant entre deux vertèbres du patient alors que ce dernier se tient en position courbée. Le liquide met en évidence la présence éventuelle et l'emplacement exact d'une compression de la racine d'un nerf rachidien. Comme dans toute technique «invasive», il existe quelques risques d'infection ou d'effets secondaires désagréables pendant quelques jours, comme des maux de tête ou un malaise dans la région lombaire.

Les autres examens

Des examens de sang et la scintigraphie osseuse constituent aussi des moyens très utiles pour déterminer la présence d'une affection inflammatoire de la région lombaire. La scintigraphie osseuse est effectuée après injection dans une veine d'un liquide contenant des radio-isotopes qui vont se fixer électivement sur des lésions ou sur des tissus osseux en formation.

Les douleurs causées par une maladie

Comme nous l'avons mentionné précédemment, les maladies ne sont responsables que d'une minorité de maux de dos. Voici la description des maladies qui peuvent affecter le dos*.

---

* Voir le chapitre X pour les histoires de cas.

La hernie discale

Avant de définir la hernie discale, examinons plus attentivement un *disque intervertébral*. Chaque surface plane de la vertèbre est recouverte de cartilage articulaire. Un disque intervertébral (formé d'un noyau central gélatineux recouvert d'un réseau de couches fibreuses croisées semblable à une pelure d'oignon) s'intercale entre deux vertèbres. Les couches externes sont solidaires des ligaments intervertébraux qui relient les vertèbres ensemble. Le disque normal et sain agit comme un amortisseur.

Auparavant, on tenait le disque intervertébral pour une structure statique, mais nous savons aujourd'hui qu'il s'imbibe, au cours de la nuit, de liquide qu'il rejette au cours de la journée, du fait de nos activités et du poids de notre corps. On peut comparer ce phénomène à une éponge mouillée qui libère son eau lorsqu'on l'écrase entre les doigts. Pour cette raison, la hauteur totale de chaque disque diminue au cours de la journée et provoque une diminution globale de la taille.

La hernie discale provient de la rupture de la nappe extérieure des fibres du disque qui laisse alors s'échapper du liquide gélatineux (voir figure 2.5). Cette affection a été décrite pour la première fois dans une intervention chirurgicale datant de 1934. Après l'enlèvement du fragment de disque qui compressait un nerf rachidien, les douleurs de la crise de sciatique d'un patient avaient disparu et sa guérison avait été rapide et complète. Cette découverte, qui n'avait suscité qu'un faible intérêt sur le moment, a fini par voir son application atteindre des proportions excessives.

FIG 2.5 LA HERNIE DISCALE

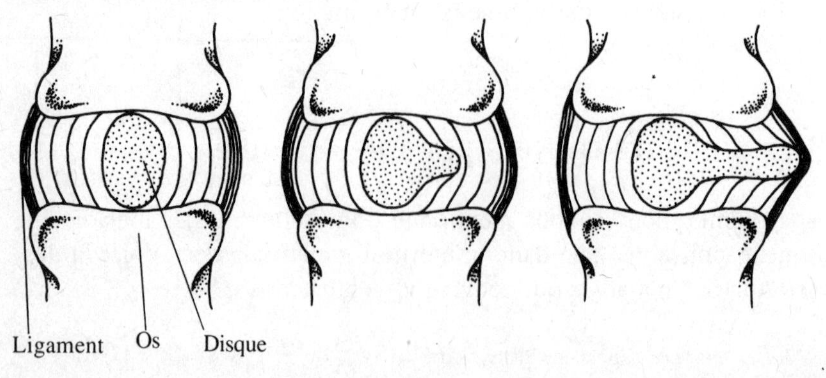

Les symptômes de la hernie discale sont nombreux et variés. Ils sont liés au degré d'atteinte du disque et aux effets qu'a la blessure sur les tissus voisins. Invariablement, le patient souffrant de hernie discale va consulter un médecin pour une douleur dans la région lombaire, accompagnée parfois de douleurs dans une jambe ou dans les deux. L'importance de la douleur dépend du degré de compression des nerfs rachidiens lorsqu'ils sont impliqués, et de l'inflammation des ligaments voisins (voir figure 2.6).

Lorsqu'une hernie se forme avec la matière gélatineuse d'un disque intervertébral, le caractère et l'intensité des symptômes ne dépendent pas que de l'importance et de la direction de la fuite de matière, ils dépendent aussi de la forme et de la taille du canal médullaire.

FIG. 2.6 LA HERNIE DISCALE

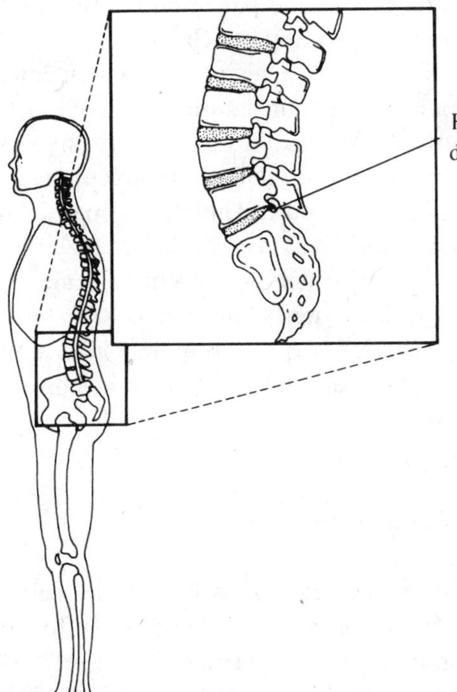

La hernie discale affecte 0,1 à 0,5 p. 100 des hommes de vingt-quatre à soixante-quatre ans — le plus souvent vers l'âge de trente ans. Cette affection est moins courante chez la femme. Un patient atteint de hernie discale peut déjà avoir souffert de douleurs lombaires, mais ce n'est pas une règle absolue. La hernie discale se rencontre le plus souvent chez un homme jeune et en bonne santé, à la suite d'une trop grande pression appliquée sur le disque. Cet homme s'aperçoit immédiatement que quelque chose ne va pas, mêms s'il ne ressent pas de douleurs lombaires *au moment* où se produit la hernie; il ressent plutôt l'engourdissement ou l'affaiblissement d'une jambe ou des deux. Dans les cas graves, le patient peut même perdre le contrôle de sa vessie et de ses intestins.

Pour diagnostiquer la hernie discale, il faut vérifier l'état des nerfs rachidiens au niveau de la jambe. Des nerfs comprimés ou enflammés se manifestent par une douleur ou une perte de la sensibilité dans une jambe ou dans les deux, par la disparition des réflexes tendineux et, éventuellement, par l'affaiblissement des muscles de la partie inférieure des jambes ainsi que par la diminution de la capacité d'élévation des jambes en position couchée.

La plupart des hernies discales se résorbent spontanément en trois à neuf mois et la douleur disparaît naturellement. Si la hernie s'aggrave, une intervention chirurgicale peut être nécessaire. L'emplacement de la hernie est d'abord déterminé grâce à une myélographie, à un examen au scanner ou à d'autres examens. Ensuite le disque peut se résorber chimiquement grâce à un enzyme, ou il peut être enlevé en pratiquant une intervention chirurgicale appelée discotomie. Dans certains cas, les nerfs rachidiens sont tellement écrasés par le disque et la vertèbre qu'un fragment d'os doit être enlevé de l'arc neural responsable. Cette intervention chirurgicale porte le nom de *laminectomie*.

La spondylarthrite ankylosante

Cette affection, qui est aussi connue sous le nom de maladie de Marie-Strumpell, constitue une forme aiguë d'arthrite (affection articulaire d'origine inflammatoire). Souvent héréditaire, elle affecte cinq fois plus d'hommes que de femmes et elle se retrouve chez plus de 4 p. 100 des patients souffrant de maux de dos.

Elle survient habituellement entre vingt-cinq et trente-cinq ans et se manifeste par une sensation de gêne dans la région lombaire, accompagnée d'une raideur dans une fesse ou dans les deux, près de la base de la colonne vertébrale. Cette raideur est plus évidente chez le patient qui est resté dans la même position durant une assez longue période, et elle est particulièrement fréquente le matin au réveil.

À ses débuts, la spondylarthrite ankylosante est une maladie insidieuse caractérisée par des crises espacées et dont les premières manifestations ne laissent qu'un vague souvenir au patient. Cependant, avec le temps la douleur s'accentue, allant même jusqu'à tirer le patient d'un profond sommeil nocturne. Les crises intermittentes finissent par se transformer en douleurs chroniques que l'inactivité aggrave encore.

Au bout de quelques années, la raideur croissante de la colonne vertébrale entraîne des crises de plus en plus douloureuses. En progressant, la maladie entraîne une fusion des vertèbres avec les ligaments, provoquant ainsi la rigidité et la «soudure» de la colonne vertébrale. Le mouvement des vertèbres est très diminué et les malades marchent comme des robots. Laissée sans traitement, la spondylarthrite ankylosante peut entraîner une fusion osseuse des côtes qui est responsable d'une déformation «en barrique» du thorax et lui enlève sa souplesse en gênant la respiration. Cette maladie s'accompagne aussi d'une grande fatigue.

Le premier geste thérapeutique consiste à faire bouger le plus possible les patients. Les médicaments anti-inflammatoires peuvent soulager les symptômes, mais les patients qui préfèrent demeurer immobiles et se reposer doivent s'attendre à faire face à de très sérieuses difficultés.

La spondylolisthésis (instabilité vertébrale)

La spondylolisthésis est une affection caractérisée par le glissement vers l'avant du corps d'une vertèbre. Le mot vient du grec *olisthesis,* qui signifie glissement ou chute. C'est la cause la plus fréquente d'instabilité de la colonne vertébrale ou de déplacement des vertèbres (voir figure 2.7).

FIG. 2.7 LA SPONDYLOLISTHÉSIS

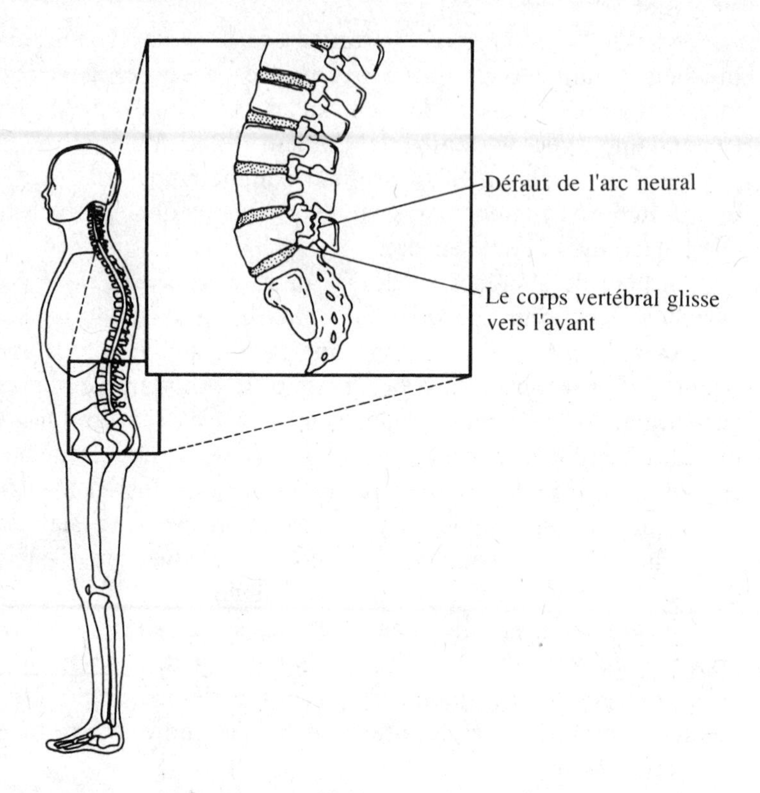

La spondylolisthésis peut affecter n'importe quelle partie de la colonne vertébrale, mais c'est au niveau de la dernière vertèbre lombaire (L 5) qu'elle est la plus fréquente. Elle est causée par un défaut de l'arc neural. Si ce défaut est isolé, sans déplacement de l'os, l'affection s'appelle une *spondylolyse* et elle est habituellement indolore.

Les douleurs lombaires causées par la spondylolisthésis proviennent de la tension imposée aux éléments de soutien des vertèbres (ligaments et cartilages intervertébraux).

L'intervention chirurgicale est nécessaire en cas de glissement important d'une vertèbre ou de compression d'un nerf rachidien entraînant une sciatique. Dans cette opération qui porte le nom de *fusion vertébrale,* deux vertèbres sont soudées ensemble grâce à un fragment d'os prélevé sur le bassin du patient.

Les traumatismes de la région lombaire

La cause la plus fréquente des traumatismes de la colonne vertébrale est la *fracture de compression* du corps d'une vertèbre (voir figure 2.8). La force de compression appliquée sur l'os provoque son écrasement vers l'avant avec une déformation en «coin de bûcheron», et elle entraîne une violente douleur qui peut durer plusieurs semaines. Son traitement habituel est l'alitement, avec parfois la pose d'un plâtre au thorax si la lésion est importante ou si elle touche plusieurs vertèbres. Cette fracture est rare chez les patients jeunes qui, habituellement, n'en souffrent qu'à la suite d'un accident de voiture ou d'une mauvaise chute.

FIG. 2.8 LA FRACTURE D'UNE VERTÈBRE

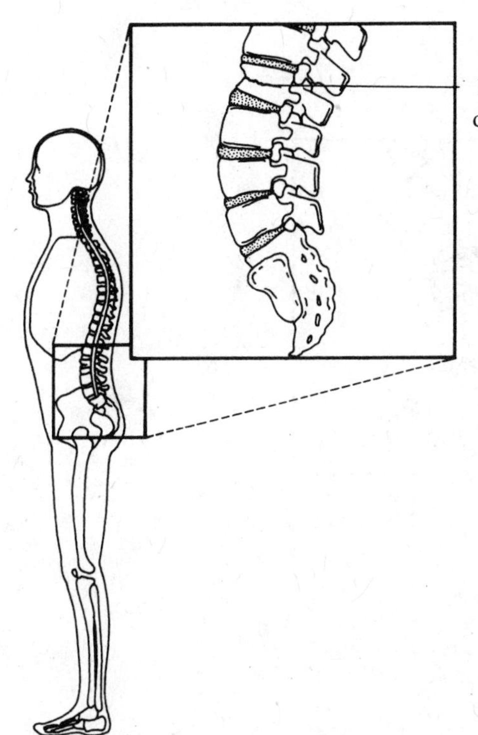

Environ 25 p. 100 des femmes âgées et 12 p. 100 des hommes âgés souffrent d'*ostéoporose,* une grave détérioration des os. Sur les six millions de fractures spontanées qui se produisent chaque année en Amérique du Nord, cinq millions concernent des femmes ayant dépassé l'âge de la ménopause. Ces fractures spontanées constituent souvent la première manifestation de la maladie, bien que le tout premier symptôme des femmes ménopausées soit une douleur dans la région lombaire qui s'aggrave progressivement.

L'ostéoporose, qui se traduit par une diminution de la masse totale des os sans modification de leur composition chimique (la proportion de calcium et de protéines reste inchangée), provoque aussi une diminution de la taille, au rythme d'environ 4 cm par décennie après le début de la ménopause. Chez environ 26 p. 100 des femmes de plus de soixante ans, les déformations des vertèbres provoquent ce que l'on nomme souvent la «bosse de douairière».

FIG. 2.9
MALADIE D'UN ORGANE QUI S'ÉTEND À LA COLONNE VERTÉBRALE

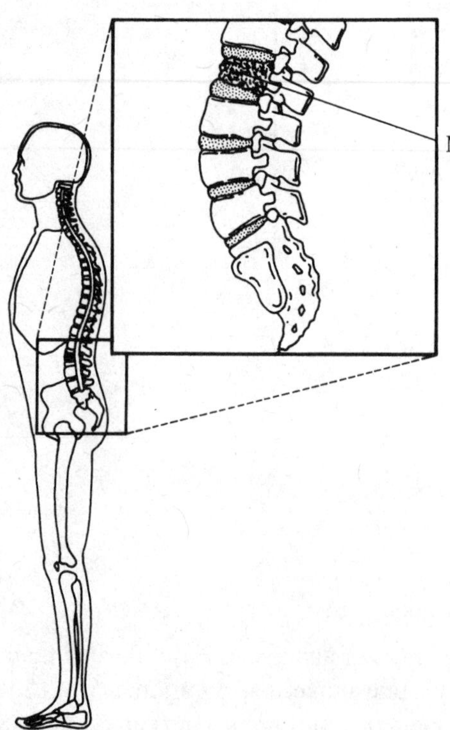

Les maladies avec métastases

Nous traitons ici de maladies directement responsables de douleurs lombaires. Dans le cas d'un cancer qui s'est étendu et a fait des métastases, la tumeur de départ siège souvent, chez la femme, dans les organes génitaux ou dans un sein; chez l'homme, la tumeur de départ siège la plupart du temps dans le côlon ou la prostate. La douleur ressentie au niveau de la colonne vertébrale est alors une manifestation secondaire qui nécessite un diagnostic précis et le traitement de la tumeur originale. La figure 2.9 illustre l'exemple de la maladie d'un organe qui s'étend à la colonne vertébrale.

La discarthrose

La dégénérescence qui précède la maladie d'un disque intervertébral fait l'objet d'une vaste controverse. L'hypothèse sur l'origine de cette dégénérescence ne fait pas l'unanimité du corps médical. L'anatomie et l'activité chimique du disque intervertébral sont bien connues, mais c'est son fonctionnement mécanique qui est important quand on veut interpréter ses malformations ou les causes de sa destruction.

Les disques intervertébraux peuvent se comparer à des systèmes hydrauliques composés d'un cylindre élastique et fibreux rempli d'un gel colloïdal. Nous avons déjà précisé que les disques intervertébraux constituent le quart de la masse de la colonne vertébrale. Au cours de la jeunesse, ils sont élastiques et remplis de liquide, ce qui maintient les vertèbres très écartées. Avec l'âge, cependant, ils perdent une partie de leur liquide, s'endommagent et voient leur élasticité diminuer. Cette dégénérescence cause un relâchement des ligaments annulaires, gênant ainsi la mécanique du mouvement. Sur les radiographies, cette discarthrose peut avoir l'apparence de l'arthrite (et être parfois qualifiée ainsi), avec de petites protubérances osseuses appelées *ostéophytes* qui se forment sur le bord de la vertèbre (voir figure 2.10). Il ne s'agit pas d'arthrite à proprement parler, mais d'une simple conséquence de l'usure des os et de la traction des muscles et des ligaments.

À quarante ans, de nombreux patients commencent à présenter des signes de discarthrose. Vers soixante ans, tous les patients en sont atteints. La plupart supportent tout simplement la douleur qu'elle entraîne. Bien que la discarthrose soit une affection structurelle, elle s'accompagne de troubles fonctionnels et doit donc être traitée.

Il convient toutefois de préciser que cette affection dégénérative n'est pas forcément douloureuse et que la radiographie de la colonne vertébrale ne donne aucune indication sur la présence d'une douleur. Le chirurgien orthopédiste torontois Ian Macnab en a fait la preuve dans une étude effectuée au *Workmen's Compensation Hospital,* où on a radiographié le dos d'un grand nombre de travailleurs manuels. Cette étude a révélé que certains travailleurs dont la radiographie du dos présente un aspect inquiétant ne se plaignent d'aucune douleur, alors que ceux qui consultent un médecin pour des douleurs ont souvent des radiographies d'apparence normale.

FIG. 2.10 LA DISCARTHROSE

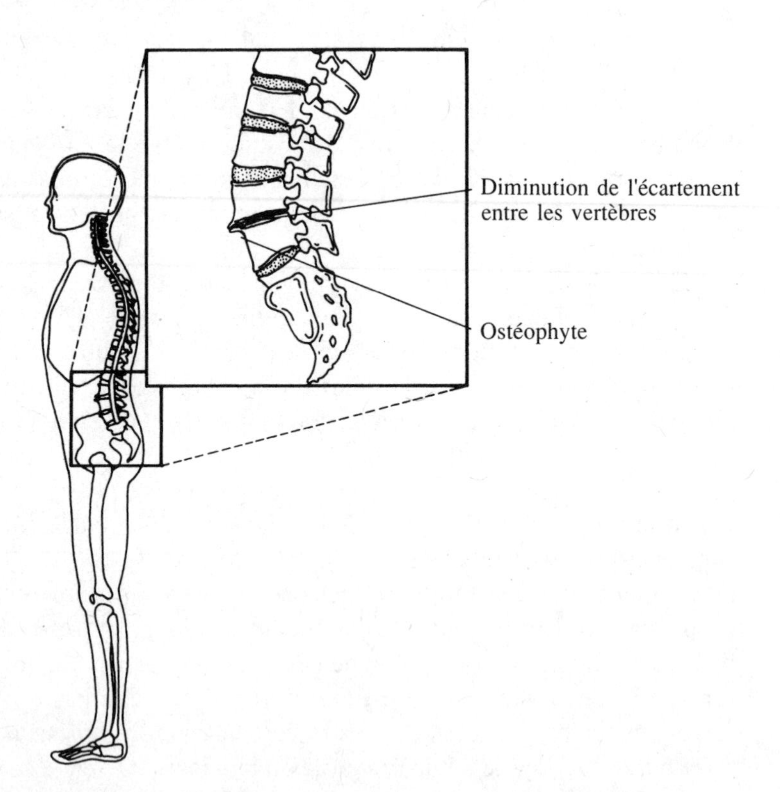

Le diagnostic le plus courant que nos patients font eux-mêmes est le suivant: «Je sais que je souffre de discarthrose, mais comme il n'y a rien à faire, je suis bien obligé de vivre avec cette maladie.»

Cette idée de taxer de maladie un phénomène normal de vieillissement peut s'avérer très démoralisante et très préjudiciable à l'état du patient.

Selon ce raisonnement absurde, nous pourrions dire à un patient dont l'âge a fait blanchir les cheveux qu'il souffre d'une «affection dégénérative du cuir chevelu» et lui laisser croire qu'il est atteint d'une grave maladie! Bien que certains maux de dos puissent souvent être associés à une discarthrose, cette dégénérescence est trop souvent rendue responsable du problème.

L'incidence de l'affection

En 1975, le docteur A. Magora a rendu publics les résultats d'une étude portant sur 429 de ses patients qui souffraient de douleurs lombaires. Le docteur Magora est neurochirurgien et, à ce titre, il s'occupe de cas très difficiles. Ces patients faisaient partie d'un échantillon non représentatif dans lequel tous les cas pouvaient être considérés comme étant très graves et ne réagissant pas aux traitements normaux et habituels — de véritables «cas désespérés».

Les résultats montraient qu'après un examen attentif de ces 429 patients souffrant de graves douleurs lombaires, on a découvert que 72 p. 100 *ne présentaient pas de signes de déficits ni d'affections neurologiques* et que 66 p. 100 *n'avaient pas le moindre symptôme relevant de l'orthopédie.* Seulement 3 p. 100 présentaient une hernie discale avec ou sans nerf pincé, et seulement 10 p. 100 souffraient d'une affection de la hanche.

Ces résultats sont étonnants. Même dans un tel échantillon, 66 p. 100 des 429 patients présentaient des maux de dos *sans signe clinique.* Ils présentaient tous un symptôme, mais pas de *maladie connue.* Le diagnostic de la plupart de ces patients n'était pas lié aux anomalies structurelles que nous venons de voir.

Les maux de dos sans maladie: l'écrasante majorité

En tant que professionnels de la santé, nous savons que les patients ont certaines attentes. S'ils souffrent de maux de dos, ils veulent en connaître la raison. Le fait est que nous ne parvenons à identifier une maladie spécifique comme cause des maux de dos que chez *5 à 10 p. 100* des patients. L'écrasante majorité de *90 p. 100* des patients souffrant de maux de dos ne présentent ni anomalies structurelles ni maladies, même si la plupart de ceux que nous voyons sont convaincus d'en avoir une. *Quelle est donc la cause de leurs douleurs?*

De quoi le mal de dos est-il un symptôme?

Après mûre réflexion, nous pouvons conclure que, en toute logique, la plupart des maux de dos ne peuvent pas être attribués à une maladie spécifique susceptible d'être traitée par des moyens médicaux ou chirurgicaux. Mais, habitués à l'infaillibilité du modèle médical, les patients et les médecins n'en attendent pas moins un diagnostic. La réponse «Je ne sais pas vraiment de quoi vous souffrez» ne peut en aucun cas satisfaire l'amour-propre d'un médecin ni les attentes d'un patient.

En cas de doutes au cours de l'examen clinique, le médecin demande habituellement des radiographies de la colonne vertébrale. En cas d'absence d'anomalies dans la région lombaire, les douleurs du patient sont alors qualifiées d'«entorse lombaire», de «luxation du dos» ou de «spasmes musculaires». Pour les patients de plus de quarante ans, l'affection est habituellement qualifiée de dégénérative et de «quelque chose avec quoi vous allez devoir vivre».

Des affections spécifiques comme la hernie discale ou la spondylarthrite ankylosante se manifestent par la découverte d'anomalies lors de l'examen clinique, ou possèdent des critères de diagnostic sur lesquels tous les praticiens sont d'accord. Mais l'entorse lombaire ou la discarthrose sont un peu comme la «grippe». En fait, ces termes peuvent signifier tout ce que vous voulez bien qu'ils signifient. Les termes employés pour les maux de dos semblent satisfaire à la fois les patients et les médecins en laissant présumer qu'une maladie spécifique est présente. Ainsi, le symptôme *maux de dos* ou *douleurs lombaires* devient l'objet du traitement, plutôt que l'affection sous-jacente qui en est véritablement responsable. Tous les efforts sont alors faits pour enrayer ou diminuer la douleur. Le succès du traitement se mesure alors en degré de diminution de la douleur et en temps écoulé jusqu'à sa disparition totale.

Heureusement la nature est de notre côté, car les statistiques indiquent que, *quel que soit* le type de traitement:

- 45 p. 100 des maux de dos disparaissent en une semaine;
- 80 p. 100 des maux de dos disparaissent en quatre semaines;
- 90 p. 100 des maux de dos disparaissent en huit semaines.

On pourrait ajouter avec cynisme que c'est au dernier traitement entrepris que revient habituellement l'honneur de la guérison.

Cette situation est-elle vraiment désespérée? Existe-t-il une meilleure approche pour combattre cette «épidémie sournoise»?

Dans les deux prochains chapitres et tout au long de cet ouvrage, nous voulons mettre une chose en évidence: lorsque le mal de dos ne provient pas d'une affection particulière et qu'il n'existe aucun traitement pour guérir les *causes* de ce mal, il s'agit habituellement d'un *désordre fonctionnel. La grande majorité des patients qui souffrent de maux de dos peuvent apprendre à soulager et à gérer eux-mêmes leurs problèmes avec l'aide du médecin.*

Un des principes de notre approche est d'opposer le *bon fonctionnement du dos* avec *le mauvais,* ou de montrer comment chacun *se sert* correctement *ou non* de son dos. Grâce à cette approche fonctionnelle, nous allons maintenant voir comment il est possible de *se soulager soi-même des maux de dos.* Et s'il vous arrivait encore de souffrir du mal le plus persistant de l'humanité, vous apprendrez aussi à *éviter* ou à *diminuer l'ampleur* des rechutes.

Cette façon de concevoir le mal de dos ne doit pas être oubliée dès que la douleur disparaît. Il s'agit plutôt d'une nouvelle façon de vivre où l'on accorde une grande importance aux soins et à l'entretien du dos. Cette approche entraîne une diminution des risques d'apparition de la sérieuse invalidité qui frappe les malheureux 10 p. 100 de patients dont les maux de dos ne disparaissent pas spontanément.

CHAPITRE III

Le fonctionnement normal du dos

En étudiant le fonctionnement normal du dos, nous allons d'abord le décrire et expliquer ce qu'il est censé effectuer. Nous verrons comment il agit, son fonctionnement, et la bonne manière de l'*utiliser*. Examinons d'abord les généralités de son fonctionnement.

Une définition du fonctionnement

Si vous constatez que votre vue faiblit — vous éprouvez de plus en plus de difficultés à lire les petits caractères de l'annuaire téléphonique —, vous ferez d'abord examiner le *fonctionnement* de vos yeux avant d'en rechercher une éventuelle maladie. (Dans un petit nombre de cas, une maladie *sera* présente; cette éventualité mise à part, votre problème est celui d'un mauvais fonctionnement et c'est donc cela que vous ferez d'abord vérifier.)

S'il s'avère que vos yeux fonctionnent mal, l'optométriste vous prescrira certainement le port de lunettes.

La même attitude s'applique à la perte ou à la baisse de l'acuité auditive. Le spécialiste va d'abord vérifier le fonctionnement de vos oreilles et, s'il découvre un trouble de l'audition, il vous prescrira le port d'un appareil acoustique pour le corriger. Dans ce cas encore, il n'est pas question de maladie mais de dysfonctionnement.

Si vous avez eu une vie sédentaire pendant longtemps et que vous décidez soudain de faire du jogging, vous reviendrez certainement essouflé de votre première course, en toussant et en ayant la respiration difficile. Le lendemain, vous serez raide, courbaturé et fatigué. Allez-vous vous précipiter chez le médecin? Certainement pas. Vous reconnaissez les symptômes typiques liés au manque d'entraînement. Vous êtes en mauvaise condition physique, mais vous n'êtes pas malade. Vous savez parfaitement que si vous augmentez sensiblement la pratique du jogging, les douleurs vont s'atténuer progressivement. En d'autres termes, vous allez *améliorer le fonctionnement* de vos jambes, de votre cœur et de vos poumons.

La même constatation s'applique à votre dos: s'il est faible, douloureux, ou s'il fonctionne mal, cela ne signifie pas nécessairement qu'une maladie soit en cause. Comme nous l'avons déjà vu, la maladie n'intervient que dans 5 à 10 p. 100 des cas de maux de dos. C'est le *dysfonctionnement mécanique du dos* qui est présent dans la plupart des cas, et il peut entraîner des douleurs tout comme la pratique inhabituelle de la course provoquait des douleurs dans notre exemple du jogging.

Avant d'examiner le dysfonctionnement mécanique du dos, précisons d'abord quel en est le fonctionnement normal.

Le fonctionnement normal du dos

Comme l'illustre la figure 3.1, le dos assure deux fonctions principales: c'est d'abord une structure solide et stable qui permet de soulever des masses, car la colonne vertébrale est le principal élément de transmission des charges du corps. Il assure également la souplesse de mouvement sans laquelle nous marcherions comme des robots.

FIG. 3.1 LES DEUX FONCTIONS DE LA COLONNE VERTÉBRALE

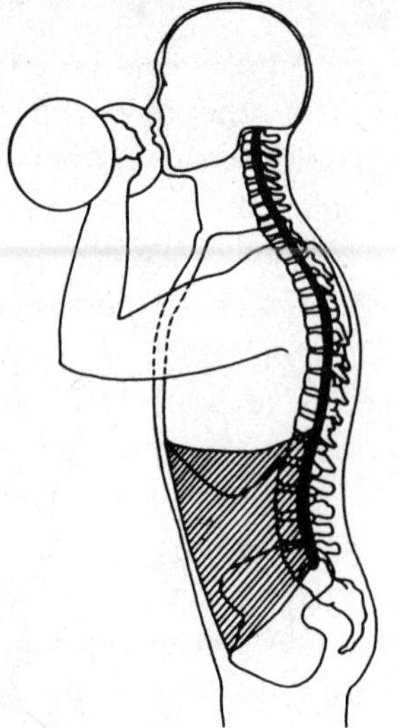

Stabilité, pour le soulèvement des masses

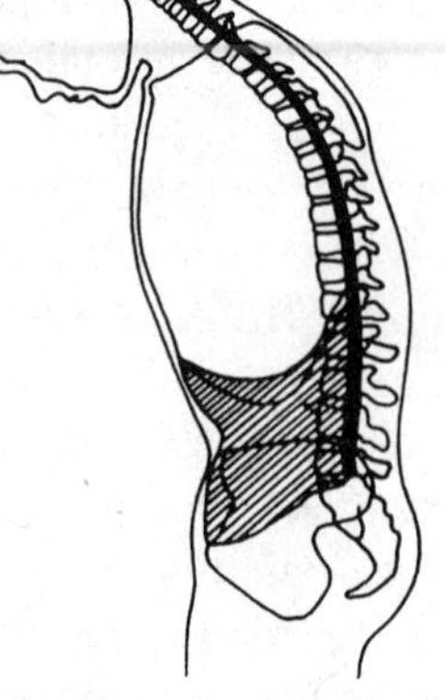

Souplesse, pour la liberté de mouvement

Sa dernière fonction — non moins importante mais accessoire dans notre cas — est de constituer une gaine osseuse très solide protégeant la moelle épinière, qui est la voie par laquelle voyage l'influx nerveux entre le cerveau, les organes et les membres. Pour assurer la protection totale de la moelle épinière contre les blessures, la colonne vertébrale doit pouvoir supporter de fortes charges sans se déformer ni bouger excessivement.

La mécanique du mouvement

Il est surprenant de constater que les deux principales fonctions du dos sont apparemment incompatibles. D'une part, le dos permet la souplesse du mouvement, d'autre part, la stabilité et le soulèvement d'objets exigent une solide structure immobile — comme les fondations d'une maison.

Pour bien comprendre le mouvement du corps, examinons ce qui le rend possible: d'abord le *squelette* qui soutient le corps, ensuite les *ligaments* qui maintiennent les os pour former les articulations, et les *muscles* qui produisent la force nécessaire au mouvement.

Le squelette est la charpente du corps. Il est composé d'os durs qui, par leur disposition et leur arrangement, lui donnent sa forme et sa stabilité. Les os sont de taille, de forme et de densité variées — chacun ayant une fonction spécifique. Les os longs des jambes, par exemple, sont gros et solides pour pouvoir supporter le poids du corps, alors que les os du crâne et de la face sont légers pour que la tête ne soit pas trop difficile à soutenir. La disposition en chaîne des os de la colonne vertébrale lui assure une grande souplesse de mouvement et sert d'axe central pour l'insertion des muscles.

Les ligaments sont les cordons solides qui attachent les os les uns aux autres, et une articulation est le point de jonction de deux os. Habituellement, mais pas systématiquement, la structure d'une articulation permet le mouvement de l'un ou des deux os qui la composent.

Les muscles font bouger le squelette et sont attachés aux os par de très solides cordons fibreux, les tendons. Les muscles sont capables de fournir de puissantes contractions *complètes* mais de courte durée, ou des contractions *partielles* mais de durée prolongée (pour le maintien de la posture par exemple). Les muscles du dos maintiennent les articulations des vertèbres et peuvent soit les stabiliser, soit les faire mouvoir.

La colonne vertébrale: notre système de soutien central

La colonne vertébrale, qui est l'organe de soutien du corps, possède ses propres soutiens osseux, ligamentaires et musculaires.

Un dos en bon état présente toutes les caractéristiques normales du mouvement dans l'articulation des os, dans le soutien des ligaments contribuant au maintien de la posture, ainsi que dans la force, la souplesse et l'équilibre des muscles.

Le soutien osseux

L'articulation est l'endroit où deux os se rencontrent. Elle a pour fonction de permettre le libre mouvement du squelette. Les extrémités des os en contact dans une articulation sont recouvertes de *cartilage* — une substance ferme, élastique et spongieuse qui agit à la façon d'un amortisseur. La figure 3.2 illustre l'articulation du coude.

FIG. 3.2 EXEMPLE D'ARTICULATION: LE COUDE

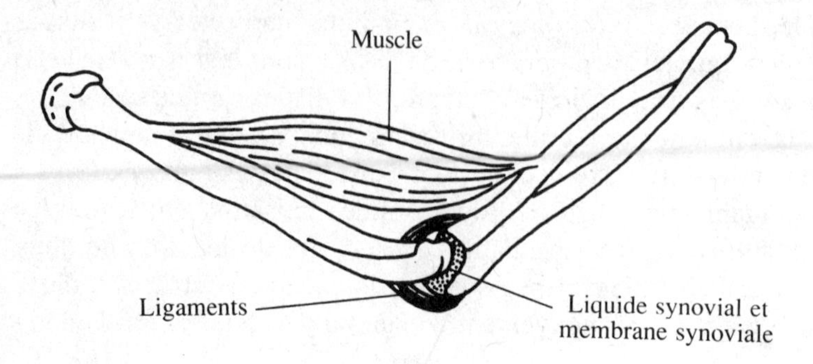

Dans le dos, chaque vertèbre possède trois articulations: deux facettes articulaires et une articulation vertébrale. Comme nous l'avons vu dans le chapitre précédent, la vertèbre est composée, à l'avant, d'un corps vertébral carré et solide, et à l'arrière, d'un anneau semi-circulaire auquel les deux facettes articulaires sont soudées. Les facettes articulaires sont constituées d'os et de cartilage assemblés par des ligaments.

L'articulation vertébrale est cependant d'un autre type. Les os (les vertèbres) sont assemblés par des ligaments, mais le cartilage est remplacé par un disque gélatineux (le disque intervertébral) décrit au chapitre précédent. Ce disque participe au soutien du corps plutôt qu'à ses mouvements.

L'unité de base qui permet le fonctionnement du dos est constituée par deux vertèbres adjacentes, les trois articulations de chacune, les ligaments qui les maintiennent et les muscles qui les font bouger. Ces composantes sont illustrées par la figure 3.3.

FIG. 3.3 DEUX FACETTES ARTICULAIRES ET UN DISQUE INTERVERTÉBRAL POUR CHAQUE VERTÈBRE

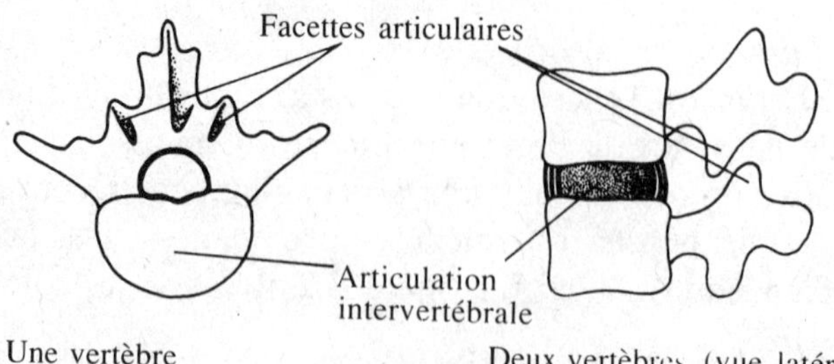

Stabilité contre soulèvement de poids

Dans le fonctionnement normal, la force exercée par le soulèvement de poids doit être supportée par les éléments les plus solides de l'articulation intervertébrale. Les facettes articulaires, destinées à faciliter le mouvement, ne supportent pas bien le poids.

Ainsi, la position de la vertèbre est très importante pour assurer le fonctionnement sécuritaire de l'unité fonctionnelle de base. La figure 3.4 illustre la position normale qu'occupent les vertèbres et le disque intervertébral lorsqu'ils sont en position de repos; pour permettre la comparaison, elle illustre aussi la position normale des vertèbres lorsqu'elles supportent correctement un poids.

FIG. 3.4 L'ARTICULATION VERTÉBRALE

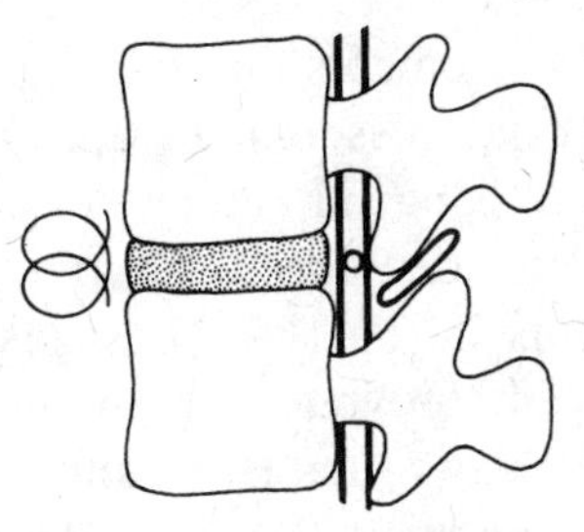

A. Sans application de poids

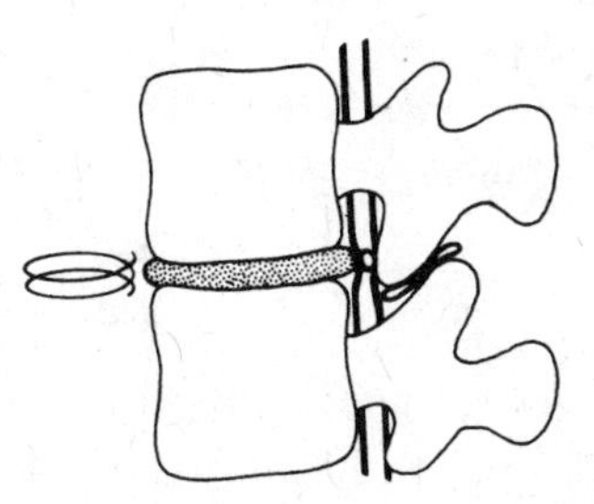

B. Avec application de poids (compression du disque)

Si, à cause d'une mauvaise posture du dos (voir figure 3.5), les forces résultant de l'application du poids s'exercent sur les facettes articulaires, non seulement celles-ci risquent d'être bloquées ou endommagées, mais une force de cisaillement peut aussi être appliquée sur l'avant de l'articulation intervertébrale. Dans une telle situation, le canal médullaire se rétrécit et la moelle épinière et les nerfs rachidiens courent un grand risque. (Le chapitre suivant traite plus en détail de la posture.)

FIG. 3.5 LA MAUVAISE POSTURE: FORCES DE CISAILLEMENT APPLIQUÉES SUR LES FACETTES ARTICULAIRES

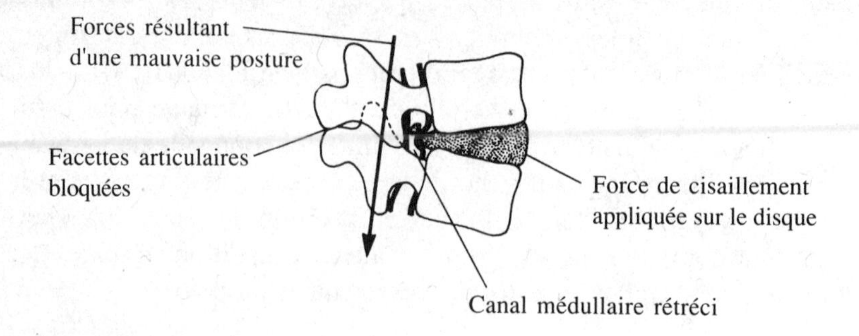

Souplesse contre mouvement

La plupart des mouvements du dos se produisent au niveau des facettes articulaires, qui ressemblent à deux assiettes posées sur leur tranche et glissant l'une sur l'autre. Au niveau de la région lombaire, les mouvements des facettes articulaires sont essentiellement des mouvements de ce type. Les gestes qui entraînent une torsion du dos peuvent provoquer un blocage des facettes articulaires qui n'effectuent alors plus leur mouvement normal. La figure 3.6 illustre les mouvements de flexion et d'extension du dos.

FIG. 3.6 SOUPLESSE contre MOUVEMENT

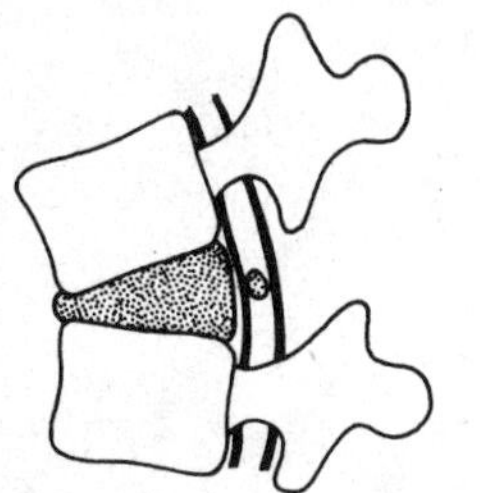

A. Flexion de la colonne vertébrale

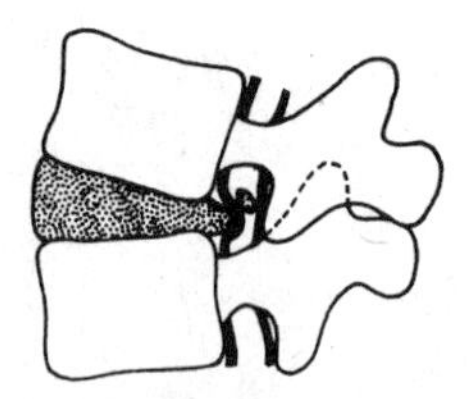

B. Extension arrière de la colonne vertébrale

La colonne vertébrale

La colonne vertébrale est constituée de multiples unités fonctionnelles empilées les unes sur les autres (figure 3.7). Les cinq vertèbres lombaires forment six unités fonctionnelles que nous nommons les *unités actives*. Outre sa fonction protectrice de la moelle épinière et des nerfs rachidiens, l'unité active assure la stabilité et la liberté de mouvement. Là encore, remarquez l'importance d'une bonne posture.

FIG. 3.7 LES UNITÉS ACTIVES DE LA COLONNE VERTÉBRALE

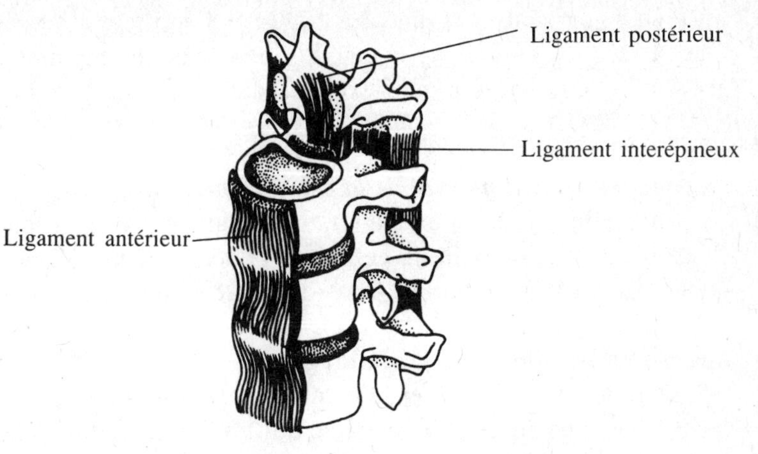

(représentation de 3 des 5 ligaments de la colonne lombaire)

La ceinture pelvienne: une jonction vitale

En tant que structure principale de transmission du poids du corps, la colonne vertébrale doit reposer sur les solides assises que sont les jambes et les pieds. L'élément de jonction vitale qui remplit cette fonction s'appelle la *ceinture pelvienne.*

FIG. 3.8 LA CEINTURE PELVIENNE

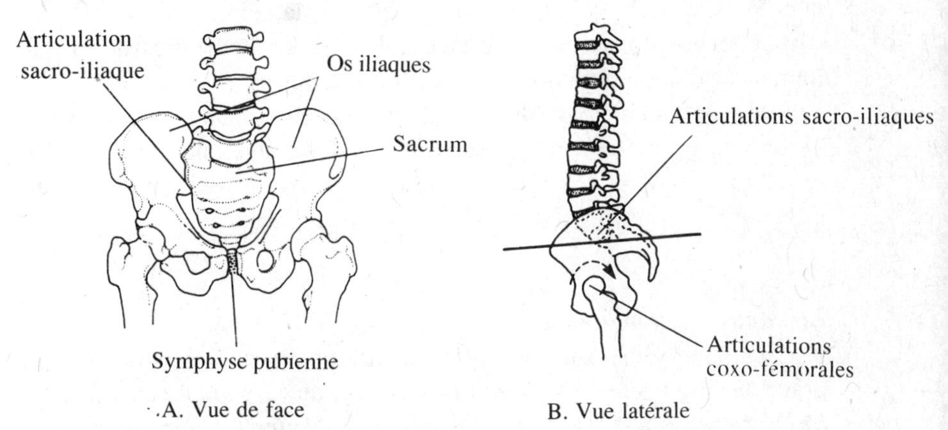

A. Vue de face B. Vue latérale

La ceinture pelvienne est composée de trois os: le *sacrum* et les deux *os iliaques,* ces derniers étant articulés avec les *fémurs* (os de la cuisse). Ensemble, ces trois os constituent cinq articulations: deux *articulations sacro-iliaques,* à la base de la colonne vertébrale, deux *articulations coxo-fémorales,* par lesquelles le bassin est relié aux jambes, et la *symphyse pubienne,* par laquelle les deux os iliaques se rejoignent en avant. La figure 3.8 représente une vue de face et une vue latérale de la ceinture pelvienne, et elle montre bien les liaisons et les forces qui s'exercent dans cette région du corps.

Le fonctionnement normal de la ceinture pelvienne

En station assise ou debout, les ligaments des articulations sacro-iliaques et ceux de la ceinture pelvienne sont relâchés. Lorsqu'un poids est appliqué, la pression exercée sur la colonne vertébrale pousse le sacrum vers le bas, ce qui fait se tendre les ligaments sacro-iliaques placés en diagonale.

Cette tension fait passer la ceinture pelvienne de sa position relâchée à une position contractée, ce qui lui assure une meilleure stabilité. Par l'intermédiaire de la ceinture pelvienne, le poids est supporté par les jambes. La principale caractéristique de la ceinture pelvienne est la solidité de son soutien ligamentaire, qui est particulièrement utile lors du soulèvement d'un poids. Si ce soutien n'est pas assuré, il se produit un dysfonctionnement de la colonne lombaire qui se fait sentir lorsqu'on marche ou lorsqu'on soulève un poids.

La seconde caractéristique de la ceinture pelvienne est que sa position de renversement détermine l'importance des courbures de la colonne vertébrale qui repose sur elle. Si la ceinture pelvienne est dans une position sécuritaire et équilibrée, les courbures de la colonne vertébrale sont normales et la posture est sans danger. Si la ceinture pelvienne bascule trop d'un côté ou de l'autre, la colonne vertébrale prend une mauvaise posture, il y a dysfonctionnement et le danger de blessures s'accroît. (Le chapitre VI donne plus de détails sur la ceinture pelvienne).

Le soutien ligamentaire

Comme l'illustre la figure 3.9, la colonne vertébrale se maintient grâce aux *ligaments antérieurs (à l'avant),* aux *ligaments postérieurs (à l'arrière)* et aux *ligaments interépineux (entre les apophyses vertébrales).* Les ligaments pelviens réunissent la colonne vertébrale et le bassin, et ils relient les trois os du bassin pour former la ceinture pelvienne. Leur fonction est d'autoriser la liberté de mouvement de la colonne lombaire. Des mouvements excessifs soumettent cependant les ligaments à des tensions inutiles et anormales.

FIG. 3.9 LES LIGAMENTS QUI MAINTIENNENT LA COLONNE VERTÉBRALE

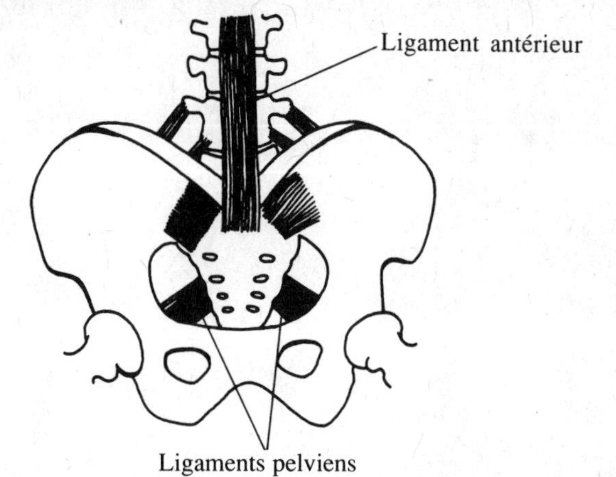

Le soutien musculaire

Même avec les meilleurs soutiens osseux et ligamentaires, la colonne vertébrale ne pourrait pas demeurer verticale ni résister à la force de gravité. Les os et les ligaments, qui sont des éléments statiques, doivent être maintenus en position verticale par un support musculaire dynamique.

Il existe de très nombreux muscles au niveau du tronc et leur classification est très complexe. Pour simplifier, nous allons les diviser en quatre groupes principaux: les muscles de la région lombaire, les muscles de la région abdominale, les muscles psoas et les muscles obliques.

Les *muscles de la région lombaire* (figure 3.10) forment deux masses musculaires allongées de chaque côté de la colonne vertébrale, qu'ils soutiennent par l'arrière. On peut très bien les percevoir avec les mains.

Les *muscles de la région abdominale* (figure 3.11) se rattachent à la symphyse pubienne et à la ceinture pelvienne en formant le soutien antérieur, ou avant, de la colonne vertébrale. Muscles très minces, ils sont cependant importants car ils travaillent assez loin de la colonne vertébrale et ont ainsi un effet de relèvement.

FIG. 3.10 LES MUSCLES DE LA RÉGION LOMBAIRE

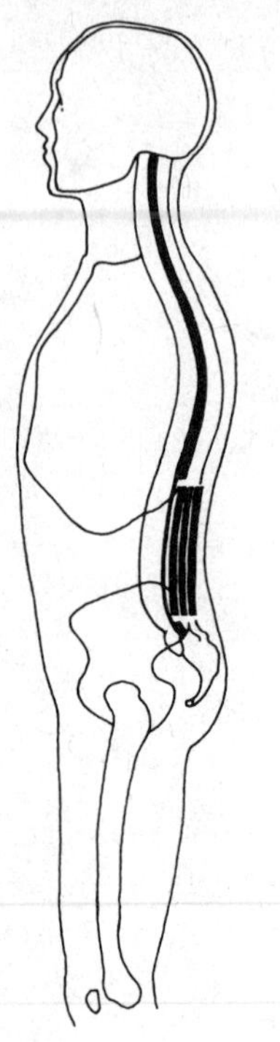

FIG. 3.11 LES MUSCLES DE LA RÉGION ABDOMINALE

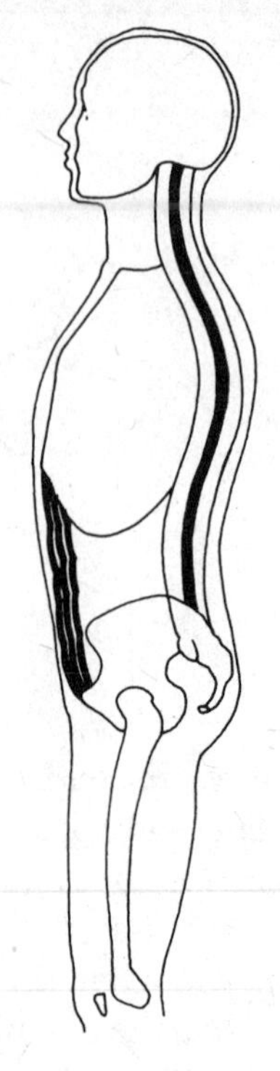

Les *muscles psoas ou fléchisseurs de la hanche* (figure 3.12) s'attachent par l'intérieur aux épiphyses transverses de la colonne vertébrale, croisent la ceinture pelvienne et s'attachent à l'autre extrémité sur les fémurs, juste au-dessous de la hanche. Ils jouent un rôle déterminant dans le maintien de la posture verticale.

Les *muscles obliques* (figure 3.13) sont situés entre la cage thoracique et la ceinture pelvienne. Ils croisent la ceinture pelvienne dans la région de la hanche et viennent jusqu'à la jambe.

FIG. 3.12 LES MUSCLES PSOAS

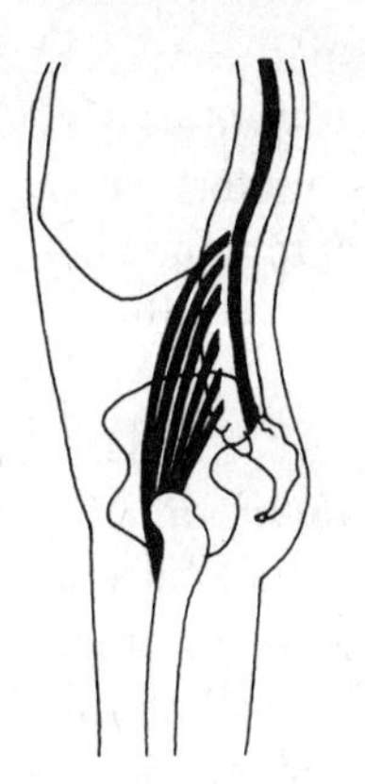

FIG. 3.13 LES MUSCLES OBLIQUES

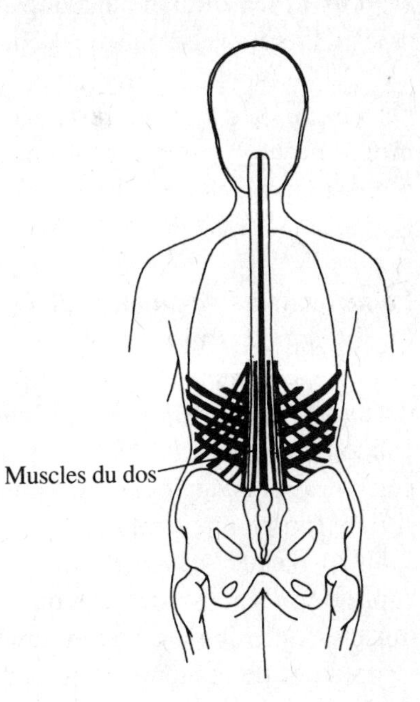

Ces quatre groupes de muscles comportent des muscles primaires qui soutiennent le tronc (ou muscles de la région lombaire). Parmi ceux qui jouent un rôle tout aussi important, on trouve deux types de muscles secondaires de soutien: les *quadriceps* (muscles de la cuisse), qui s'étendent à l'avant des cuisses jusqu'aux genoux, et les muscles *ischio-jambiers,* qui s'attachent par une extrémité à la ceinture pelvienne et descendent à l'arrière des cuisses pour se fixer derrière les genoux. Les quadriceps et les ischio-jambiers contribuent à l'équilibre de la ceinture pelvienne.

Soutien musculaire et fonctionnement de la colonne vertébrale

Les muscles agissent principalement en se contractant. La contraction musculaire normale entraîne le mouvement de la région lombaire, mais une contraction exagérée peut *déplacer* ce mouvement. Vous pouvez constater le même genre d'action avec le *poignet*: contractez lentement, puis relâchez les muscles de votre poignet (muscles *fléchisseurs* et *extenseurs* du poignet). Votre poignet remue librement. Ensuite, contractez fortement ces muscles comme si vous alliez donner un coup de poing. Votre poignet est devenu stable, la souplesse du mouvement est disparue.

De la même manière, les muscles qui soutiennent la colonne vertébrale peuvent se relâcher et se contracter pour générer des mouvements, *ou* ils peuvent se contracter puissamment pour prendre une posture solide et rigide (le mode stabilité).

Le mécanisme de support de la région abdominale

Lorsque les muscles du tronc se contractent fortement, ils compriment le contenu de la cavité abdominale — estomac, intestins et tissus graisseux. Cette action, appelée sangle abdominale, soutient l'abdomen (figure 3.14). Elle participe au support du poids en le répartissant plus également le long de la colonne vertébrale.

Le fonctionnement de la sangle abdominale pourrait se comparer à un lit d'eau: l'eau est enfermée dans un grand réservoir plat qui supportera son poids tant qu'il restera intact. La contraction des muscles du tronc a un effet semblable qui leur permet de supporter le poids et de soutenir la colonne vertébrale dans le mode stabilité/soulèvement de poids.

FIG. 3.14 L'EFFET DE SOUTIEN DE LA SANGLE ABDOMINALE

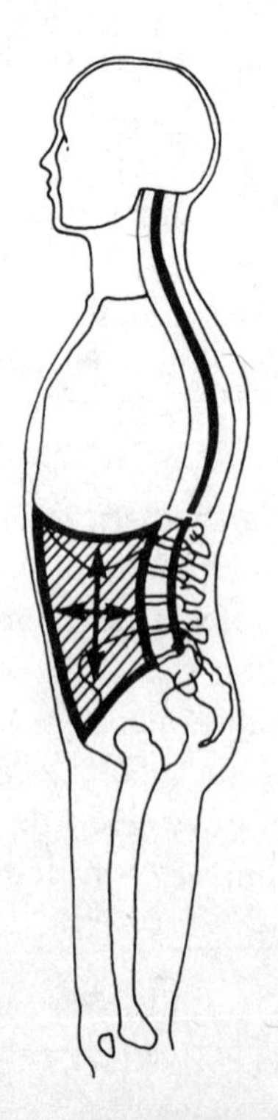

Muscles et posture

Ce sont les muscles qui déterminent la posture (ou la position) de la colonne vertébrale qu'il est si important de maintenir en bon état de fonctionnement. Le secret du maintien d'une bonne posture réside dans la position correcte de la ceinture pelvienne — une position *équilibrée* — qui ne laisse pas la colonne vertébrale s'incurver excessivement vers l'avant ni vers l'arrière (figures 3.15 et 3.16).

FIG. 3.15 LA BONNE POSTURE **FIG. 3.16 LA MAUVAISE POSTURE**

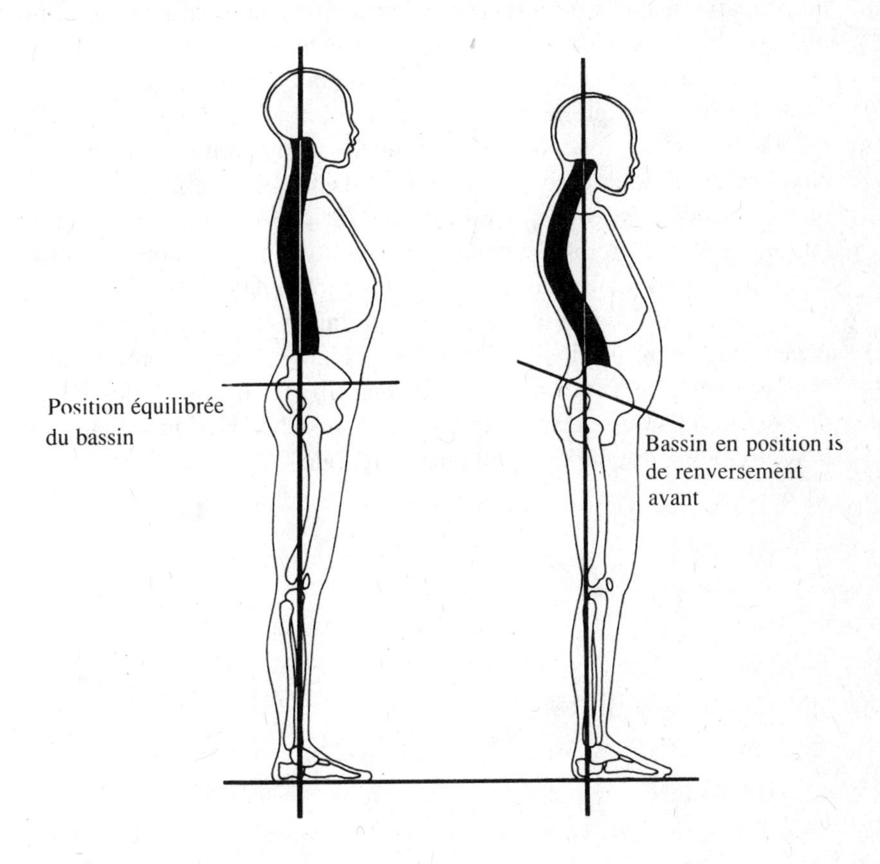

Ce sont donc les muscles qui, de par leur fonction dynamique, permettent une posture normale et bien équilibrée ou mauvaise, s'ils laissent des charges excessives s'appliquer sur les os et les ligaments.

En résumé

Nous aimerions répéter que le fonctionnement correct et sain du dos demande une *grande souplesse* et une *grande liberté de mouvement,* à l'intérieur des limites physiologiques des articulations. Cela exige de contracter les muscles du tronc afin d'*éliminer tout mouvement* (vers l'avant, l'arrière ou sur les côtés) qui pourrait menacer l'équilibre et la stabilité du dos lors du soulèvement d'un poids. Le bon fonctionnement du dos demande aussi le maintien d'une *bonne posture* — des courbures normales permettant de transmettre correctement les forces par l'intermédiaire de la colonne vertébrale.

Pour bien comprendre comment la colonne vertébrale réussit à cumuler ces deux fonctions apparemment incompatibles que sont la stabilité et la souplesse, il est indispensable de bien comprendre que les trois éléments qui constituent le dos — os et ligaments (statiques), et muscles (dynamiques) — doivent collaborer harmonieusement pour constituer une unité fonctionnelle efficace.

Un *dos indolore* peut être un dos parfaitement fonctionnel, mais il peut aussi être un dos présentant une légère dysfonction qui, non traitée, risque de s'aggraver suffisamment pour engendrer des maux de dos. Le chapitre suivant est consacré aux dysfonctionnements de la région lombaire et de la colonne vertébrale.

CHAPITRE IV

Les dysfonctionnements de la région lombaire et de la colonne vertébrale

Comme nous venons de le voir, aussi complexe qu'elle puisse paraître, la colonne vertébrale est merveilleusement dessinée et conçue pour assurer deux fonctions apparemment incompatibles: donner la stabilité et permettre le mouvement.

L'approche biomécanique

La maladie n'est la cause que de 10 p. 100 des douleurs lombaires. Les anomalies *biomécaniques* (de *bio*, vivant, et mécanique), engendrées par la surcharge des structures vertébrales, sont beaucoup plus fréquentes. Les os, les ligaments et les muscles qui composent ces structures peuvent être soumis à diverses formes de tensions à cause des forces qui s'exercent continuellement sur la colonne vertébrale.

Il existe des forces de compression qui poussent les os et les disques intervertébraux les uns contre les autres, lorsque nous soulevons une charge par exemple. Il existe aussi des forces de tension qui agissent sur les ligaments et les muscles lorsque nous nous penchons vers l'avant. Il existe encore des forces de cisaillement ou de torsion qui agissent à long terme (dans le cas d'une mauvaise position de travail, par exemple) ou qui peuvent avoir un effet immédiat (chute sur un terrain de football, sur une piste de ski ou sur un terrain de stationnement verglacé).

Les muscles doivent interagir harmonieusement pour assurer un fonctionnement normal de la colonne vertébrale et maintenir une posture convenable. Bien que les blessures et l'usure normale semblent être les principaux responsables du mauvais fonctionnement mécanique des articulations, il existe des tensions beaucoup moins évidentes qui dépendent du style de vie et qui sont universellement admises comme étant des facteurs causant des douleurs dans les os et les muscles.

Le dysfonctionnement (fonctionnement anormal) débute habituellement par une détérioration de l'harmonie musculaire qui peut passer inaperçue pendant de nombreuses années. La longueur et la force des muscles se modifient, entraînant ainsi une modification des axes de mouvements imposés aux os et aux articulations. Ce changement d'axe s'effectue au détriment des éléments qui composent et entourent les articulations.

Les caractéristiques d'un dos souffrant de dysfonctionnement

Le dos souffrant de dysfonctionnement peut être douloureux ou non. Il peut effectuer des mouvements anormaux sans que cela ne cause de lésions structurelles apparentes au début, c'est-à-dire sans qu'il y ait signe de maladie.

Les patients souffrant de dysfonctionnement du dos ne peuvent pas se servir correctement de leur colonne vertébrale, et les tensions qui résultent de cette mauvaise posture affectent aussi l'harmonie qui doit régner dans le mouvement des muscles et des articulations. Les contractures musculaires et les raideurs articulaires altèrent la mécanique des parties concernées. Ce processus peut se prolonger pendant des mois ou des années avant qu'une modification pathologique se manifeste.

Le dysfonctionnement affecte principalement les muscles et les articulations; lorsque la douleur est présente, elle provient des facettes articulaires qui sont mal utilisées ou d'une surcharge musculaire. Le processus se prolongeant, les tissus mous se trouvent rapidement affectés et une accentuation des mouvements anormaux (instabilité ou hypermobilité) s'ajoute au dysfonctionnement de départ.

La phase finale est visible à la radiographie. Les modifications pathologiques se présentent comme une usure ou une déchirure du cartilage qui recouvre les facettes articulaires. Une portion du corps vertébral se découvre progressivement en formant des protubérances osseuses (ostéophytes). Un traumatisme qui s'ajouterait accidentellement entraînerait alors une instabilité de la colonne vertébrale qui s'aggraverait encore avec les années.

Les causes du dysfonctionnement de la colonne vertébrale

Il existe quatre causes principales au dysfonctionnement de la colonne vertébrale: une discarthrose, des postures inappropriées, un mauvais fonctionnement musculaire ou la réaction à une blessure, et des modifications des articulations. Nous allons étudier successivement chacune de ces causes.

La discarthrose

Comme nous l'avons mentionné au chapitre précédent, la discarthrose (figure 4.1) est un processus normal de dégénérescence dû au vieillissement qui affecte chacun d'entre nous. Chez certains, cependant, la colonne vertébrale vieillit plus rapidement que chez d'autres. La radiographie montre des signes de discarthrose chez la plupart des patients âgés de quarante ans et chez tous ceux de soixante ans et plus. Elle est d'abord la conséquence d'une perte de liquide — due au vieillissement — des disques intervertébraux. Ceux-ci deviennent donc moins élastiques, obligeant ainsi les vertèbres à s'articuler plus près les unes des autres. Nous estimons que le terme «discarthrose» provoque une confusion en laissant penser qu'il s'agit d'une maladie; ce n'est qu'un *processus dégénératif normal,* tout comme le grisonnement des cheveux.

FIG. 4.1 LA DISCARTHROSE

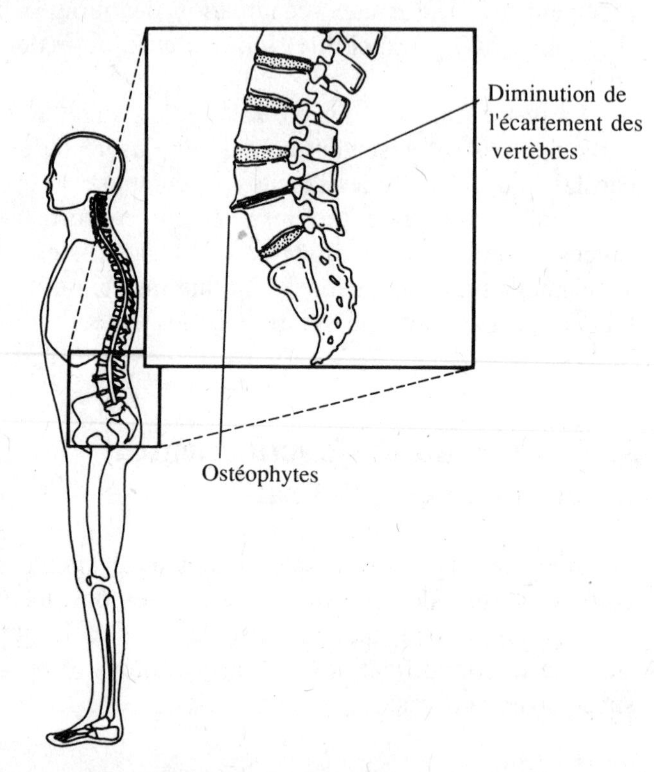

Les dysfonctionnements causés par la discarthrose

Dans la discarthrose, les ligaments qui relient le corps des vertèbres se relâchent et permettent un mouvement d'oscillation entre les os. Les facettes articulaires, dont la fonction est d'assurer le mouvement, se bloquent et diminuent la souplesse de la colonne vertébrale. Le diamètre des trous de conjugaison, par lesquels sortent les nerfs rachidiens, diminue, faisant ainsi courir plus de risques de compression à un ou plusieurs nerfs — une affection appelée *sténose vertébrale.* À cause de l'oscillation due aux ligaments détendus, les muscles doivent faire un effort supplémentaire. Cet effort entraîne de nouvelles tensions qui s'accompagnent souvent de douleurs ou de raideurs.

Ce processus de vieillissement risque de provoquer des raideurs et des douleurs lombaires d'intensité variable, ou une plus grande fragilité face à des affections graves comme la sténose vertébrale. Il se manifeste à un âge et à un rythme différents selon les personnes, mais personne n'y échappe.

Les postures anormales

Du point de vue physiologique, la posture est une certaine orientation du corps (ou de ses composantes) dans l'espace (la station debout). Bien que nous ayons tous notre propre posture, nous devons lutter contre la même force de gravité — une bataille incessante qui fait appel aux mécanismes du maintien de l'équilibre ou, si besoin est, de son rétablissement.

Comme la station debout impose un désavantage mécanique évident, le corps humain applique la «loi du moindre effort». En termes de posture, cela signifie que lorsque l'individu s'est adapté à une mauvaise position (debout ou assise), toute tentative pour utiliser correctement les mêmes muscles lui paraît désagréable et lui devient rapidement pénible. Cette position anormale devenant habituelle, les muscles qui auraient dû être mis en œuvre s'affaiblissent et tendent à s'atrophier à force d'être inutilisés. Ces positions anormales risquent de provoquer un déséquilibre musculaire qui s'aggravera progressivement.

Les mauvaises postures fréquentes

Les types les plus courants de mauvaise posture sont l'augmentation ou la diminution de la courbure de la colonne lombaire et l'arrondissement ou la voussure des épaules (première courbure vers l'extérieur de la colonne vertébrale).

La figure 4.2 illustre les défauts de posture les plus courants qui sont respectivement: la *cyphose dorsale* (dos voûté), le *dos plat* (effacement des courbures normales), la *lordose lombaire* (cambrure excessive) et la *scoliose dorsale* (déviation latérale de la colonne vertébrale).

FIG. 4.2 LES MAUVAISES POSTURES FRÉQUENTES

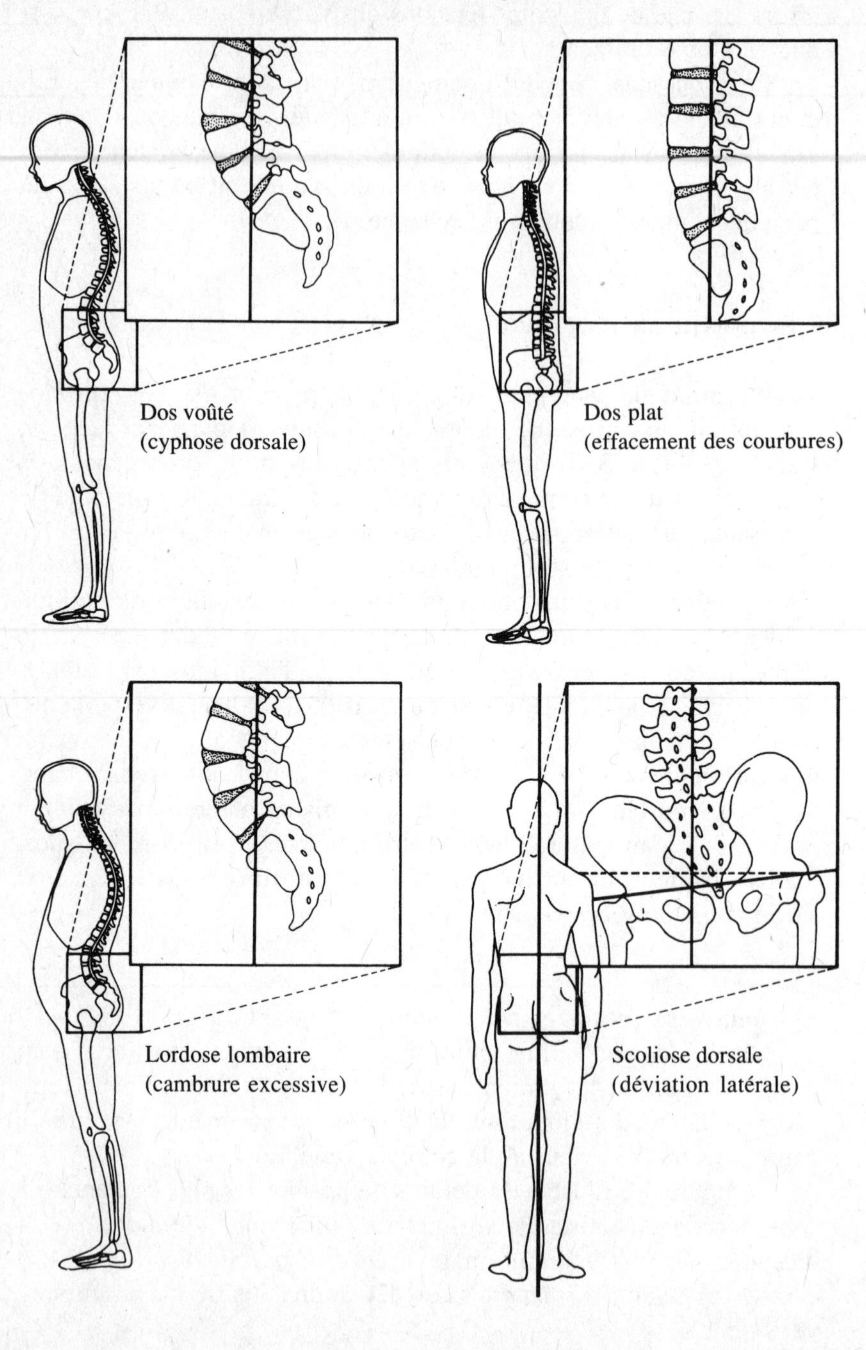

Les effets des mauvaises postures

Les mauvaises postures peuvent créer une pression capable d'user prématurément ou de déchirer les *disques intervertébraux*, voire de les rompre ou de provoquer une hernie. Elles peuvent aussi fatiguer ou faire relâcher les *ligaments* ou encore entraîner une *surcharge statique* des *muscles*.

Pour bien comprendre ce qu'est la surcharge statique (figure 4.3), prenez deux haltères ou deux dictionnaires d'environ 2,5 kg chacun. Tenez-en un dans chaque main, puis laissez pendre un bras sur le côté et étendez complètement l'autre à l'horizontale. Le bras pendant peut rester assez longtemps dans cette position. Le bras tendu provoque cependant une surcharge statique des muscles de l'épaule et on ne peut conserver cette position que pendant quelques minutes.

FIG. 4.3 LA SURCHARGE STATIQUE DES MUSCLES DE L'ÉPAULE

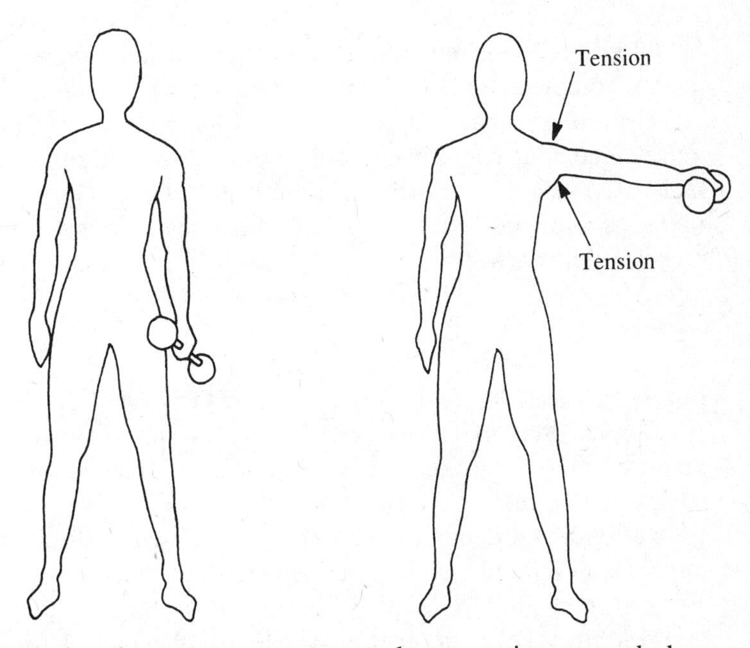

Le maintien de cette posture en surcharge statique avec le bras tendu provoque une dépense d'énergie aussi importante qu'inutile. La mauvaise posture de la colonne vertébrale a le même effet, et elle entraîne une fatigue supplémentaire à la fin de la journée. La secrétaire qui «se couche» sur son bureau jour après jour voit ses muscles de la base du cou et des épaules se contracter et se fatiguer. Avec le temps, les muscles forts prennent le dessus sur les faibles et provoquent un déséquilibre musculaire dans le cou et les épaules. Ce déséquilibre se manifeste dans toutes les activités quotidiennes de la secrétaire qui a appris à utiliser un mauvais groupe de muscles. Il en résulte une usure excessive et injustifiée des articulations voisines, laquelle dégénère habituellement en fatigue, en irritabilité et en maux de tête attribués à tort à la tension nerveuse. Cette situation se retrouve dans un grand nombre d'occupations et de professions. Si vous ne prenez pas des mesures convenables pour corriger ces défauts, la mécanique de votre corps peut être endommagée au point de présenter des déformations permanentes.

Le tonus musculaire

Chez l'individu en bonne santé, les muscles ne se relâchent jamais complètement: ils conservent toujours un certain degré de contraction que l'on appelle le *tonus musculaire.* Lorsque les muscles ne sont pas utilisés régulièrement — à la suite d'une maladie, de l'inaction ou d'une activité sédentaire —, ils perdent leur tonus, s'allongent et deviennent flasques. La contraction de muscles déformés n'apporte pas toute la force qu'elle devrait apporter.

Comment se produit le dysfonctionnement musculaire?

Des tensions inappropriées provoquées par une mauvaise posture, une blessure ou un stress provoquent un raccourcissement du muscle qui se contracte sans force.

La figure 4.4 démontre bien qu'un muscle en bonne santé est un muscle équilibré, ni trop long ni trop court, et capable de se contracter correctement.

1) Mettez votre poignet droit (le gauche pour les gauchers) dans la position A (la position la plus équilibrée) et saisissez deux doigts de l'autre main. Serrez aussi fort que possible.

2) Mettez votre poignet droit dans la position B (la position du muscle court et contracté). Serrez les doigts de l'autre main. La force est moindre, n'est-ce pas?

3) Mettez votre poignet droit dans la position C (la position du muscle long et étiré). Serrez de nouveau. Moins de force, n'est-ce pas?

FIG. 4.4 LE RAPPORT ENTRE LA FORCE ET LA LONGUEUR DU MUSCLE

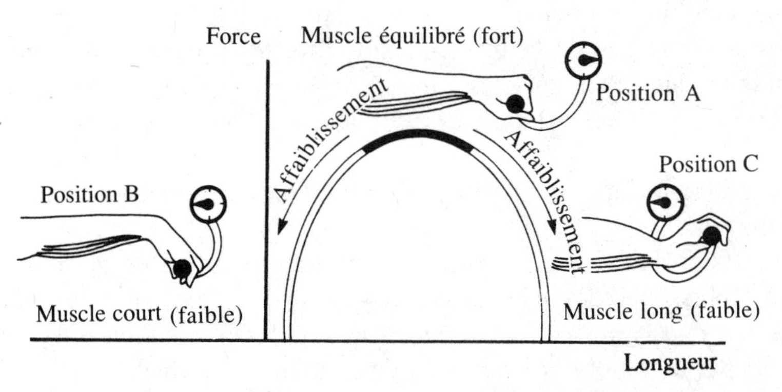

Les *blessures* entraînent des contractions douloureuses et un raccourcissement des muscles. Même après disparition de la douleur, le muscle blessé reste court, faible et fragilisé à de nouvelles blessures.

Le *stress* provoque des douleurs lombaires ou des maux de nuque chez certains. Cette sensation de «tension» est provoquée par une contraction des muscles qui risquent alors d'être blessés.

Avec le *vieillissement,* nos muscles ont tendance à raccourcir — et il ne s'agit pas là d'un phénomène normal; c'est plutôt dû au fait que la plupart des gens n'entretiennent pas la mobilité de leurs articulations par des exercices quotidiens d'étirement.

Un *excès d'exercice physique* ou un travail demandant trop de force peuvent causer une tension ou un rétrécissement des muscles. Cet état est typique chez les haltérophiles dont la période de réchauffement ne comporte pas d'exercices d'étirement.

En diagnostiquant un dysfonctionnement de la région lombaire, il est important de trouver le déséquilibre musculaire, c'est-à-dire quels sont les muscles affaiblis parce qu'ils sont trop longs ou trop courts.

Les modifications des articulations

Une articulation peut souffrir de deux types de dysfonctionnement: elle peut se bloquer, devenir raide et immobile, perdant ainsi beaucoup de sa souplesse; elle peut devenir instable ou excessivement mobile, permettant une trop grande facilité de mouvement.

Dans le cas de la perte de mobilité, les ligaments deviennent plus tendus et les muscles perdent de leur souplesse.

Lorsque l'articulation devient instable, les ligaments se relâchent et deviennent instables à leur tour, les muscles se tendent et se blessent dans leur effort pour compenser et réduire l'excès de mouvement.

Étant donné que la colonne lombaire comporte de nombreuses vertèbres, le blocage d'une articulation vertébrale entraîne une réaction en chaîne visant à rétablir la souplesse, réaction qui se traduit par une mobilité excessive des vertèbres voisines.

Le but d'un «ajustement» de la colonne vertébrale (une manipulation vertébrale) est de corriger le dysfonctionnement et les problèmes entraînés par des articulations complètement ou partiellement immobilisées. Une articulation vertébrale dont la mobilité est réduite est une articulation «bloquée». Lors de la manipulation vertébrale, le praticien fait remuer les vertèbres pour restaurer une mobilité normale. Ces manœuvres précises sont effectuées manuellement et elles ne provoquent habituellement pas de douleur chez le patient.

Les causes et les conséquences de l'instabilité articulaire

La *discarthrose* dont nous avons déjà parlé résulte de l'instabilité d'une ou de plusieurs vertèbres. Cette instabilité peut engendrer une douleur à l'endroit où s'insèrent les ligaments, et elle peut être responsable d'une tension ou d'une douleur réactionnelle dans les muscles qui tentent de freiner le mouvement.

La *fusion vertébrale* est une intervention chirurgicale qui immobilise deux vertèbres. Elle est effectuée dans certains cas graves de dysfonctionnement du disque intervertébral. Toutefois, dans un délai variant de deux à cinq ans après une fusion vertébrale *réussie,* le patient souffre souvent de nouvelles douleurs: comme les articulations vertébrales situées au-dessus et au-dessous des deux vertèbres soudées deviennent très mobiles, elles entraînent ainsi les inévitables douleurs qui résultent de l'effet de compensation des ligaments et des crampes musculaires.

Une *immobilisation de l'articulation sacro-iliaque* provoque également un mouvement de compensation, une instabilité et une douleur de l'articulation sacro-iliaque opposée. L'immobilisation des deux articulations sacro-iliaques provoque un mouvement excessif et une douleur de l'articulation vertébrale voisine (entre la cinquième vertèbre lombaire (L5) et la première vertèbre sacrée (S1), souvent accompagnés de déficience motrice.

Il faut se rappeler que le mouvement normal du corps tend *toujours* à se rétablir. Chaque blocage articulaire entraîne une mobilité excessive des articulations voisines. Tout le problème réside dans le fait qu'un dysfonctionnement spécifique — perte de mouvement associée à un mouvement de compensation — laisse le dos vulnérable.

Le diagramme de renforcement du dos: un cadre de gestion

Comme nous venons de le voir, un dysfonctionnement articulaire peut être dû au blocage et à l'immobilisation des articulations ou à leur relâchement et à leur flottement. Les muscles de soutien peuvent alors être trop courts, trop longs ou trop faibles.

Pour rendre toutes ces notions facilement compréhensibles, nous avons tracé ce que nous appelons le diagramme de renforcement du dos (figure 4.5). Ce diagramme est une synthèse qui permet de mieux comprendre la manière de rétablir le fonctionnement normal de la colonne vertébrale.

FIG. 4.5 LE DIAGRAMME DE RENFORCEMENT DU DOS

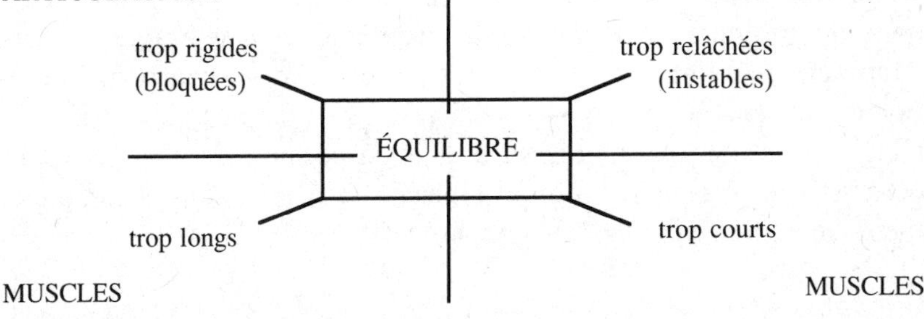

Par exemple, si une articulation est bloquée et immobilisée, le traitement approprié consiste à en restaurer la mobilité grâce à la mise en mouvement, à la manipulation vertébrale ou à l'ajustement. Si une articulation devient d'une mobilité extrême qui entraîne un mouvement de flottement, son traitement consiste à rétablir le mouvement original grâce à un soutien externe, à la force musculaire ou, plus rarement, à une intervention chirurgicale.

Le traitement approprié des muscles courts et faibles consiste à les allonger grâce à des exercices de yoga ou d'étirement-relâchement. Des muscles longs et faibles doivent être renforcés par de l'haltérophilie ou des exercices de musculation.

Traitement de la colonne vertébrale: l'approche médicale et l'approche fonctionnelle

Ces deux approches du traitement des troubles de la colonne vertébrale diffèrent de plusieurs manières. Premièrement, l'approche médicale favorise la découverte de la source du mal à un niveau précis de la colonne vertébrale. L'approche fonctionnelle tient compte du dysfonctionnement des os, des ligaments et des muscles à *tous les niveaux de la colonne vertébrale.*

La seconde différence majeure tient au fait que, lorsqu'une maladie est diagnostiquée, elle possède un traitement précis et un pronostic d'évolution. Dans un dysfonctionnement, comme on peut découvrir trois ou quatre causes véritables, et parfois plus, l'approche reste plus empirique — et son but est de rétablir *toutes* les fonctions normales. En même temps, il faut aussi se rendre compte que la douleur résulte habituellement de l'addition de plusieurs dysfonctionnements et non d'un seul.

La troisième et dernière différence est que l'approche médicale consiste toujours «à identifier le problème et à le régler». Dans l'approche fonctionnelle, le secret de la réussite — tant pour le praticien que pour le patient — consiste à accepter ce qu'il est impossible de modifier et à modifier ce qu'il est possible de changer. Dans certains cas, il sera donc impossible de faire disparaître complètement l'inconfort ou le dysfonctionnement.

L'approche biomécanique: la solution finale

Les professionnels de la santé qui se spécialisent dans l'étude biomécanique de la colonne vertébrale — les chiropraticiens, les ostéopathes, les kinésithérapeutes, les physiothérapeutes — emploient une vaste gamme de tests pour pouvoir identifier ses dysfonctionnements. Cet ouvrage n'est pas destiné à décrire la raison de ces tests ni la manière dont ils sont effectués, mais à souligner le fait que les méthodes utilisées sont celles de la réhabilitation fonctionnelle et qu'elles donnent, dans la plupart des cas, d'excellents résultats.

Nous aimerions insister aussi sur la manière dont vous pouvez, grâce à cette approche, vous aider vous-même et aider votre médecin à *gérer* vos problèmes de colonne vertébrale en éliminant les dysfonctionnements biomécaniques qui contribuent à leur manifestation.

Le chapitre suivant présente une manière de traiter vous-même vos problèmes de colonne vertébrale — déclarés ou potentiels — grâce au programme de renforcement du dos.

TROISIÈME PARTIE

LE PROGRAMME DE RENFORCEMENT DU DOS

CHAPITRE V

Les tests du programme de renforcement du dos

Ce chapitre explique comment évaluer soi-même le fonctionnement de sa colonne lombaire grâce à des tests.

Les différents professionnels de la santé ont mis au point de nombreux tests très élaborés qui permettent d'évaluer le fonctionnement de la colonne lombaire et d'en découvrir les éventuelles affections. Nous utilisons ces tests pour mettre au point un traitement et pour en mesurer les progrès. Afin d'améliorer le traitement de la douleur et de l'affection en y incluant le conditionnement physique, nous allons vous fournir les moyens nécessaires pour évaluer facilement le bon (ou le mauvais) fonctionnement de votre colonne vertébrale. Ils vous permettront de mieux gérer vos problèmes alors que votre santé ira en s'améliorant.

Revoyons d'abord rapidement le système de soutien de la colonne vertébrale. Les trois types de soutien sont:

- les muscles;
- les ligaments;
- les os (vertèbres et disques intervertébraux).

Les muscles sont des éléments dynamiques qui peuvent profiter rapidement des traitements axés sur le conditionnement physique.

Les ligaments et les os sont des éléments statiques sur lesquels il est beaucoup plus difficile d'agir. Alors que l'amélioration du soutien musculaire est d'abord l'affaire de chacun, l'amélioration des articulations ne peut se faire que sous la responsabilité d'un professionnel de la santé.

Le facteur douleur

Il est important de prendre conscience que, au niveau de la colonne lombaire, dysfonctionnement et douleur ne sont pas synonymes: vous pouvez, en effet, présenter un sérieux dysfonctionnement sans ressentir la moindre douleur. Mais inversement, la manifestation d'une douleur implique toujours l'existence d'un dysfonctionnement ou d'une maladie.

En faisant une nouvelle analogie avec la crise cardiaque, nous nous apercevons que le dysfonctionnement prend l'aspect d'un durcissement des vaisseaux ou d'une diminution du diamètre des artères. Cette anomalie risque de se terminer, après plusieurs années, par une obstruction complète (occlusion) des vaisseaux sanguins — dont la douleur est le symptôme — que nous appelons une crise cardiaque.

De la même manière, votre dos peut cacher un dysfonctionnement pendant des années sans que vous en soyez conscient. Dans le dysfonctionnement de la colonne lombaire, l'effet cumulatif peut se manifester soudainement par de violentes douleurs. Lorsque la douleur a disparu, elle peut laisser votre dos affaibli et susceptible de subir un nouveau problème. Nous appelons ce processus «l'installation de la maladie». Des crises de douleur successives alternent habituellement avec des périodes d'accalmie.

Avant de commencer

Si vous avez déjà souffert de maux de dos ou si vous participez déjà à un programme de conditionnement physique, comment pouvez-vous déterminer si le moment est bien choisi pour débuter notre programme d'entretien personnel du dos et pour vous renseigner à son sujet? Permettez-nous d'attirer votre attention sur le fait que, si vous souffrez actuellement du dos, vous devez d'abord aller demander conseil à un médecin. Bien que vous sachiez maintenant que, dans la majorité des cas, les maux de dos sont causés par un *dysfonctionnement biomécanique* (chapitres III et IV), un examen médical s'impose toutefois pour savoir si vous souffrez d'une quelconque maladie ou si votre état nécessite une intervention chirurgicale.

Voici maintenant les deux tests de dépistage que nous avons mis au point: un questionnaire et le test de la chaise. Vous devez répondre au questionnaire et faire le test de la chaise avant de commencer à exécuter les exercices du programme. Bien que les *tests* du programme ne présentent pas de risques pour la plupart des gens, tous ceux qui souffrent actuellement ou qui ont déjà souffert de problèmes de dos devraient être spécialement conseillés pour leur programme d'*exercices* afin de ne pas risquer de souffrir à nouveau.

Questionnaire sur le bon état du dos

Si vous répondez «Oui» à l'une des questions suivantes, prenez conseil d'un médecin avant de faire les tests du programme de renforcement du dos et d'en effectuer les exercices.

	Oui	Non
• Souffrez-vous actuellement de douleurs aiguës au dos?	❑	❑
• Suivez-vous actuellement un traitement pour des douleurs au dos?	❑	❑
• Avez-vous subi une intervention chirurgicale au dos?	❑	❑
• Suivez-vous un traitement pour une autre raison médicale? (une maladie cardiaque, par exemple).	❑	❑
• Est-ce qu'un médecin vous a déjà interdit tout exercice physique pour votre dos?	❑	❑

Le test de la chaise

Intérêt du test

Ce test permet d'identifier tous ceux qui souffrent d'affections chroniques du dos, c'est-à-dire de dysfonction de la ceinture pelvienne. Ces personnes risquent de ne retirer que de faibles bénéfices de notre programme complet de renforcement du dos, et elles ont absolument besoin d'aide. Si elles s'abstiennent de faire de l'exercice, leur problème ne sera pas résolu pour autant. Ces personnes doivent identifier leur problème et suivre un programme de conditionnement physique spécialement adapté à leur état.

Si vous éprouvez des difficultés à effectuer le test de la chaise, votre résultat est «positif», ce qui signifie qu'il vous faut une attention spéciale (voir chapitre 6) pour effectuer les exercices du programme. Vous aurez probablement besoin d'une supervision professionnelle pour effectuer les exercices, ce qui implique une modification de votre programme et une progression plus lente et plus prudente que la moyenne.

Exécution du test

Tenez-vous debout devant une chaise (le dessus du siège devant avoir une hauteur de 45 cm) en lui tournant le dos et en ayant les pieds posés à plat sur le sol, écartés de 15 cm. Vos mollets ne doivent qu'effleurer le bord du siège. Croisez maintenant les bras sur la poitrine et asseyez-vous *lentement* sur la chaise en veillant à conserver le buste bien droit et les pieds bien à plat pendant le mouvement, mais toujours écartés de 15 cm. Vous devez être capable de vous asseoir lentement sur la chaise en gardant le dos bien droit. Vous devez ensuite pouvoir vous relever lentement en gardant les bras toujours croisés sur la poitrine, les pieds toujours à plat sur le sol, le dos bien droit, sans avancer ni sautiller pour conserver votre équilibre. Votre test est négatif (figure 5.1) si vous êtes parvenu à vous asseoir et à vous relever lentement tout en maintenant votre dos parfaitement droit.

FIG. 5.1 LE TEST DE LA CHAISE: NÉGATIF (NORMAL)

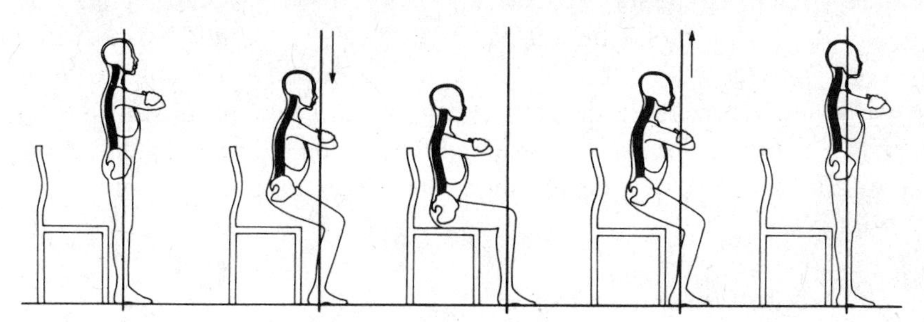

Si vous avez plié le corps vers l'avant en vous asseyant ou si vous vous êtes écroulé sur la chaise à la fin de la manœuvre, votre test est positif (figure 5.2). En vous relevant, vous avez été obligé de vous plier en avant ou de faire un saut pour vous écarter de la chaise.

FIG. 5.2 LE TEST DE LA CHAISE: POSITIF (ANORMAL)

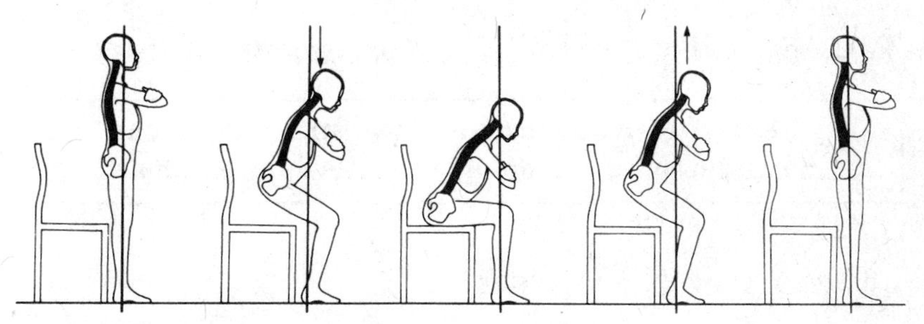

L'interprétation des résultats

Un test positif signifie habituellement que vous présentez un dysfonctionnement de la ceinture pelvienne — le support mécanique de la colonne lombaire. Si votre test est positif, vous auriez intérêt à vous familiariser avec le programme d'exercices physiques du chapitre VI ainsi qu'avec les autres tests qui permettent d'identifier les dysfonctionnements de la ceinture pelvienne. Reportez-vous à ce chapitre avant d'entreprendre l'un des tests du programme de renforcement du dos, le test d'extension du tronc ou le test de flexion des hanches.

En cas d'incertitude

Si vous n'êtes pas certain de vos résultats au test de la chaise, demandez à quelqu'un de vous tenir les coudes afin de vous assurer que votre corps reste vertical et qu'il s'abaisse lentement alors que vos pieds sont posés bien à plat sur le sol. Votre test est positif si vous vous écroulez encore sur la chaise. Faites-vous ensuite tenir les coudes et essayez de vous relever. Votre test est positif si vous êtes incapable de vous relever lentement en gardant le dos droit, avec les pieds écartés de 15 cm et posés bien à plat sur le sol.

Les précautions à prendre

Ce test ne nécessite pas de précautions particulières. Vous ne pouvez pas vous infliger de blessure en essayant de l'effectuer. Cependant, comme pour tout autre test, il est important de suivre les instructions à la lettre. Si votre test est positif, reportez-vous au chapitre VI avant de continuer votre lecture.

Tests du programme de renforcement du dos

Lisez attentivement toutes les instructions avant d'entreprendre l'un des quatre tests du programme.

Ces tests sont-ils pour vous?

Qui devrait se soumettre aux tests du programme de renforcement du dos? Mais tout le monde, bien entendu!

Puisque environ 80 p. 100 de la population souffre de maux de dos à un moment ou à un autre de sa vie, nous devrions tous nous soumettre à ces tests. Ils déterminent la présence d'une faiblesse ou d'un dysfonctionnement de la colonne lombaire et constituent la première étape dans la prévention des problèmes futurs.

Effectuez donc ces tests:

Si vous avez déjà souffert d'une crise aiguë de douleurs lombaires. Souvenez-vous que ce n'est pas parce que les douleurs ont disparu que vous allez mieux. Il vous reste probablement une faiblesse mécanique et les exercices de reconditionnement peuvent vous être très utiles.

Si vous souffrez d'un malaise ou d'une raideur chronique. Vous savez que vous souffrez d'un problème de dos. Après accord avec votre médecin, vous pourrez retirer de grands bénéfices des tests et des exercices du programme de renforcement.

Si vous vous remettez d'une crise douloureuse ou d'une intervention chirurgicale. Avec la supervision de votre médecin, vous allez vous apercevoir que les tests et les exercices du programme vous aideront à vous sentir mieux et vous permettront de vous rétablir dans les meilleures conditions possibles.

Si vous souffrez de hernie discale, de spondylarthrite ankylosante, de spondylolisthésis ou si vous vous rétablissez d'une fracture récente. Vous ne retirerez de bénéfices de ce programme qu'en renforçant les tissus mous de votre dos — les muscles et les ligaments. N'oubliez pas de demander d'abord l'accord de votre médecin.

Nous avons l'habitude de dire que des os fragiles soutenus par des muscles faibles sont les meilleurs ingrédients pour causer des problèmes. Au contraire, lorsque des os fragiles sont soutenus par des muscles forts et bien équilibrés, le problème est complètement éliminé ou, au moins, on peut le *gérer* convenablement.

La notation des tests

Ces quatre tests découlent du test d'évaluation du dos (*National Back Fitness Test*), auquel des milliers de gens se sont soumis depuis plus de 10 ans au sein d'innombrables organisations à travers le monde. Chaque test possède quatre niveaux de résultats et une note est attribuée à chaque niveau. La note finale se calcule par l'addition des différentes notes partielles en suivant le même modèle que les résultats du golf — le total le plus faible est le meilleur.

Excellent	1
Bon	2
Moyen	3
Faible	4

Une fois les notes des quatre tests additionnées, un total de 4 points constitue un résultat excellent, alors qu'un total de 16 points constitue un résultat faible.

Test de redressement-assis

Intérêt du test

Ce test mesure la souplesse de la colonne vertébrale.

Exécution du test

Allongez-vous au sol sur le dos, les mains de chaque côté de la nuque et les genoux formant un angle de 45° avec le sol (figure 5.3). Décollez lentement les épaules et le dos du sol et redressez-vous en position assise sans écarter les bras ni vous donner d'élan. Si vous parvenez à effectuer ce mouvement sans difficulté, votre résultat est excellent. *Attribuez-vous 1 point.*

Si vous êtes incapable d'effectuer le test de la manière indiquée, essayez de nouveau en croisant les bras sur la poitrine et en vous asseyant lentement. Si vous parvenez à effectuer le test de cette manière, votre résultat est bon. *Attribuez-vous 2 points.*

Si vous ne parvenez toujours pas à vous asseoir, étendez les bras devant vous en conservant les pieds à plat sur le sol et redressez-vous lentement en position assise. Si vous y parvenez, votre résultat est moyen. *Attribuez-vous 3 points.*

Si vous êtes totalement incapable de vous asseoir, votre résultat est faible. *Attribuez-vous 4 points.*

Précautions à prendre

1. *Ne mettez pas* vos mains derrière la nuque et *n'utilisez pas* vos bras ni votre cou pour vous aider à vous asseoir. Ces gestes pourraient provoquer un malaise dans votre cou et vous faire attribuer une note injustifiée.

2. *Ne calez pas* vos pieds sous un meuble (un divan, par exemple) ou ne demandez pas à quelqu'un d'autre de les immobiliser. La plupart des gens parviennent à se relever si on leur tient les pieds, mais ce résultat n'est pas valable puisqu'il ne dépend pas de la souplesse du dos; il dépend plutôt de la force des muscles fléchisseurs de la hanche et des muscles de la jambe. Votre note sera donc injustifiée si vous effectuez le test de cette manière.

FIG. 5.3 TEST DE REDRESSEMENT-ASSIS

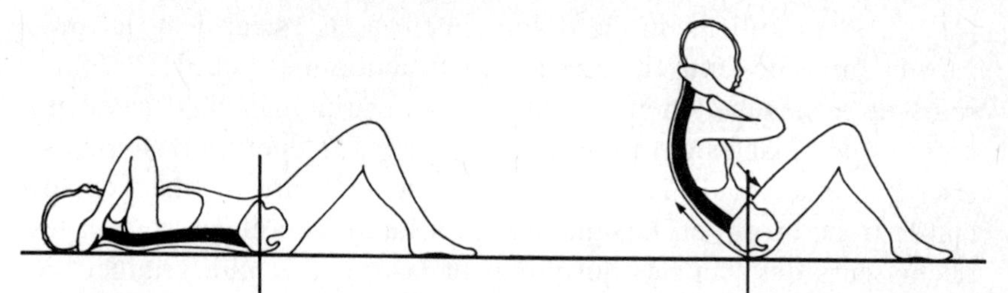

NOTE: 1 — Vous pouvez vous asseoir avec les genoux pliés et les mains de chaque côté de la nuque.

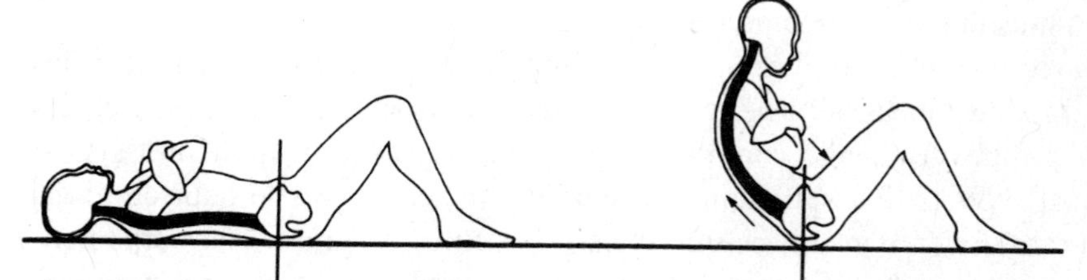

NOTE: 2 — Vous pouvez vous asseoir avec les genoux pliés et les bras croisés sur la poitrine.

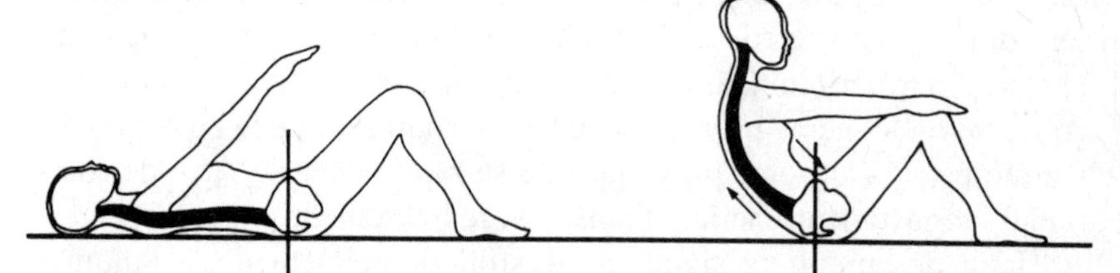

NOTE: 3 — Vous pouvez vous asseoir avec les genoux pliés et les bras tendus droit devant vous.

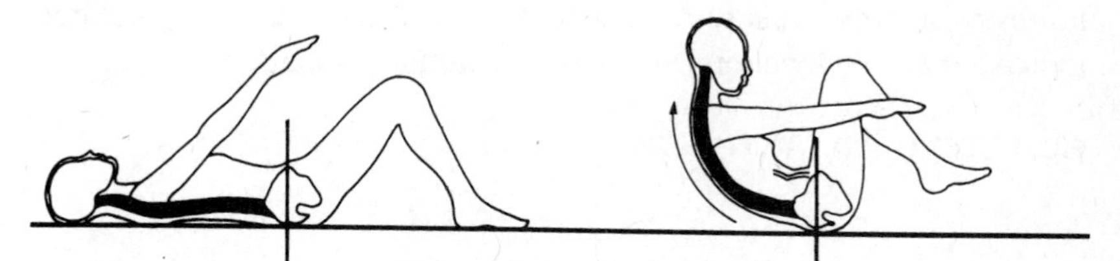

NOTE: 4 — Vous ne pouvez pas vous asseoir avec les genoux pliés.

Interprétation des résultats

Plusieurs croient que le redressement-assis est un test qui mesure la force des muscles de la région abdominale ou des fléchisseurs de la hanche. Bien entendu, ce sont principalement ces deux groupes de muscles qui tirent le corps pour l'amener en position assise. Les muscles de l'abdomen amorcent le mouvement en décollant le tronc du sol et, lorsque la région lombaire s'élève, ce sont les fléchisseurs des hanches qui prennent la relève et qui terminent le redressement en position assise.

Cependant, bien que cet exercice nécessite une certaine force des muscles de l'abdomen et des fléchisseurs de la hanche, il consiste avant tout à équilibrer le poids important que constituent la tête, les épaules et la poitrine avec le poids bien moindre des genoux et des jambes. La seule condition pour effectuer un redressement-assis est d'avoir le dos suffisamment souple pour conserver le haut du corps arqué vers l'avant, ce qui abaisse le centre de gravité du corps pendant le redressement. Il n'y a que la souplesse du dos qui permette aux muscles de l'abdomen de relever le haut du torse. On peut comparer cela avec une balançoire à pivot central: pour pouvoir se balancer, un adulte (lourd) assis d'un côté, avec un enfant (léger) assis de l'autre, devra absolument se rapprocher du pivot central de la balançoire. Selon le même principe, une bonne souplesse de la colonne vertébrale permet au torse plus lourd de se rapprocher de l'axe de rotation du mouvement, facilitant ainsi son redressement.

L'un des premiers signes de dysfonctionnement de la colonne lombaire est l'absence de souplesse des articulations vertébrales. Elle provoque raideurs et tensions dans les muscles de la région lombaire. Un mauvais résultat lors de ce test constitue un excellent indicateur du dysfonctionnement de la colonne lombaire.

FIG. 5.4 TEST D'ÉLÉVATION DES JAMBES

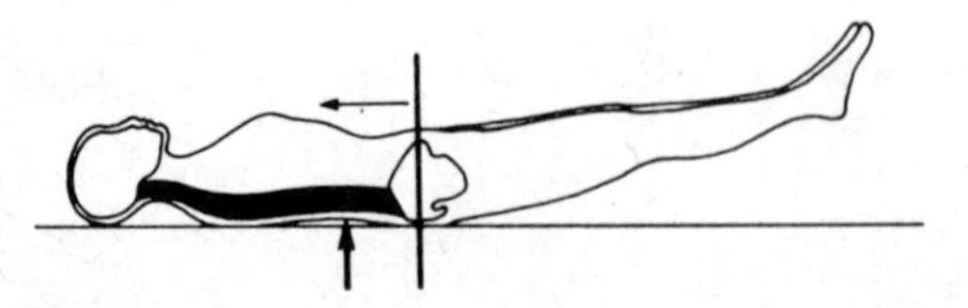

NOTE: 1 — Vous pouvez maintenir la position pendant 10 secondes avec les jambes élevées à 15 cm au-dessus du sol.

NOTE: 2 — ARRÊTEZ!
Vous pouvez maintenir les jambes élevées pendant plusieurs secondes, mais votre région lombaire commence à se cambrer au cours du test.

NOTE: 3 — ARRÊTEZ!
Vous pouvez élever les jambes, mais votre région lombaire se cambre dès que vos jambes sont élevées.

NOTE: 4 — ARRÊTEZ!
Vous ne pouvez pas élever les deux jambes pendant 10 secondes et le mouvement provoque un malaise au niveau de votre dos.

IL S'AGIT D'UN TEST ET NON PAS D'UN EXERCICE!
ARRÊTEZ-LE IMMÉDIATEMENT SI VOTRE RÉGION LOMBAIRE COMMENCE À SE CAMBRER!

Test d'élévation des jambes

Intérêt du test

Ce test mesure la force des muscles de la région abdominale en éprouvant leur capacité à stabiliser le tronc sous l'effet d'une charge.

Exécution du test

Allongez-vous au sol sur le dos, les jambes pliées selon un angle de 45°, les pieds posés à plat et une main près de la nuque. Glissez l'autre main à plat dans le creux qui se forme entre votre région lombaire et le sol. Appuyez ensuite votre dos contre votre main de manière à ne pas laisser d'espace entre votre corps et le sol. En conservant cette position grâce à la contraction des muscles de l'abdomen qui stabilisent le dos, tendez et élevez une jambe jusqu'à une hauteur de 15 cm au-dessus du sol. Conservez cette position en vous assurant que votre dos est bien appuyé contre le sol. Recommencez ensuite le même exercice, mais en soulevant les deux jambes cette fois-ci.

Si vous commencez à cambrer la région lombaire, arrêtez immédiatement le test car la cambrure est limitée par la butée des facettes articulaires. Vous risquez d'éprouver un malaise en essayant de maintenir la position pendant les 10 secondes du test.

Votre résultat est excellent si vous parvenez à maintenir votre dos contre le sol pendant 10 secondes. *Attribuez-vous 1 point.*

Si votre dos est bien appuyé au sol au début, mais que la région lombaire se cambre par la suite, *attribuez-vous 2 points* pour un bon résultat.

Si votre dos s'arque dès que vous élevez les jambes, interrompez le test et attribuez-vous la note moyenne de *3 points.*

Si vous êtes totalement incapable d'élever les jambes, attribuez-vous la note faible de *4 points.*

Précautions à prendre

1. La principale précaution consiste à arrêter le test au moment où la région lombaire se cambre et que votre dos se décolle du sol. En effet, dans ce cas, le mouvement du dos est limité uniquement par les facettes articulaires, qui sont relativement fragiles. Le contact direct os contre os *pourrait* alors causer une blessure.

2. N'oubliez pas qu'il s'agit d'un *test* à effectuer *une seule fois. Ceci n'est pas un exercice destiné à renforcer les muscles abdominaux.* En fait, ce mouvement constitue un très mauvais exercice — surtout pour ceux qui ont le dos fragile.

Interprétation des résultats

Au premier abord, ce test semble concerner le muscle psoas et non les muscles abdominaux. Le muscle psoas est effectivement le premier responsable du relèvement des jambes tendues, mais ce n'est pas son action qui est évaluée ici. Ce test évalue la capacité qu'ont les muscles de l'abdomen de stabiliser le dos contre le sol et de résister au poids des jambes relevées. En effet, plus les muscles abdominaux sont forts, meilleure est la stabilisation du dos soumis à l'effort mécanique (comme l'élévation des jambes).

Test du psoas

Intérêt du test

Ce test évalue la souplesse (ou la longueur) des muscles psoas (ou muscles fléchisseurs de la hanche).

Exécution du test

Allongez-vous au sol sur le dos, les mains de part et d'autre de la tête, les genoux pliés selon un angle de 45° et les pieds posés bien à plat. Ramenez un genou sur la poitrine et, si vous y parvenez, maintenez-le dans cette position avec les mains. *Ne relevez pas le buste pour venir toucher votre genou.* (Si vous ressentez une tension avant que votre genou n'atteigne votre poitrine, *ne forcez pas votre jambe ni votre genou pour y parvenir;* ajoutez plutôt 1 point à votre note finale). Maintenez ensuite le genou sur la poitrine et abaissez lentement l'autre jambe vers le sol jusqu'à ce qu'elle soit arrêtée par la tension du muscle psoas.

Attribuez-vous 1 point — note excellente — si vous parvenez à maintenir votre genou sur votre poitrine pendant que l'autre jambe tendue descend facilement jusqu'au sol.

Attribuez-vous 2 points — bonne note — si le creux du genou de la jambe tendue atteint une hauteur de 5 à 10 cm au-dessus du sol.

Attribuez-vous 3 points — note moyenne — pour une hauteur de 10 à 20 cm.

Attribuez-vous 4 points — note faible — si le creux de ce genou est à plus de 20 cm au-dessus du sol. N'oubliez pas d'ajouter 1 point à votre note finale si vous ne parvenez pas à maintenir le genou contre la poitrine.

FIG. 5.5 TEST DU PSOAS

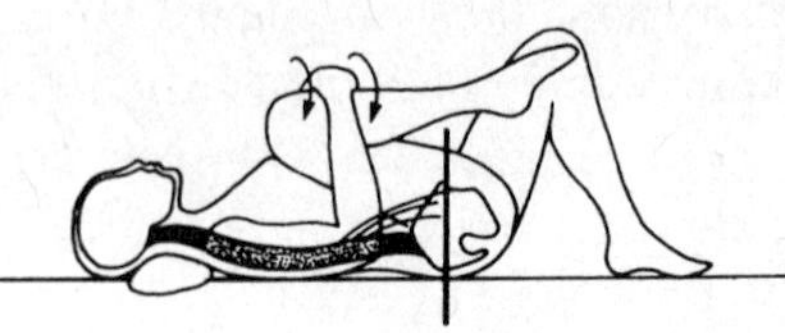

Position de départ

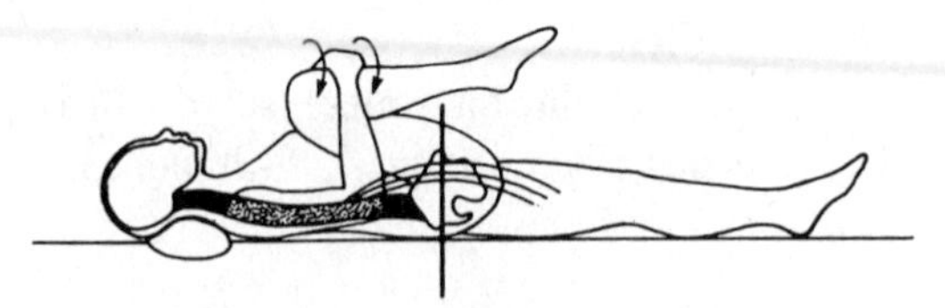

NOTE: 1
Vous parvenez à maintenir fermement un genou plié contre la poitrine tout en maintenant l'autre jambe à plat sur le sol.

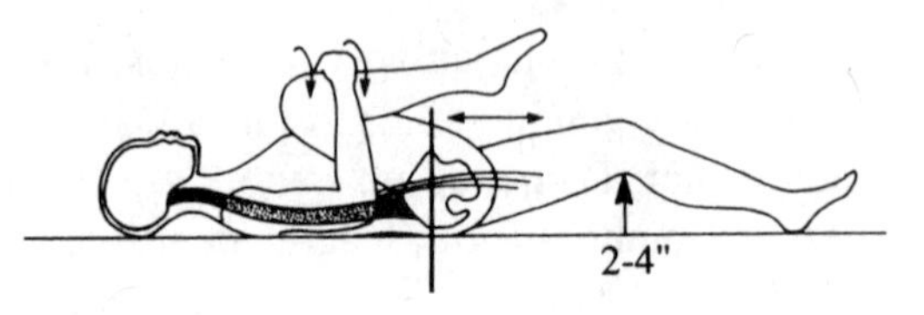

NOTE: 2
Avec un effort, vous parvenez à maintenir un genou plié contre la poitrine tout en maintenant l'autre jambe allongée sur le sol.
5 à 10 cm

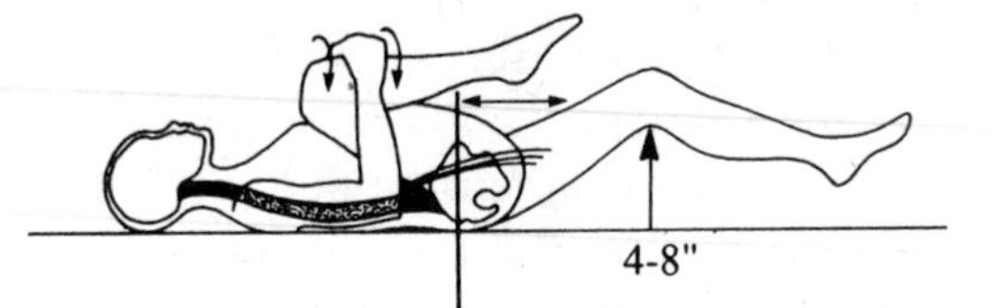

NOTE: 3
Avec un genou plié et maintenu fermement contre la poitrine à l'aide de vos mains, votre autre jambe n'atteint pas le sol.
10 à 20 cm

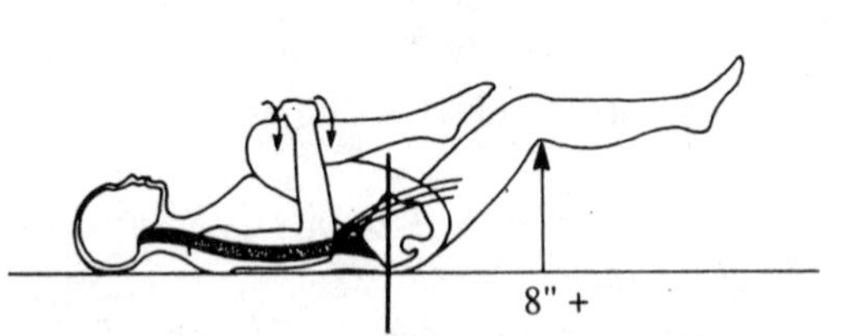

NOTE: 4
Vous ne pouvez pas maintenir un genou plié contre votre poitrine sans ressentir une douleur ou une gêne, et votre autre jambe s'élève parfois assez haut au-dessus du sol.
20 cm et plus

Répétez ce test avec l'autre jambe en remarquant bien si la raideur est plus importante d'un côté que de l'autre. N'oubliez pas que lorsque vous ramenez votre *genou droit* sur la poitrine, c'est la souplesse du muscle psoas *gauche* que vous évaluez; de la même manière, c'est la souplesse du muscle psoas *droit* que vous évaluez en ramenant le *genou gauche* sur la poitrine.

Pour calculer la note finale de ce test, additionnez les notes obtenues aux deux jambes et divisez le total par deux. Par exemple, si votre note est de *4 points* d'un côté et de *2 points* de l'autre, vous obtenez un total de *6 points* qui, divisé par deux, donne une note finale de *3 points*.

Précautions à prendre

1. Si vous ne parvenez pas à ramener le genou contre votre poitrine, *ajoutez 1 point* à votre note *plutôt que de forcer* le mouvement avec vos bras, car ce geste risquerait de provoquer une tension néfaste aux muscles ou aux articulations.
2. *Ne forcez pas votre jambe à reposer sur le sol.* Ce mouvement pourrait produire une tension préjudiciable aux muscles ou aux articulations et il doit être évité. De plus, il pourrait fausser la note et enlever tout intérêt au test.
3. Si vous avez mal aux genoux ou s'ils sont blessés, vous pouvez effectuer ce test en posant vos mains sur la cuisse *derrière* votre genou.
4. La note de ce test sera faussée si vous avez un problème qui limite la liberté de mouvement de vos hanches.

Interprétation des résultats

Si vous ne parvenez pas à abaisser facilement votre jambe contre le sol, c'est que vos muscles psoas sont tendus et faibles et qu'ils ont besoin d'être étirés.

Test d'élévation latérale du tronc

Intérêt du test

Le test d'élévation latérale du tronc permet d'évaluer la force des muscles situés latéralement sur la hanche et le tronc.

Exécution du test

Vous avez besoin d'un partenaire pour vous aider à effectuer ce test. Allongez-vous sur le côté avec les bras croisés sur la poitrine. Votre corps doit être allongé bien droit. Votre partenaire doit se coucher sur vos chevilles pour les maintenir solidement au sol. Puis, en conservant toujours le corps bien droit — sans pivoter —, soulevez votre tronc le plus haut possible. Conservez cette position et mesurez la distance entre votre épaule la plus basse et le sol. Ce mouvement est une simple élévation de la partie supérieure du corps, avec maintien de la position pendant quelques secondes. Pour compléter le test, vous devez répéter l'exercice en vous allongeant sur le côté opposé.

Si vous parvenez à soulever votre épaule d'une hauteur de 30 cm ou plus du sol, attribuez-vous la note excellente de *1 point.* Une hauteur de 15 à 30 cm vous vaudra une bonne note avec *2 points.* Pour 5 à 15 cm, attribuez-vous la note moyenne de *3 points.* Si vous ne parvenez pas à soulever votre épaule ou si vous n'atteignez qu'une hauteur de 5 cm, attribuez-vous la note faible de *4 points.*

Comme pour le test précédent, additionnez les notes obtenues pour chacun des deux côtés et divisez ce total par deux pour faire la moyenne qui constituera votre note finale.

FIG. 5.6 TEST D'ÉLÉVATION LATÉRALE DU TRONC

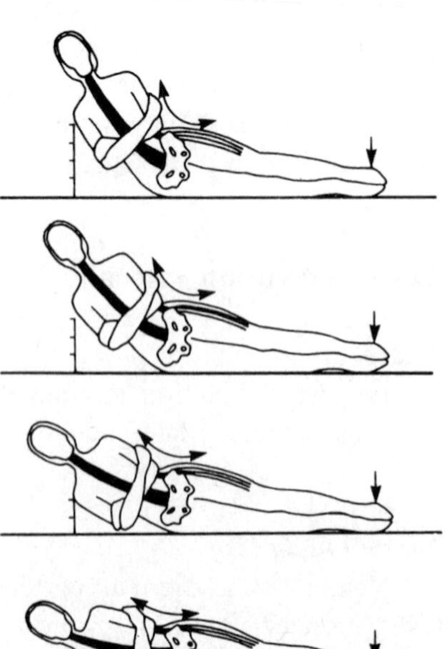

NOTE: 1
Vous parvenez à soulever sans difficulté votre épaule à une hauteur de 30 cm du sol.

NOTE: 2
Vous parvenez avec difficulté à soulever votre épaule à une hauteur de 15 à 30 cm du sol.

NOTE: 3
Vous parvenez avec une certaine difficulté à soulever votre épaule à une hauteur de 5 à 15 cm du sol.

NOTE: 4
Vous ne parvenez pas à soulever votre épaule du sol.

Précautions à prendre

1. Ne donnez pas de secousses ni d'à-coups en soulevant votre corps.
2. Ne faites pas pivoter votre corps.
3. Ne vous aidez pas en poussant avec votre coude.

Interprétation des résultats

Ce test évalue la force des muscles latéraux du tronc et de la hanche.

Tests supplémentaires d'évaluation de la souplesse

Afin d'obtenir une évaluation globale des mouvements de la colonne vertébrale, nous avons ajouté deux autres tests, le test d'extension du tronc et le test de flexion.

Lisez attentivement toutes les instructions avant d'entreprendre les tests d'extension et de flexion du tronc.

Test d'extension du tronc

Intérêt du test

Ce test évalue la souplesse de la colonne vertébrale et ne demande aucun effort musculaire.

Exécution du test

Allongez-vous au sol sur le ventre et placez vos mains sous vos épaules comme si vous alliez effectuer une flexion-extension des bras (*push-up*). Mais au lieu d'effectuer ce mouvement, repoussez seulement votre poitrine loin du sol de manière que vos épaules s'élèvent alors que votre bassin reste au sol. Vous aurez peut-être besoin de répéter ce mouvement une ou deux fois avant de parvenir à l'effectuer correctement. Pour faire ce test, vous devez rester parfaitement détendu, sans aucune contraction musculaire du dos. Si vous le jugez nécessaire, demandez à un partenaire de vous immobiliser le bassin en appuyant sur votre coccyx et de vous dire d'arrêter dès que cet os commencera à se soulever. Mesurez la distance entre le sol et votre sternum (l'os plat de la poitrine à la base du cou).

Attribuez-vous 1 point, note excellente, si vous parvenez à soulever votre poitrine à une hauteur de 30 cm ou plus. *Attribuez-vous 2 points,* bonne note, si vous parvenez à une hauteur de 15 à 30 cm. *Attribuez-vous 3 points,* note moyenne, si vous parvenez à une hauteur de 10 à 20 cm. *Attribuez-vous 4 points,* note faible, pour une hauteur inférieure à 10 cm.

FIG. 5.7 TEST D'EXTENSION DU TRONC

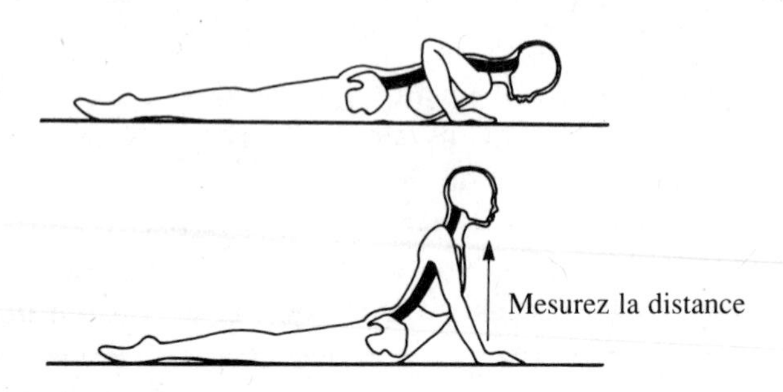

Précautions à prendre

1. Arrêtez immédiatement le test si vous ressentez une douleur; ne continuez pas à pousser sur vos bras, car cette douleur est le signe que vos facettes articulaires se touchent.

2. Ne laissez pas votre bassin se soulever du sol, car ce mouvement vous attribuerait une note injustifiée.

3. Ne tentez pas de réaliser un exploit. Ce test est destiné à évaluer la souplesse de votre colonne vertébrale et ne doit pas servir à impressionner vos amis.

Interprétation des résultats

Une note finale de 1 ou 2 indique que votre dos est assez souple. Une note de 4 indique un dysfonctionnement de votre colonne lombaire.

Test de flexion du tronc

Intérêt du test

Ce test mesure l'amplitude de la flexion vers l'avant de votre colonne vertébrale.

Exécution du test

Asseyez-vous sur le sol avec les jambes tendues droit devant vous et les pieds formant un angle de 90° avec elles. Étirez vos bras vers l'avant et essayez de venir toucher vos orteils jusqu'à ce qu'une tension ou un malaise dans le dos ou à l'arrière des jambes vous arrête. *Ne vous étirez pas exagérément.*

Attribuez-vous 1 point, note excellente, si vos mains s'avancent au-delà de vos orteils. *Attribuez-vous 2 points,* bonne note, si vous parvenez seulement à atteindre vos orteils. *Attribuez-vous 3 points,* note moyenne, si vos doigts arrivent à moins de 10 cm de vos orteils. *Attribuez-vous 4 points,* note faible, si vos doigts n'arrivent qu'à plus de 10 cm de vos orteils.

FIG. 5.8 TEST DE FLEXION DU TRONC

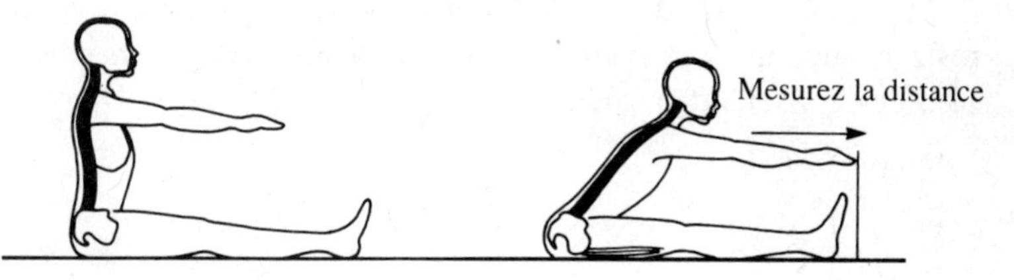

Précautions à prendre

Arrêtez immédiatement de vous étirer si vous ressentez une tension ou un malaise dans le dos ou aux jambes.

Interprétation des résultats

Une note finale moyenne ou faible (*3 à 4 points*) indique que votre dos et vos muscles ischio-jambiers (arrière de la cuisse) manquent de souplesse.

Vous pouvez mesurer la *souplesse générale de votre dos* en exécutant régulièrement ces tests d'extension et de flexion du tronc.

Mesure de la force du dos

Interprétation du résultat final des quatre tests

En additionnant les notes de vos quatre tests du programme de renforcement du dos (redressement-assis, élévation des jambes, test du psoas et élévation latérale du tronc), vous obtiendrez une note finale qui variera entre *4 points* (excellent) et *16 points* (faible).

Un total de 4 ou 5 points constitue une excellente note. Si vous parvenez à un total de 5 points, vous devriez pouvoir atteindre la note parfaite de 4 avec très peu de difficulté.

Un total de 6 à 8 points constitue une bonne note, mais vous avez encore besoin d'effectuer un certain nombre d'exercices d'assouplissement et de renforcement des muscles du tronc.

Un total de 9 ou 10 points constitue une note moyenne et signifie qu'il vous faut encore effectuer d'assez nombreux exercices d'assouplissement et de renforcement pour améliorer la condition de vos muscles du tronc. Vous *risquez* d'avoir besoin des conseils d'un médecin.

Un total supérieur à 10 points signifie clairement qu'il vous reste beaucoup de travail à effectuer. Vous avez *certainement* besoin des conseils d'un médecin.

CHAPITRE VI

Les tests spéciaux de dysfonctionnement de la ceinture pelvienne

La jonction vitale

Nous avons déjà qualifié la ceinture pelvienne de «jonction vitale» du corps. Sa fonction est en effet de fournir de solides assises à la colonne vertébrale — la principale structure de transmission du poids — par l'intermédiaire des jambes et des pieds. Les trois os de la ceinture pelvienne (le sacrum et les deux os iliaques) forment cinq articulations: les deux articulations sacro-iliaques, les deux articulations coxo-fémorales et la symphyse pubienne. (Voir la figure 3.8 du chapitre III.)

La figure 6.1 illustre l'effet d'imbrication des articulations de la ceinture pelvienne. Cet *accouplement mécanique* agit à la manière d'un ressort qui s'écrase pour constituer un système de verrouillage du bassin, assurant ainsi la stabilité lors du soulèvement d'un poids. Dans le mode mouvement/souplesse, lorsque le poids ne s'applique plus, le système se désaccouple et le corps retrouve la souplesse nécessaire aux mouvements de la marche et de la course.

FIG. 6.1 LE FONCTIONNEMENT DE LA CEINTURE PELVIENNE

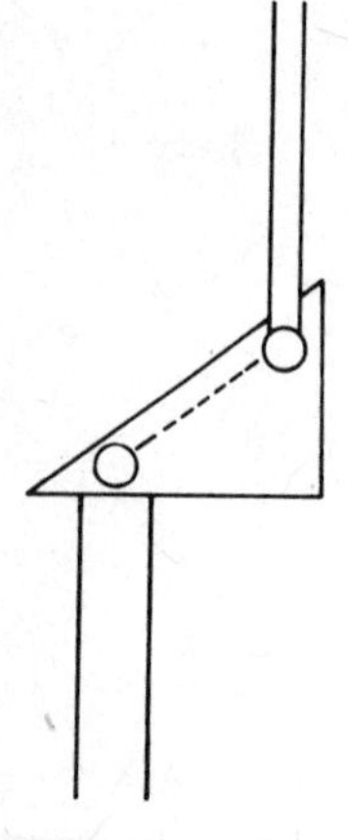

A Position normale: ceinture pelvienne désaccouplée.

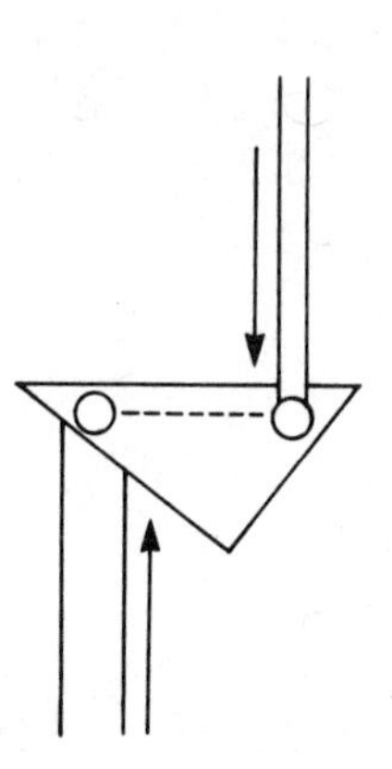

B Position lors du soulèvement d'un poids: ceinture pelvienne accouplée (verrouillage du bassin).

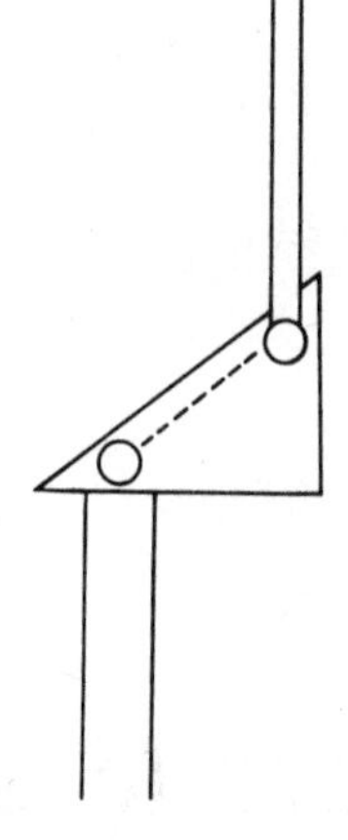

C Retour à la position normale: ceinture pelvienne désaccouplée.

Comme l'illustre la figure 6.2, l'accouplement mécanique de la ceinture pelvienne est aussi assuré par les quatre groupes de muscles du tronc situés *au-dessus* d'elle (muscles de la région lombaire, de la région abdominale, psoas et obliques), ainsi que par les muscles situés *au-dessous*, les quadriceps (avant de la cuisse) et les ischio-jambiers (arrière de la cuisse).

FIG. 6.2 LES MUSCLES DE LA CEINTURE PELVIENNE

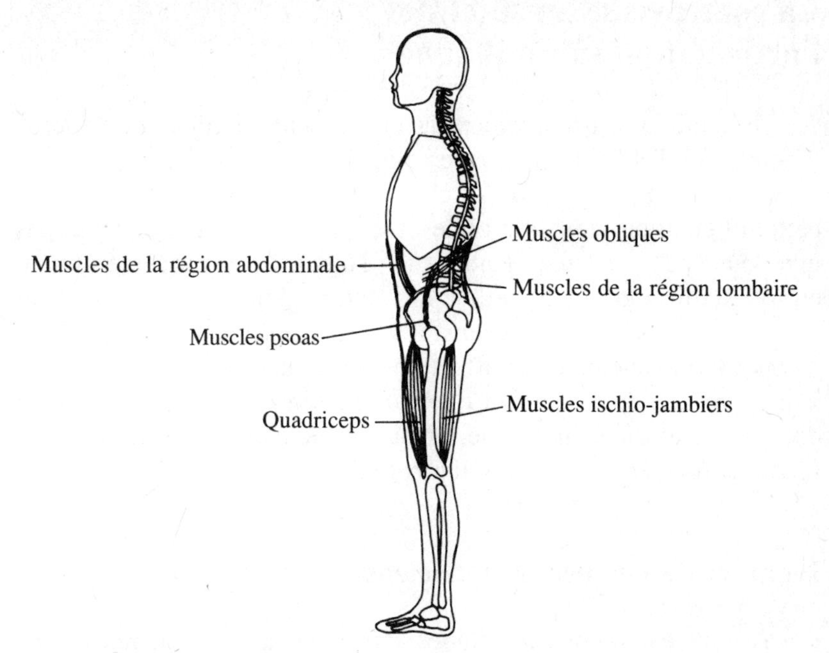

Le patient qui souffre d'une douleur résultant d'un dysfonctionnement de la ceinture pelvienne nous arrive toujours en boitant. Quand nous lui demandons de nous indiquer où il a mal, il pose invariablement une main sur sa région sacro-iliaque et se plaint parfois que la douleur descend jusque dans sa jambe. (La douleur qui descend dans la jambe affecte habituellement la cuisse et dépasse rarement le niveau du genou.)

Les patients qui souffrent d'anomalies de la ceinture pelvienne ont de la difficulté à monter les escaliers ainsi qu'à s'asseoir sur une chaise et à s'en relever, ce qu'ils parviennent à faire en s'aidant de leurs bras. Une ceinture intertrochantérienne soulage souvent la douleur et facilite aussi bien la montée des escaliers que le relèvement d'une chaise. (Voir la description détaillée de cette ceinture à la fin du chapitre.)

L'examen de la région des hanches révèle habituellement des zones tendues et sensibles ou des nodules (petits renflements) dans les muscles. En général, les douleurs causées par des anomalies de la ceinture pelvienne résistent aux traitements conventionnels. De trois à six mois sont nécessaires avant de voir le mal disparaître — lorsqu'il disparaît. De plus, il y a de très fortes chances de récidive.

La controverse au sujet de l'articulation sacro-iliaque

De toutes les articulations du corps, seule l'articulation sacro-iliaque a fait l'objet d'une grande controverse.

En Amérique du Nord, les chirurgiens ont longtemps pensé que cette articulation était immobile et qu'elle ne constituait donc pas une source de douleurs lombaires*. Toutefois, ces idées entraient en contradiction avec celles des chirurgiens orthopédistes et d'autres spécialistes européens. De plus, les praticiens qui traitaient quotidiennement les affections de la hanche et du dos soutenaient presque unanimement que l'articulation sacro-iliaque pouvait devenir instable ou immobile, et qu'elle pouvait donc être responsable de troubles de la région lombaire.

Le point de vue des obstétriciens

Si nous examinons les études effectuées à ce sujet, nous pouvons constater que ce sont surtout les obstétriciens qui font état des affections de la ceinture pelvienne et du bassin — et il est facile de comprendre pourquoi.

Dans les derniers mois de leur grossesse, de nombreuses femmes se plaignent de douleurs au niveau de la région lombaire et des hanches — plus particulièrement au niveau des articulations sacro-iliaques. Ces articulations deviennent instables à cause du taux élevé d'hormones (lié au stade de la grossesse) qui provoque un relâchement des ligaments. Ce phénomène est tout à fait bienvenu car, lors de la naissance, les ligaments détendus par l'action des hormones facilitent le passage du bébé à travers la ceinture pelvienne. Pour des raisons évidentes, les femmes qui présentent ce relâchement de la ceinture pelvienne parviennent à accoucher très rapidement.

De nombreuses femmes affectées par ce relâchement des ligaments ne recouvrent malheureusement jamais une tension normale

---

* Le docteur Ian Macnab, l'un des chirurgiens orthopédistes les plus renommés d'Amérique du Nord, non seulement décrit l'articulation sacro-iliaque comme étant une source de douleurs, mais il recommande aussi dans son livre *Backache* (Williams and Wilkins, Baltimore, 1977) le port d'une ceinture intertrochanté-rienne.

après leur grossesse. Au contraire, elles souffrent souvent de douleurs lombaires chroniques ou d'une faiblesse du dos qui les rendent vulnérables aux blessures.

Un diagnostic délicat

Ceux qui croient que l'articulation sacro-iliaque n'est pas une véritable source de problèmes s'appuient sur le difficile diagnostic de ses affections: en effet, il est très malaisé de déterminer avec certitude son bon ou son mauvais état.

La douleur liée au *syndrome sacro-iliaque* se fait habituellement sentir dans la région de cette articulation et peut s'accompagner d'une douleur dans l'aine. Cette douleur peut s'étendre à la fesse, descendre à l'arrière de la jambe jusqu'au genou ou même affecter le devant de la cuisse. La jambe peut aussi paraître lourde ou faible, et cette sensation s'aggrave lorsque le patient se lève après être demeuré longtemps assis.

La *palpation au mouvement* est une des méthodes les plus couramment utilisées pour tester le fonctionnement de cette articulation. Le praticien pose un pouce sur le sacrum du patient (extrémité de la colonne vertébrale) et l'autre sur l'os iliaque (os de la hanche). Le patient doit alors remonter l'un de ses genoux sur sa poitrine. L'exécution de ce geste entraîne certains mouvements normaux et anormaux des os. Malgré son application fréquente, la palpation au mouvement peut toutefois manquer de fiabilité.

Les travaux sur l'articulation sacro-iliaque

Le docteur David Cassidy — un chiropraticien qui a travaillé pendant 10 ans avec le docteur Kirkaldy-Willis, chirurgien orthopédiste renommé du Centre hospitalier universitaire de Saskatoon, en Saskatchewan — a effectué de nombreuses recherches sur l'articulation sacro-iliaque. Ensemble, ils ont découvert que cette articulation était effectivement mobile — mais assez faiblement. Dans cette articulation, le mouvement est limité à un simple glissement des surfaces osseuses les unes contre les autres afin de permettre la marche ainsi qu'un maximum de souplesse.

Toutefois, si les articulations sacro-iliaques sont trop rigides, la marche peut provoquer un curieux va-et-vient des os iliaques autour de l'axe de la colonne vertébrale, mouvement souvent responsable de problèmes et qui entrave la fonction normale du disque intervertébral situé entre la cinquième vertèbre lombaire (L5) et la première vertèbre sacrée (S1).

Le patient dont les deux articulations sacro-iliaques sont très relâchées a tendance à marcher en se dandinant — démarche «en canard» souvent visible chez les femmes ayant eu de nombreuses grossesses. Au cours de la marche, leurs hanches montent et descendent alternativement, un peu à la manière des pistons d'une locomotive à vapeur.

Des études ont démontré que, chez l'enfant, l'articulation sacro-iliaque bouge véritablement. Avec l'âge, l'amplitude de ce mouvement diminue de plus en plus pour disparaître totalement au cours de la vieillesse, alors que l'articulation finit par se souder. Entre-temps des modifications anormales ou un dysfonctionnement peuvent toutefois affecter l'articulation. Nous y reviendrons rapidement lors de la description des quatre types d'anomalies qui caractérisent le dysfonctionnement de la ceinture pelvienne.

La détection des dysfonctionnements de la ceinture pelvienne

Le test de la chaise (voir chapitre V) constitue un moyen très simple pour détecter les dysfonctionnements de la ceinture pelvienne.

Effectuez de nouveau ce test en essayant de vous souvenir de l'angle que fera votre corps avec la verticale afin de maintenir votre équilibre lorsque vous vous assoirez sur la chaise et lorsque vous vous relèverez. Bouclez ensuite une ceinture sacro-coccygienne autour de vos hanches (voir à la fin de ce chapitre).

Lorsque la ceinture est en place, assurez-vous qu'elle recouvre bien les os de vos hanches et qu'elle passe par le milieu de vos fesses. Elle doit être assez serrée pour que seul un doigt puisse se glisser entre elle et votre corps.

Effectuez maintenant le test de la chaise une nouvelle fois (figure 6.3).

FIG. 6.3 TEST DE LA CHAISE POUR VÉRIFIER L'AMÉLIORATION D'UN DYSFONCTIONNEMENT DE LA CEINTURE PELVIENNE À L'AIDE D'UNE CEINTURE SACRO-COCCYGIENNE

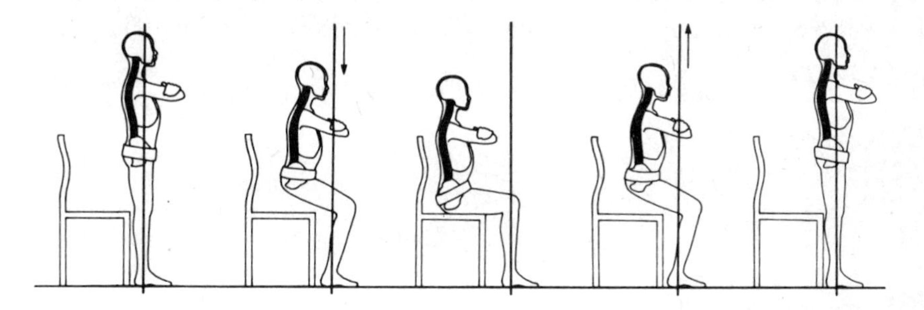

Pour certains, la ceinture aura un effet «magique»: ils pourront s'asseoir aisément en gardant le dos droit et ils pourront se relever sans aucune difficulté. Si cela est votre cas, suivez le procédé pour les anomalies de *type 1* de la ceinture pelvienne, dont la description va bientôt suivre.

Toutefois, si la ceinture n'apporte que peu de changement au test de la chaise ou si elle semble au contraire en compliquer l'exécution, effectuez les test suivants afin d'évaluer votre équilibre musculaire.

Évaluation de l'équilibre musculaire

Test des quadriceps

Intérêt du test

Ce test évalue la longueur de vos *quadriceps*. Le quadriceps (ou extenseur du genou) est le muscle de l'avant de la cuisse qui va jusqu'à la rotule (os du genou).

Exécution du test

Allongez-vous sur le ventre en gardant les jambes tendues. Repliez la jambe droite en amenant votre talon vers les fesses, saisissez votre pied avec la main droite et ramenez le talon le plus loin possible vers l'avant, jusqu'à ce que les muscles commencent à tirer. Mesurez la distance qui sépare le haut de vos fesses et votre talon. Cette mesure indique la longueur du quadriceps de votre cuisse droite. Testez maintenant votre jambe gauche en procédant de la même manière. Notez vos mesures. Sont-elles identiques ou l'un de vos talons se rapproche-t-il de vos fesses plus que l'autre?

FIG. 6.4 TEST DES QUADRICEPS (CUISSE)

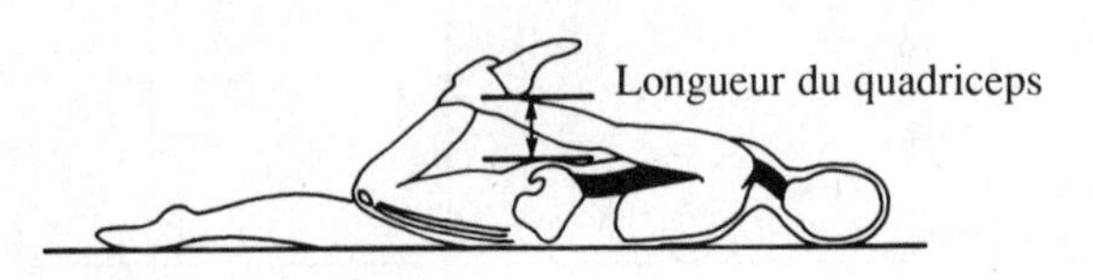

Test des ischio-jambiers

Intérêt du test

Ce test évalue la longueur des muscles ischio-jambiers (ou fléchisseurs du genou) qui sont situés à l'arrière de la cuisse et qui vont du bassin au genou. Vous les sentirez très bien se contracter et se gonfler si vous posez la main sous votre cuisse en vous asseyant sur une chaise, le talon appuyé contre l'un de ses pieds.

Exécution du test

Asseyez-vous au sol avec les jambes tendues devant vous, puis saisissez l'un de vos pieds et amenez-le contre le genou de votre autre jambe. Penchez ensuite le buste vers l'avant en essayant d'amener votre front le plus près possible du genou de votre jambe demeurée tendue. Mesurez la distance qui sépare votre front de ce genou. Répétez l'exercice avec l'autre jambe. Notez les deux mesures et remarquez l'éventuelle différence.

FIG. 6.5 TEST DES ISCHIO-JAMBIERS

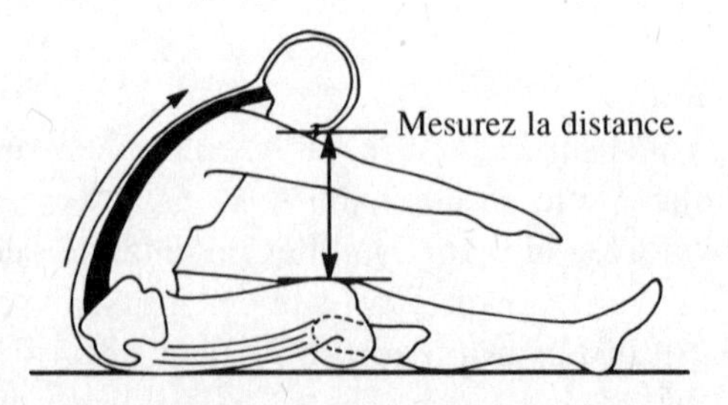

Test des fessiers

Intérêt du test

Ce test évalue les muscles *fessiers.* Vous pouvez les sentir se gonfler en posant vos mains sur vos fesses et en contractant celles-ci.

Exécution du test

Allongez-vous au sol sur le dos en conservant les jambes tendues. Glissez les orteils d'un pied sous le genou de l'autre jambe, saisissez votre genou fléchi avec la main du côté opposé, comme dans l'illustration de la figure 6.6. Abaissez ensuite le genou plié sur l'autre jambe jusqu'à ce que le mouvement entraîne une tension ou un malaise dans la fesse. Répétez le mouvement avec l'autre jambe et notez quel côté semble plus tendu que l'autre.

FIG. 6.6 TEST D'ÉTIREMENT-RELÂCHEMENT DES FESSIERS

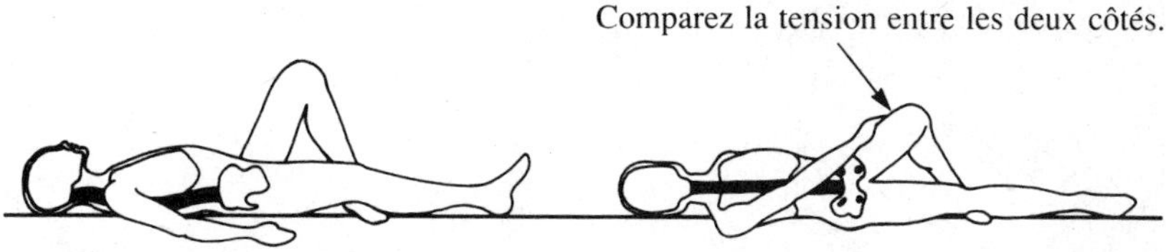

Comparez la tension entre les deux côtés.

Les anomalies de la ceinture pelvienne

De quel type d'anomalies de la ceinture pelvienne souffrez-vous?

L'anomalie de type 1

L'anomalie de type 1 (figure 6.7) se retrouve surtout chez les femmes qui ont eu une ou plusieurs grossesses. Elle se manifeste lorsque le taux d'hormones élevé des derniers mois de la grossesse provoque une augmentation de l'élasticité des ligaments qui, normalement, attachent fermement les os des hanches au sacrum. L'accouchement les détend encore plus. Malheureusement, la tension des ligaments ne revient jamais à la normale après l'accouchement, ce qui les empêche de jouer leur rôle adéquatement.

FIG. 6.7 CEINTURE PELVIENNE: L'ANOMALIE DE TYPE 1

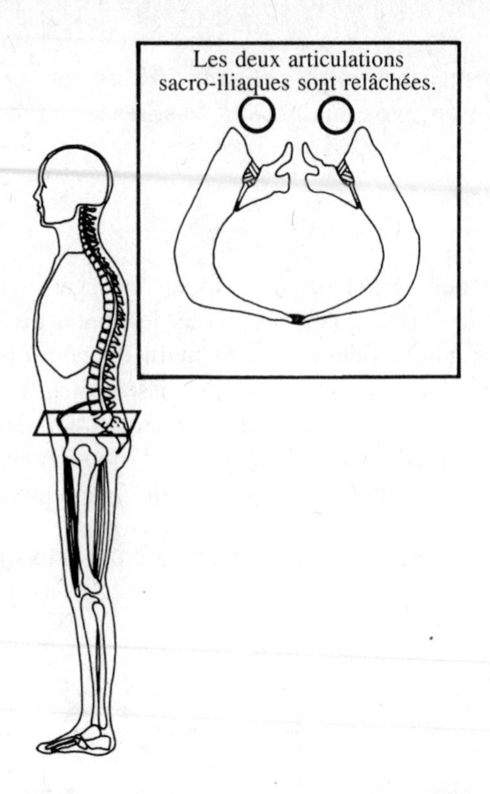

Les femmes qui présentent cette anomalie se plaignent souvent de douleurs *dans les deux* régions sacro-iliaques et se dandinent parfois en marchant.

Dans cette anomalie, les muscles de la cuisse, les psoas et les fessiers sont habituellement relâchés. La tension musculaire est très faible.

Cette anomalie oblige le patient à porter une ceinture sacro-coccygienne serrée pendant deux à trois semaines. Dans certains cas exceptionnels, le port de la ceinture doit être prolongé beaucoup plus longtemps.

Il faut remettre la ceinture pendant quelques jours si la douleur se fait à nouveau ressentir. Il est aussi recommandé de la porter pour soulever des meubles ou pour déplacer d'autres objets lourds.

En plus de faire les exercices du programme de renforcement du dos décrits au chapitre suivant, tous ceux qui présentent cette anomalie devraient veiller particulièrement à renforcer leurs muscles abdominaux et leurs muscles obliques. *Évitez l'exercice d'étirement du psoas* car l'étirement des muscles entraîne parfois un étirement des ligaments. Les exercices qui conviennent à ce type d'anomalie sont réunis dans le tableau 6.1.

TABLEAU 6.1

Exercices pour l'anomalie de la ceinture pelvienne de type 1

Tests	*Muscles*	*Exercices*
Redressement-assis	Souplesse des muscles du dos	«Dos de chat»
Élévation des jambes tendues	Force des muscles de l'abdomen	**Flexion du tronc/** Déroulement du tronc ✖
Test du psoas	Souplesse des muscles psoas	Étirement du psoas ✖
Élévation latérale du tronc	Souplesse et force des muscles obliques	Étirements latéraux **Élévation latérale des jambes**

PORTER D'ABORD LA CEINTURE PENDANT LES EXERCICES.

Insister sur les exercices en **caractères gras**
Ne pas effectuer les exercices marqués ✖

L'anomalie de type 2

L'anomalie de la ceinture pelvienne de type 2 (figure 6.8) est tout à fait contraire à celle de type 1.

Dans l'anomalie de type 2, les deux articulations sacro-iliaques sont soudées et rigides. Cette anomalie peut se produire chez de jeunes adultes — surtout des hommes — et être due à une spondylarthrite ankylosante, arthrite inflammatoire habituellement localisée dans les articulations sacro-iliaques. Ce type d'anomalie peut aussi être la conséquence du vieillissement normal.

FIG. 6.8 CEINTURE PELVIENNE: L'ANOMALIE DE TYPE 2

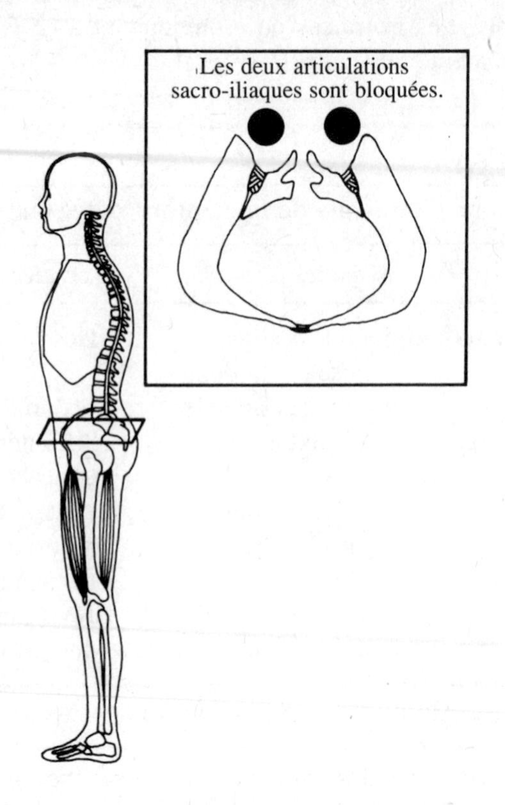

Quelle qu'en soit la cause, cette anomalie finit toujours par entraîner une modification de la marche, avec apparition d'un mouvement horizontal de «godille» bien différent du dandinement de l'anomalie de type 1. De plus, cette raideur provoque un mouvement excessif et des tensions biomécaniques au niveau des disques intervertébraux situés entre la cinquième vertèbre lombaire (L5) et la première vertèbre sacrée (S1), et entre les quatrième et cinquième vertèbres lombaires (L4/L5).

Dans cette anomalie, les quadriceps, les psoas et les fessiers sont habituellement relâchés. Toutefois, s'ils sont tendus, il convient alors de les étirer. Les exercices convenant à l'anomalie de type 2 sont répertoriés dans le tableau 6.2.

TABLEAU 6.2

Exercices pour les anomalies de la ceinture pelvienne de types 2 et 3

Étirements avant les exercices: *Test des fessiers;*
Test des quadriceps;
Test des ischio-jambiers.

Tests	*Muscles*	*Exercices*
Redressement-assis	Souplesse des muscles du dos	**«Dos de chat»**
Élévation des jambes tendues	Force des muscles de l'abdomen	**Déroulement du tronc**
Test du psoas	Souplesse des muscles psoas	**Étirement du psoas *avec prudence!***
Élévation latérale du tronc	Souplesse et force des muscles obliques	Étirements latéraux Élévation latérale des jambes

NE PAS PORTER DE CEINTURE POUR L'ANOMALIE DE TYPE 3.

Insister sur les exercices en **caractères gras.**

L'anomalie de type 3

L'anomalie de type 3 est aussi caractérisée par le blocage bilatéral des articulations sacro-iliaques et par le relâchement du disque intervertébral situé entre les quatrième et cinquième vertèbres lombaires (L4/L5). Toutefois, dans cette anomalie, les quadriceps sont extrêmement tendus et souvent de façon symétrique (le même muscle dans chacune des jambes). Les muscles ischio-jambiers et les fessiers sont eux aussi très tendus. Ceux qui présentent cette anomalie sont souvent jeunes et très sportifs, et les tensions qui affligent leurs quadriceps sont la conséquence directe de leurs activités sportives. Les tensions musculaires de ce type d'anomalie imposent une force de torsion excessive sur chaque os iliaque et entraînent une perte de mobilité des articulations sacro-iliaques.

Les exercices convenant à cette anomalie comportent l'étirement des quadriceps, des ischio-jambiers et des fessiers. L'exécution de ces étirements est souvent suivie d'une amélioration immédiate et notable des résultats du test de la chaise.

Effectuez les exercices d'étirement du chapitre suivant, puis refaites le test de la chaise. Vos résultats risquent alors de vous surprendre. En persévérant dans ces exercices d'étirement, vous aurez de plus en plus de facilité à faire le test de la chaise et l'état de votre dos s'améliorera, faisant disparaître par la même occasion vos autres tensions mécaniques.

La ceinture sacro-coccygienne ne convient pas au traitement de ce type d'anomalie car son port risque d'aggraver le mal. Les exercices qui conviennent aux gens atteints d'une anomalie de type 3 sont rassemblés dans le tableau 6.2.

FIG. 6.9 CEINTURE PELVIENNE: L'ANOMALIE DE TYPE 3

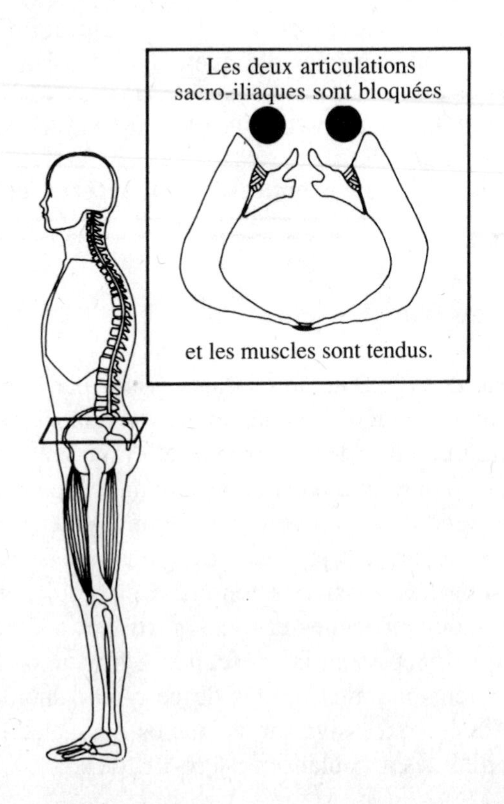

L'anomalie de type 4

L'anomalie de la ceinture pelvienne de type 4 est certainement la plus courante. Le blocage d'une seule articulation sacro-iliaque provoque un relâchement excessif de l'autre articulation et c'est habituellement cette dernière qui est douloureuse.

Cette anomalie peut être la conséquence d'un blocage de l'articulation ou le signe d'une maladie articulaire, mais elle peut aussi être causée par une chute sur la hanche. Cette chute peut se produire dans la pratique d'un sport, lors d'une glissade ou d'un accident. On retrouve souvent une tension anormale qui ne touche qu'un seul quadriceps: le muscle tendu entraîne alors un blocage de la jambe et, en guise de compensation, un relâchement au niveau de l'articulation sacro-iliaque opposée.

Ceux qui présentent ce type d'anomalie sont assez sportifs, mais pour une raison quelconque, ils sont sujets au blocage d'une seule articulation plutôt que des deux comme dans l'anomalie de type 3. Leurs jambes sont souvent de longueur différente.

FIG. 6.10 CEINTURE PELVIENNE: L'ANOMALIE DE TYPE 4

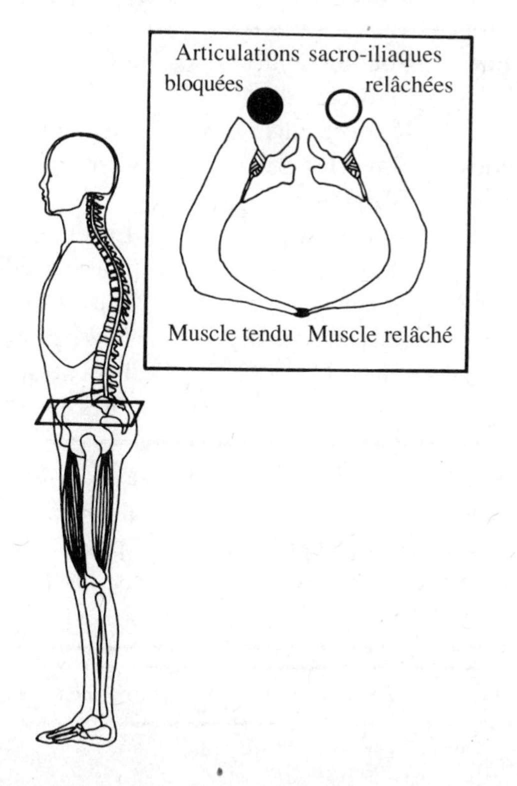

Les exercices convenant aux gens souffrant d'une anomalie de type 4 comprennent tous les étirements des muscles de la cuisse, des ischio-jambiers et des fessiers, associés aux exercices du programme complet de renforcement du chapitre suivant. Il faut insister particulièrement sur le renforcement des muscles abdominaux et obliques, et accorder un *soin tout particulier* aux exercices d'étirement du psoas et des obliques. Les exercices appropriés au traitement de l'anomalie de type 4 sont rassemblés dans le tableau 6.3.

TABLEAU 6.3

Exercices pour les anomalies de la ceinture pelvienne de type 4

Étirements avant les exercices: *Test des muscles fessiers;*
Test des quadriceps;
Test des ischio-jambiers.

Tests	***Muscles***	***Exercices***
Redressement-assis	Souplesse des muscles du dos	**«Dos de chat»**
Élévation des jambes tendues	Renforcement des muscles de l'abdomen	**Déroulement du tronc**
Test du psoas	Souplesse des muscles psoas	Étirement du psoas *avec prudence!*
Élévation latérale du tronc	Souplesse et renforcement des obliques	Étirements latéraux *avec prudence!* **Élévation latérale des jambes**

La ceinture sacro-coccygienne est nécessaire pour effectuer les exercices qui conviennent à cette anomalie. Il faut aussi apporter un soin particulier aux exercices d'étirement du psoas et d'élévation latérale des jambes pendant les trois ou quatre premières semaines du programme.

Insister sur les exercices en **caractères gras.**

Les anomalies des articulations de la hanche

Pour ces quatre principaux types d'anomalie de la ceinture pelvienne, nous avons surtout considéré les articulations sacro-iliaques. Mais celles-ci ne constituent cependant que deux des cinq articulations de la ceinture pelvienne, les autres étant les deux articulations de la hanche et la symphyse pubienne où les deux os iliaques se rejoignent par l'avant.

La *symphyse pubienne* ne pose que rarement des problèmes, sauf en cas d'accidents graves et des traumatismes qui en résultent.

Il arrive parfois qu'une articulation de la hanche *ou les deux* se relâchent et entraînent une anomalie qui ressemble beaucoup à celle de type 4. Il est quelquefois possible de la détecter grâce au test d'élévation latérale du tronc vu au chapitre précédent. L'articulation de la hanche présente alors un mouvement de rotation excessif. Des «craquements» se font aussi entendre lors de certains mouvements ou exercices, et ils permettent de soupçonner une instabilité de la ceinture pelvienne.

Le traitement de cette anomalie est identique à celui de l'anomalie de type 3.

En résumé

Aussi incroyable que cela puisse paraître, les anomalies de la ceinture pelvienne sont souvent négligées par les médecins, même quand les patients se plaignent de douleurs lombaires. Ces anomalies constituent pourtant 30 p. 100 des cas de maux de dos chroniques que nous voyons en consultation. Elles sont cependant très faciles à identifier grâce au test de la chaise.

Bien qu'elles résistent aux traitements habituels, que le repos les améliore peu et qu'elles aient tendance à réapparaître, les anomalies de la ceinture pelvienne peuvent être efficacement contrôlées. Lorsque le dysfonctionnement se présente comme un relâchement articulaire, le port d'une ceinture sacro-coccygienne et l'exécution d'exercices appropriés peuvent améliorer le sort de tous ceux qui en souffrent — et leur permettre de mener une vie normale. Lorsqu'il s'agit d'un blocage articulaire, la mise en mouvement des articulations associée à des exercices convenables d'étirement et de renforcement musculaire s'avèrent très efficaces.

Avant d'entreprendre un programme d'exercices, vous devez absolument savoir *reconnaître* chez vous la présence d'une anomalie de la ceinture pelvienne. Comme nous l'avons déjà mentionné, certains exercices effectués sans précaution peuvent véritablement aggraver vos douleurs et vous décourager. Dans le programme de renforcement du dos, les exercices déconseillés sont les *étirements du psoas* et les *étirements latéraux.* Si vous souffrez d'une anomalie de la ceinture pelvienne, vous ne devez donc les effectuer qu'avec prudence.

En ce qui concerne les exercices du chapitre suivant, il est bien évident que vous devez les interrompre et consulter un médecin si vous éprouvez la moindre sensation de douleur au niveau d'une articulation sacro-iliaque ou des deux. Bien que vous puissiez retirer de grands bénéfices de ces exercices, n'oubliez pas de mettre la ceinture sacro-coccygienne si vous présentez le type d'anomalie qui le nécessite. Cette précaution a son importance car la ceinture stabilise un bassin aux articulations relâchées, tandis que les exercices en étirent et en renforcent les muscles.

La suite du chapitre donne plus de précisions sur cette ceinture.

La ceinture sacro-coccygienne du programme de renforcement du dos

Les ceintures, les colliers et les soutiens de tout genre servent depuis très longtemps à stabiliser la colonne vertébrale. Les ceintures sont tombées en disgrâce à cause de leur inconfort (elles tiennent chaud et font transpirer, elles écorchent la peau et elles entravent la respiration et les mouvements) et du malaise que certaines d'entre elles occasionnent (perte d'amplitude des mouvements, affaiblissement musculaire, raideur).

La ceinture sacro-coccygienne du programme de renforcement du dos a été soigneusement mise au point par le docteur Lyman Johnston, un chiropraticien de Toronto qui a toujours consacré ses loisirs à l'expérimentation et au perfectionnement de dispositifs destinés à soulager ses patients. Un jour, lors d'un voyage à New York, le docteur Johnston s'est promené sur le port en observant le chargement et le déchargement des bateaux. Il constata que les dockers portaient une large ceinture autour de leur taille lorsqu'ils ne travaillaient pas. Puis, dès qu'ils reprenaient leur travail manuel, ils ajustaient cette ceinture autour de leurs hanches et la serraient bien. Intrigué par cette habitude, il bavarda avec des dockers et apprit que ces derniers se sentaient beaucoup plus forts et stables pour soulever et transporter des charges lorsque leur ceinture était en place. Ils lui affirmèrent que leur ceinture diminuait le nombre de leurs blessures au dos.

Bien qu'une ceinture ne lui ait semblé qu'un accessoire de technologie primaire, le docteur Johnston a fait de nombreuses recherches et des essais comparatifs avant de perfectionner ce que nous connaissons aujourd'hui sous le nom de ceinture sacro-coccygienne du programme de renforcement du dos.

Où doit-on la porter?

La ceinture sacro-coccygienne du programme de renforcement du dos est une ceinture intertrochantérienne — *inter,* entre, et *trochanter,* extrémité du fémur — qui se porte autour des hanches et encercle la ceinture pelvienne. Elle doit être placée à 4 ou 5 cm au-dessous de la saillie des os iliaques. Portée ainsi, elle limite le mouvement des cinq articulations qui forment l'assise de la colonne vertébrale (symphyse pubienne, articulations coxo-fémorales et articulations sacro-iliaques). Lorsque les articulations manquent de mobilité, la ceinture amplifie encore le phénomène et entraîne parfois un malaise temporaire. Avec les autres types de ceinture, la stabilisation s'effectue au-dessus du bassin, dans la région lombaire. Ces ceintures offrent donc un type complètement *différent* de support, et elles ne peuvent pas remplacer la ceinture sacro-coccygienne du programme de renforcement du dos ni améliorer les résultats du test de la chaise.

Quand doit-on la porter?

Normalement, vous devez porter cette ceinture aussi longtemps que vous souffrez de la ceinture pelvienne. Il est bon de la porter pendant les premières semaines au cours desquelles vous exécutez des exercices destinés à corriger l'une de ses anomalies (surtout celle de type 4). Si vous souffrez de la ceinture pelvienne, portez cette ceinture lorsque vous avez à soulever ou à déplacer des objets lourds. Nous vous recommandons de la porter jusqu'à ce que votre résultat au test de la chaise soit redevenu normal. Elle se porte habituellement pendant la journée et peut même se porter la nuit (si vous avez mal en vous retournant). Elle soutient les ligaments et les os, mais n'affaiblit pas les muscles.

Comment faut-il la serrer?

Une autre particularité de cette ceinture est qu'elle doit être portée très serrée — laissez seulement l'espace d'un doigt entre elle et votre corps.

Les ceintures ordinaires possèdent des trous d'ajustement et l'espace qui les sépare crée un jeu trop important et une perte d'efficacité. C'est la raison pour laquelle la ceinture sacrococcygienne du programme de renforcement du dos possède un mécanisme de fermeture breveté qui s'ajuste étroitement et apporte un soutien optimal.

Si vous la serrez *trop,* vous risquez d'éprouver un malaise au niveau des fesses, car cela entrave la circulation sanguine. Si elle recouvre une zone atteinte de fibrose, vous risquez de ressentir une douleur *à cet endroit*, ou une douleur qui irradie dans la cuisse. Dans les deux cas, déplacez-la simplement un peu vers le haut ou vers le bas et desserrez-la si vous en ressentez le besoin.

Comment faut-il la porter?

Il ne faut pas que la ceinture glisse et remonte pendant vos activités quotidiennes. La boucle portée sur la hanche gauche évite le glissement vers le haut et le pincement de la peau en position assise. Des coussinets de caoutchouc réglables permettent aussi d'éviter le glissement. La ceinture est plus confortable et glisse moins si elle est portée *par-dessus* les vêtements. En public, elle peut être portée sur les sous-vêtements et rester invisible aux yeux des gens.

De quoi est-elle faite?

Elle est fabriquée dans un tissu qui ne s'étire pas. Son tissage très serré soutient le corps en le moulant bien. La ceinture mesure entre 5 et 8 cm de largeur, afin d'assurer un bon soutien et un maximum de confort. Cette largeur est idéale car des ceintures plus étroites entraveraient la circulation sanguine et des ceintures plus larges deviendraient rapidement inconfortables.

Comment fabriquer sa propre ceinture

1. Mesurez votre tour de hanches à l'endroit où il est le plus grand.
2. Achetez une ceinture longue, flexible et non extensible de 5 à 8 cm de largeur.
3. Avant de fabriquer votre propre ceinture sacro-coccygienne, effectuez le test de la chaise (voir le chapitre V).
4. Placez ensuite la ceinture sur l'articulation de vos hanches — à environ deux doigts au-dessous de la saillie des os iliaques.
5. Serrez-la autour de vos hanches de manière qu'un seul doigt puisse se glisser entre elle et votre corps. Elle doit passer par le milieu de vos fesses.
6. Si elle ne comporte pas de trou de fermeture à l'endroit souhaité, marquez l'emplacement où il devrait se trouver. Percez ensuite la ceinture à environ 0,5 cm plus loin que cette marque.
7. Remettez la ceinture en place et fermez la boucle.
8. Effectuez une nouvelle fois le test de la chaise.

CHAPITRE VII

Les exercices du programme de renforcement du dos et de l'entretien musculaire

Introduction

Si vous n'avez pas encore effectué les tests du programme de renforcement, prenez le temps d'évaluer l'état actuel de votre dos. Vous risquez, comme la plupart des gens, d'être extrêmement surpris par la faiblesse de vos résultats. Les tests ont l'air très simples — «Comment? Je dois faire un seul redressement-assis?» —, mais vous vous apercevrez que seule 1 personne sur 10 obtient un excellent résultat.

Si vous faites partie de ce petit groupe de privilégiés, vous ne souffrez certainement pas de problèmes de dos et vous êtes sûrement très actif. Mais si votre résultat est faible, vous entrez dans le groupe des 80 p. 100 de la population qui souffrent de problèmes de dos. N'oubliez pas que plus les résultats de vos tests sont mauvais, plus vous avez de chances de souffrir d'un grave problème de dos. L'une des descriptions suivantes s'applique certainement à votre cas personnel:

• Vous souffrez d'une anomalie de la ceinture pelvienne et vous avez besoin de suivre un programme de remise en condition physique spécifique et progressif.

• Vous êtes un jeune sportif ou — plus rarement — une jeune sportive dont le résultat des tests est faible; ce n'est pas à cause d'un manque de masse musculaire ou de tonus, mais vos activités physiques ont entraîné une tension permanente dans vos muscles qui manquent de souplesse et sont, par conséquent, affaiblis.

• Vous êtes une représentante de la majorité des femmes — qui obtiennent de bons résultats aux tests de souplesse (redressement-assis et test du psoas), mais de très faibles résultats à ceux qui mesurent la force de l'abdomen.

• Vous êtes parmi les travailleurs manuels qui obtiennent habituellement de bons résultats aux tests de force de l'abdomen mais qui, à l'exemple des sportifs — l'exécution d'un travail ardu les transformant souvent en athlètes —, manquent de souplesse.

• Vous avez déjà subi une blessure au dos. La blessure ancienne laisse souvent un côté du dos faible et tendu. Au test du psoas et à celui de l'élévation latérale du tronc, les résultats diffèrent totalement selon le côté de votre corps.

• Vous souffrez de scoliose (déviation de la colonne vertébrale) et vous découvrez la présence d'un déséquilibre musculaire latéral, surtout au niveau des muscles psoas et obliques.

Ceux qui obtiennent des résultats faibles ont presque toujours souffert de douleurs lombaires. Si ce n'est pas votre cas, vous menez peut-être une vie trop sédentaire ou bien vous avez beaucoup de chance. Mais ne comptez pas trop sur elle et essayez plutôt d'effectuer les exercices suivants.

Programme de renforcement du dos: mode d'emploi

1. Notez les résultats que vous avez obtenus aux tests du chapitre V.

2. Développez les aptitudes suivantes:
   - Respiration relaxante;
   - Étirement/relâchement efficace;
   - Position de renversement arrière du bassin.

3. Appliquez alors le programme de renforcement du dos.

   A. Commencez avec les exercices de renforcement du dos.

Exercice	Type
Étirement du psoas	Étirement-relâchement
«Dos de chat»	Étirement-relâchement
Étirements latéraux	Étirement-relâchement
Déroulement du tronc	Développement-renforcement
Élévation latérale des jambes	Développement-renforcement

   B. Dès que vous parviendrez facilement à effectuer ces exercices, ajoutez-leur ceux de l'entretien musculaire.

Étirement-relâchement des épaules
Étirement-relâchement de l'aine
Étirement-relâchement des ischio-jambiers
Étirement-relâchement du mollet
Étirement-relâchement des quadriceps
Développement-renforcement par flexion-extension des bras

* Si vous avez obtenu un résultat excellent lors des tests, passez directement au programme de renforcement du dos.

Insistez sur vos faiblesses

Les tests du programme de renforcement du dos mettent particulièrement en évidence les muscles affaiblis par un manque d'équilibre. Bien que *tous* les exercices du programme soient à effectuer, vous devez insister surtout sur vos faiblesses et vos besoins précis tels que mis en évidence par les résultats de vos tests.

Si vous n'aimez effectuer que les exercices dans lesquels vous excellez, vous devrez modifier cette habitude, car il vous faudra améliorer vos points faibles pour les hausser jusqu'au même niveau que vos points forts. L'équilibre est le secret d'un dos en bonne condition physique, et il en est de même pour chaque groupe musculaire pris séparément.

Exercices d'étirement-relâchement et de développement-renforcement

Avec le temps, vous vous familiariserez de plus en plus avec les exercices d'étirement-relâchement et ceux de développement-renforcement du programme proposé ici. Dès que vous parviendrez à les effectuer facilement, vous pourrez passer à l'entretien musculaire qui comporte six exercices supplémentaires: cinq d'étirement-relâchement et un de développement-renforcement. Cette combinaison constitue un programme simple et complet, indispensable à l'entretien de la force et de l'équilibre de la musculature du torse, des bras et des jambes.

Les exercices de *développement-renforcement,* qui ressemblent beaucoup à l'haltérophilie, tendent les muscles trop longs jusqu'à une longueur optimale. Les exercices d'*étirement-relâchement* sont conçus pour des muscles qui:

- Ont raccourci à la suite de tensions;
- Sont devenus rigides après un effort excessif;
- Sont contractés à cause d'une blessure ou de crampes;
- Sont simplement tendus à cause de l'âge et du manque d'exercice physique.

Ces exercices permettront à vos muscles de retrouver leur longueur optimale qui favorisera leur bon fonctionnement.

Un muscle équilibré et puissant

Le programme de renforcement du dos et d'entretien musculaire reposent sur le développement du rapport idéal entre la force et la longueur du muscle. Dans le chapitre IV, nous avons décrit la physiologie du muscle et parlé de son rapport force/longueur. Nous avons expliqué que des muscles trop courts ou trop longs étaient faibles, alors que pour être puissants ils devaient atteindre une forme intermédiaire et équilibrée. La figure 7.1 illustre bien ce principe.

Un muscle est composé de nombreuses fibres musculaires parmi lesquelles se trouvent des cellules spéciales de détection — les *fuseaux proprioceptifs* — qui «calculent» la longueur du muscle et son tonus. Ces cellules contribuent au maintien de l'équilibre postural. Si l'une d'elles reçoit un stimulus de relâchement, elle s'allonge et autorise l'allongement de tout le muscle. Comme nous allons le voir, la respiration relaxante crée un puissant stimulus qui permet aux fuseaux proprioceptifs, et par conséquent aux muscles, de se relâcher; ce mode de respiration est donc une aptitude qu'il est essentiel d'acquérir pour bien effectuer les exercices d'étirement-relâchement.

FIG. 7.1 RAPPORT ENTRE LA LONGUEUR ET LA PUISSANCE DES MUSCLES

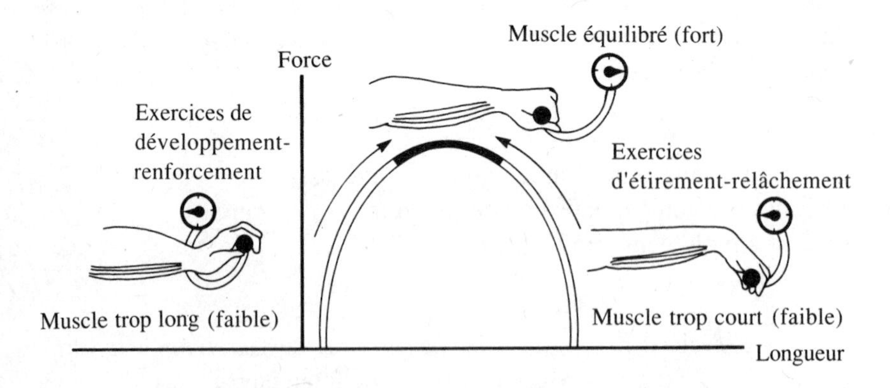

Si un muscle est *trop étiré,* le fuseau proprioceptif s'allonge trop et il envoie un signal de contraction au muscle. Le résultat obtenu va à l'encontre du résultat souhaité, car un muscle contracté *ne peut pas être* en même temps relâché.

Qui a besoin du programme de renforcement du dos?

Qui a besoin de ce programme? À peu près tout le monde! La colonne vertébrale et le tronc constituent le soutien du corps en agissant à la fois comme système de support et comme base de tous les mouvements. Quand on sait que la plupart des gens manquent de force dans cette importante partie du corps qui est trop souvent en mauvaise condition physique, il n'est pas étonnant que les douleurs lombaires chroniques soient si fréquentes!

Nos exercices comportent de légers étirements destinés à allonger les muscles tendus tout en équilibrant les articulations. Cela ne doit pas empêcher la personne qui souffre de douleurs lombaires de consulter un médecin et de suivre ses conseils avant de commencer notre programme. Ce praticien pourra ainsi y apporter de légères modifications pour l'adapter parfaitement à votre cas.

Que faire pour les maladies de la région lombaire?

Exception faite des *graves problèmes médicaux,* les exercices du programme peuvent jouer un rôle significatif dans l'amélioration de toutes les affections de la région lombaire: hernie discale, arthrite, spondylolisthésis, fracture ou suites d'intervention chirurgicale. Nous avons l'habitude de dire:

- Des articulations fragiles soutenues par des muscles faibles sont des facteurs prédisposant aux problèmes futurs.
- Des articulations fragiles soutenues par des muscles puissants et équilibrés éliminent le problème ou permettent au moins de «vivre avec».
- Souhaitez-vous vraiment vous sentir le mieux possible?

Trois aptitudes à développer avant de commencer

Respiration relaxante

Alors que la respiration normale est un acte instinctif, la *respiration relaxante* constitue une technique à acquérir. C'est particulièrement vrai chez les sportifs mâles qui sont habitués à agir avec une certaine rudesse et qui adhèrent facilement à la philosophie de «ce qui fait mal doit être efficace».

Notre technique de respiration relaxante n'en constitue pas moins une partie très importante des exercices d'étirement-relâchement qui vont suivre. Voici comment procéder:

1. Asseyez-vous sur une chaise confortable, les bras pendant sur les côtés, la tête penchée vers l'avant, le menton sur la poitrine et les yeux fermés.
2. Inspirez lentement en laissant d'abord se gonfler votre abdomen, puis votre poitrine. En inspirant, vos épaules vont naturellement se soulever. Retenez votre respiration pendant quelques secondes.
3. Expirez ensuite lentement. Laissez vos épaules et vos bras retomber mollement. Percevez bien le basculement vers l'avant de votre tête et la sensation de lourdeur de votre corps.
4. À la fin de l'expiration, votre corps est totalement détendu. C'est la *phase de relaxation maximum* qui correspond au moment précis où les fuseaux proprioceptifs laissent les muscles s'étirer complètement.
5. Inspirez de nouveau et répétez cet exercice plusieurs fois de suite. Prenez conscience de la sensation de détente qui commence à envahir tout votre corps.

FIG. 7.2 RESPIRATION RELAXANTE

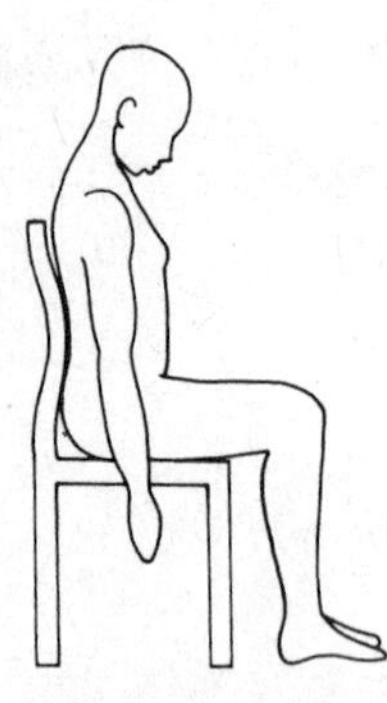

Relaxez-vous.

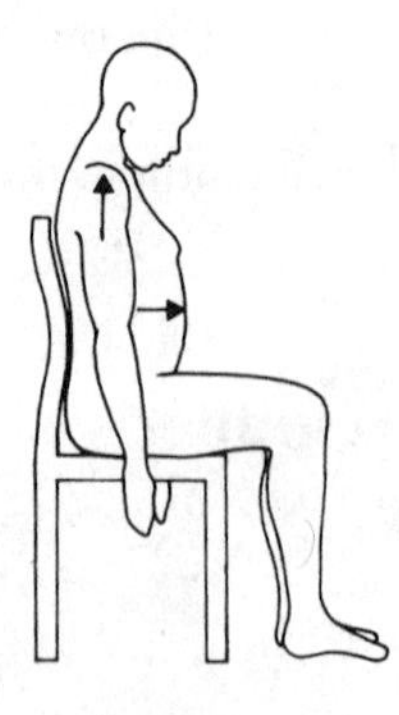

Inspirez.

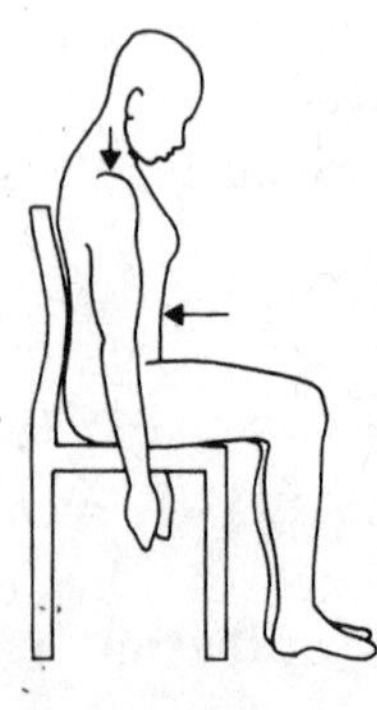

Expirez lentement.

Étirement-relâchement des muscles

Cette méthode d'étirement-relâchement des muscles en quatre étapes est celle que nous conseillons pour nos exercices.

1. Étirez le muscle en suivant le mouvement indiqué jusqu'à ce que vous éprouviez une résistance — la position dans laquelle vous ressentez une douleur ou au-delà de laquelle votre muscle ne s'étire plus. Revenez un peu en arrière et restez dans cette nouvelle position en maintenant votre muscle légèrement détendu.
2. Appliquez ensuite la méthode de respiration relaxante en prenant une profonde inspiration (voir le paragraphe précédent). Expirez.
3. Laissez conciemment tout votre corps se détendre.
4. Décontractez complètement le muscle en l'étirant lentement jusqu'à ce que vous perceviez une nouvelle résistance. Cessez l'étirement, revenez un peu en arrière et recommencez toutes les étapes jusqu'à ce que votre muscle ne puisse plus s'étirer ou que vous ressentiez un malaise.

Position de renversement arrière du bassin

La position de renversement arrière du bassin est une position de base pour les exercices du programme. Vous devez absolument la connaître car, dès qu'elle vous sera devenue familière, elle vous permettra de diminuer les risques de blessure au dos. Comme nous l'avons vu dans les chapitres précédents, c'est lorsque le bassin est en position d'équilibre que la colonne vertébrale est la plus droite et que le dos est le plus puissant. En effet, plus votre colonne vertébrale est incurvée et plus vous avez de chances de vous blesser.

Voici deux méthodes qui vous permettront de mieux percevoir ce mouvement:

Position debout

1. Tenez-vous droit en appuyant le dos et les fesses contre un mur.
2. Placez vos mains entre le creux de votre colonne lombaire et le mur.
3. Posez un pied sur une chaise placée devant vous.
4. Remarquez alors le basculement vers le haut de votre bassin, la position plus droite de votre dos et la plus grande proximité du

mur comparativement au moment où vos deux pieds reposaient sur le sol. *Vous êtes dans la position de renversement arrière du bassin.*

Position couchée

1. Allongez-vous sur le dos en pliant les genoux selon l'angle de la figure 7.3.
2. Placez votre main entre la courbure de votre colonne lombaire et le sol.
3. Aplatissez votre dos sur votre main en contractant vos abdominaux et en faisant basculer vos hanches vers l'arrière.
4. Expirez. *Vous êtes dans la position de renversement arrière du bassin.*

FIG. 7.3 POSITION DE RENVERSEMENT ARRIÈRE DU BASSIN

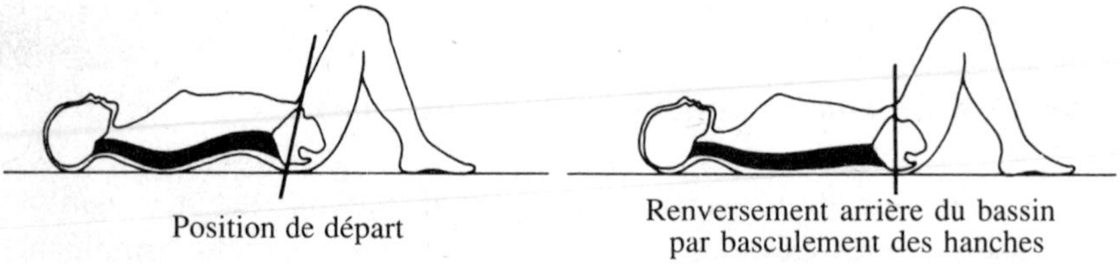

Position de départ

Renversement arrière du bassin par basculement des hanches

La position de renversement arrière du bassin constitue un bon échauffement pour les exercices du programme. Toutefois, n'oubliez pas que c'est *pendant que vous effectuez* ces exercices qu'il est important de la garder.

Avant de commencer: les dix étapes de la motivation

1) *Ne sous-estimez pas votre problème.* «Je vais très bien, mon dos ne me fait plus mal.» «Je suis en assez bonne forme grâce à mon travail.»
   Dès qu'ils n'ont plus mal, la plupart des gens nient purement et simplement qu'ils souffrent d'une affection du dos. C'est la raison pour laquelle ils risquent de laisser passer une merveilleuse chance de diminuer leurs futurs problèmes *au meilleur moment: lorsqu'ils n'ont pas mal.*
2) *Ne surestimez pas votre problème.* «J'ai eu une opération au dos.» «Je souffre d'arthrite.» «Mon dos est trop faible pour supporter des exercices.»

Par une véritable ironie du sort, ce sont souvent ceux qui ont le plus besoin d'aide qui n'en réclament jamais. Ce sont pourtant ceux dont le dos est le plus atteint qui ont le plus besoin d'effectuer des exercices de reconditionnement.

3) *N'attendez pas. Agissez immédiatement.* «Je sais bien ce que je devrais faire, mais j'attends d'avoir mal au dos pour commencer.» La maladie est une réalité facilement perceptible, alors que la bonne santé n'est pas appréciée à sa juste valeur. Pour ceux qui souffrent d'hypertension artérielle, la crise cardiaque constitue un impardonnable défaut d'entretien de la santé. Les douleurs lombaires en constituent un autre. Il convient de se réjouir de sa bonne santé, mais il faut surtout s'attacher à la préserver.
4) *Ne dépassez pas vos possibilités.* «J'ai fait mes exercices et j'ai eu mal ensuite. L'exercice physique ne me convient pas.» Certains sont si impatients d'améliorer leur condition physique et effectuent les exercices avec tant de vigueur et d'intensité qu'ils ont mal et finissent par se décourager. Pour atteindre le succès, il convient d'adopter la philosophie suivante: *L'absence de douleur est signe d'amélioration.*
5) *Ne cherchez pas de responsable à votre problème: réglez-le.* «C'est mon travail — ma chaise, mes chaussures, etc. — qui est la cause de mes maux de dos.» Nombreux sont ceux qui ne veulent trouver que des causes extérieures à leur problème et, comme ces causes les dépassent, ils se plaignent sans cesse et se sentent frustrés. Assurez-vous d'avoir bien fait tout le nécessaire pour maintenir votre dos dans le meilleur état possible.
6) *Ne sous-estimez pas l'efficacité du programme.* «Les exercices sont lassants.» «Ces exercices n'agiront pas, ils sont trop simples.» Les exercices du programme de renforcement du dos ont été mis au point après des années d'expérimentations cliniques réalisées avec l'aide de milliers de patients. Ces exercices ont justement été choisis *pour leur simplicité* et leur facilité. S'ils semblent parfois lassants, que devrait-on penser du brossage des dents et de l'utilisation de la soie dentaire — qui constituent pourtant des exercices essentiels si l'on veut préserver le bon état de ses dents?
7) *Soyez discipliné.* Réservez-vous *un endroit et un moment* particuliers pour effectuer vos exercices quotidiens.

Conservez les *premiers résultats* de vos tests. *Suivez l'évolution de vos progrès.* Effectuez de nouveau ces tests chaque semaine et notez vos progrès. Si vous ne progressez pas, essayez d'en découvrir la raison: les exercices vous conviennent-ils vraiment? Les faites-vous de la bonne manière?

8) *Définissez votre objectif.* «Je vais passer cinq minutes par jour à effectuer mes exercices.»
   Une telle affirmation constitue un moyen très efficace de vous sentir engagé et de le rester.
9) *Recherchez des encouragements en parlant de votre décision.* Parlez à votre conjoint ou à un ami de votre intention de suivre le programme. Demandez-lui d'être votre partenaire dans vos tests hebdomadaires et encouragez-le à effectuer le programme avec vous.
10) *Consacrez-vous à la solution de votre problème.* «Je vais m'engager complètement dans mon programme... pour me sentir le mieux possible.»

Les exercices du programme de renforcement du dos

Étirement du psoas

Action de l'exercice

Cet exercice allonge les muscles psoas (ou fléchisseurs de la hanche) et les assouplit.

Exécution de l'exercice

1. Allongez-vous sur le dos avec les jambes tendues droit devant vous.
2. Ramenez un genou sur la poitrine en gardant l'autre jambe tendue.
3. En ramenant votre genou, vous ressentirez une tension musculaire qui grandira jusqu'à une limite que vous ne pourrez pas dépasser; vous risquez même de ressentir un léger malaise. *Arrêtez-vous.*

• Dépliez un peu votre genou et conservez cette position. Inspirez lentement et profondément.

• Expirez lentement et profondément. Détendez-vous.

• Marquez un temps d'arrêt. Détendez légèrement vos muscles en ramenant votre genou sur la poitrine jusqu'à ce que vous atteigniez une nouvelle limite.

FIG. 7.4 ÉTIREMENT DU PSOAS

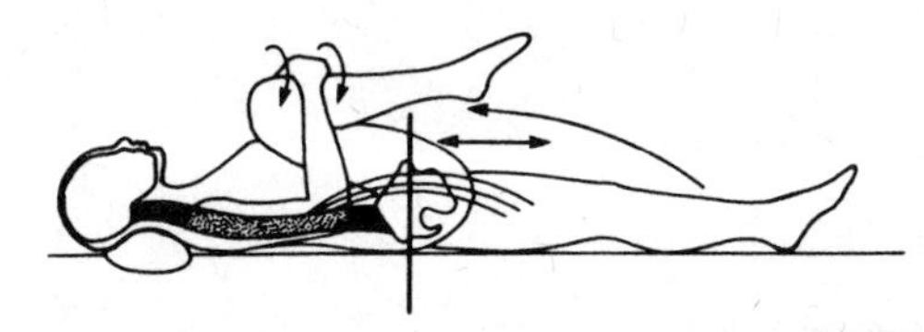

Répétez de 3 à 5 fois de suite cet exercice, puis étirez le psoas de l'autre côté.

Précautions à prendre

• Évitez les mouvements de «ressort».

• *Vous ne devez pas ressentir de douleur* — mais seulement une légère tension.

• Bien que la respiration détende et étire les muscles, *ne forcez jamais votre jambe à adopter une position quelconque.*

• Si vous ressentez une douleur dans l'articulation sacro-iliaque, relisez le chapitre VI et consultez un médecin.

«Dos de chat»

Action de l'exercice

Cet exercice étire les muscles du dos trop tendus.

Exécution de l'exercice

1. Agenouillez-vous sur le sol en vous appuyant sur vos mains.
2. Prenez d'abord les trois positions suivantes sans prêter attention à votre respiration:

   • Position neutre avec le dos plat.

   • Arrondissez le dos à la manière d'un chat en colère, puis revenez dans la position neutre.

   • Creusez le dos en cambrant les reins, puis revenez dans la position neutre.
3. Pratiquez maintenant la respiration relaxante en prenant les trois positions.

• Inspirez profondément dans la position neutre avec le dos plat.

• Expirez lentement et complètement tout en arrondissant le dos. Détendez-vous et étirez-vous en haussant le dos. Inspirez en revenant à la position neutre.

• Expirez lentement en creusant le dos et en cambrant les reins. Détendez-vous et étirez-vous en sortant le ventre. Revenez à la position neutre.

FIG. 7.5 «DOS DE CHAT»

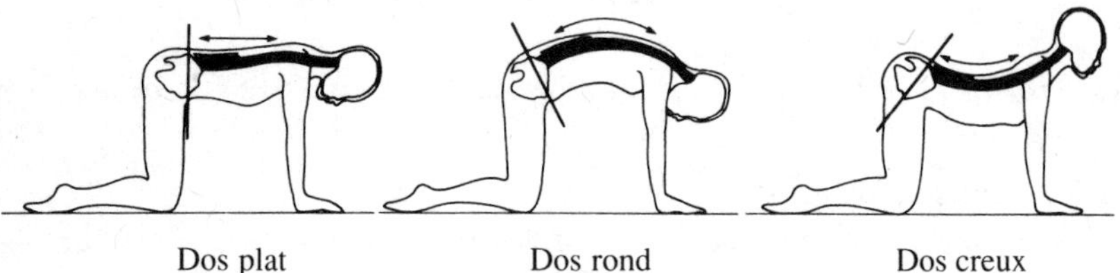

Dos plat — Dos rond — Dos creux

Répétez cet exercice d'étirement de 3 à 5 fois de suite.

Précautions à prendre

• Agissez sans gestes brusques.
• Respirez lentement et calmement.
• Ne vous étirez pas jusqu'au point de ressentir une douleur.

Étirements latéraux

Action de l'exercice

Cet exercice étire les muscles obliques trop tendus.

Exécution de l'exercice

1. Tenez-vous debout, les jambes légèrement écartées et les mains posées sur la tête.
2. Penchez le buste sur le côté et vers l'avant jusqu'à ce que vous ressentiez une légère tension dans les muscles obliques. Gardez cette position.

• Inspirez profondément.

• Expirez complètement et prenez conscience de l'étirement de vos muscles obliques à la fin de l'expiration.

• Marquez un temps d'arrêt et détendez-vous. Détendez vos muscles en vous penchant un peu plus sur le côté et vers l'avant.

FIG. 7.6 ÉTIREMENTS LATÉRAUX

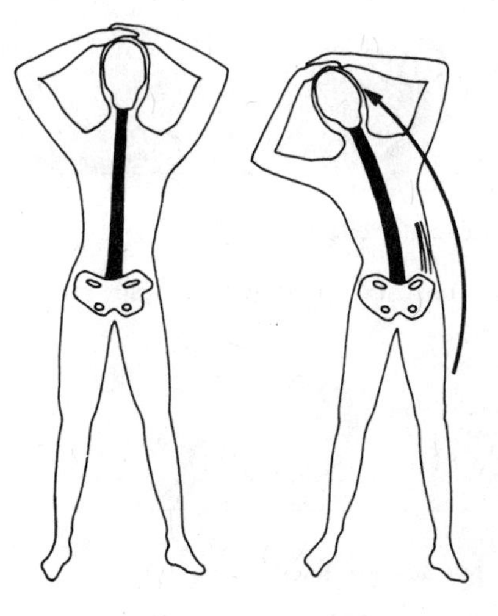

Répétez de 3 à 5 fois de suite les étirements latéraux.

Précautions à prendre

• Gardez le bassin horizontal. Ne penchez jamais le buste jusqu'au point de faire basculer latéralement votre bassin.

• Évitez les mouvements de «ressort» et les soubresauts.

• Expirez complètement avant de vous étirer.

Déroulement et flexion du tronc

Action de l'exercice

Voici le premier des deux exercices de développement-renforcement du programme. Son objectif est de revigorer les muscles de l'abdomen qui sont trop longs et en mauvaise condition.

Exécution de l'exercice

1. Asseyez-vous sur le sol, les genoux pliés selon un angle de 45° et les bras tendus devant vous.
2. En comptant jusqu'à 7, fléchissez lentement le tronc vers

l'arrière et allongez votre dos sur le sol. Gardez la position de renversement arrière du bassin pendant tout le mouvement.

FIG. 7.7 DÉROULEMENT ET FLEXION DU TRONC

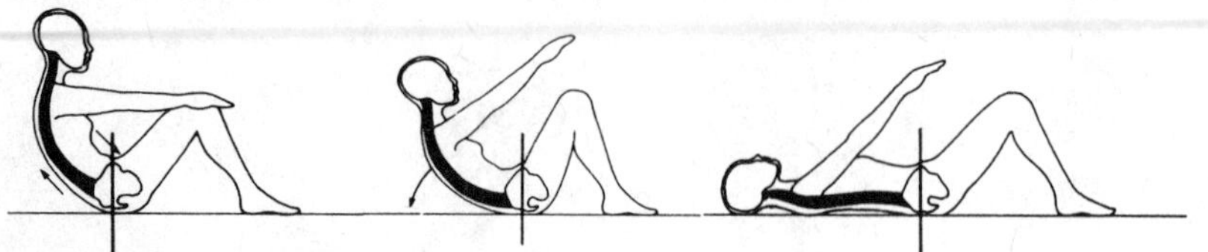

Déroulement du tronc (niveau facile)

3. Revenez maintenant en position assise en utilisant vos bras comme balancier.

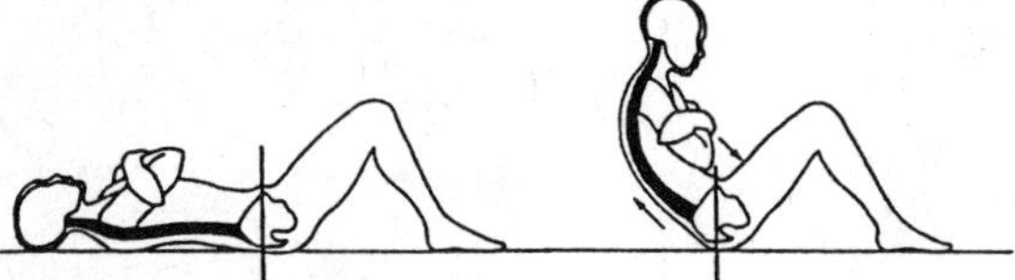

Déroulement du tronc (niveau moyennement facile)

4. Si l'exercice vous paraît trop facile, croisez les bras sur votre poitrine; pour le rendre encore plus difficile, placez les bras de part et d'autre de la tête, allongez lentement votre dos sur le sol, puis asseyez-vous de nouveau.

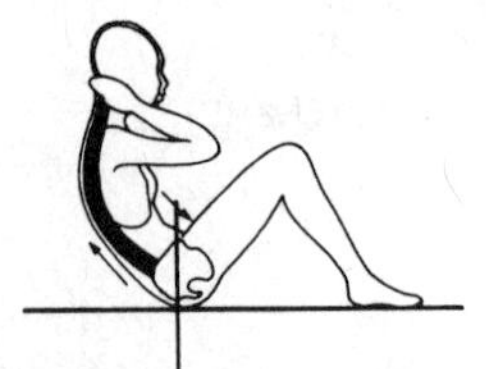

Déroulement du tronc (niveau difficile)

5. Si vous éprouvez trop de difficulté à effectuer cet exercice, essayez simplement la *flexion du tronc*:

• Allongez-vous sur le sol, les genoux pliés et les bras étendus devant vous.

• Prenez la position de renversement arrière du bassin.

• Remontez lentement le tronc en amenant la poitrine vers les genoux. Comptez jusqu'à 7, puis revenez à la position de départ.

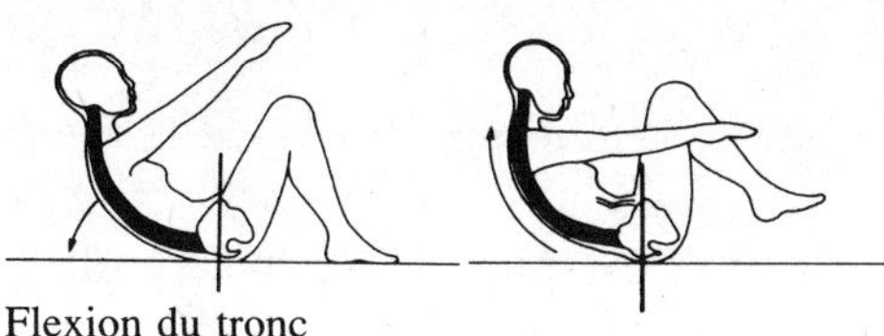

Flexion du tronc

Répétez lentement le déroulement ou la flexion du tronc de 5 à 10 fois de suite.

Précautions à prendre

• Agissez selon vos capacités. Ne passez pas à un exercice plus difficile avant d'avoir suffisamment renforcé vos muscles.

• Pour obtenir de meilleurs résultats, déroulez *lentement* le dos.

• Si vous n'arrivez pas à vous asseoir facilement, aidez-vous de vos coudes pour vous redresser.

Élévation latérale des jambes

Action de l'exercice

Ce deuxième et dernier exercice de développement-renforcement du programme sert à renforcer les muscles latéraux.

Exécution de l'exercice

1. Allongez-vous sur le côté avec les jambes tendues.
2. Posez la tête sur l'une de vos mains; utilisez l'autre main pour soutenir votre corps en position droite (imaginez que cette main constitue le troisième appui d'un trépied).
3. Soulevez vos deux jambes à une hauteur de 5 à 10 cm au-dessus du sol. Conservez cette position.
4. Abaissez et soulevez lentement la jambe du dessus en effectuant un mouvement de ciseaux.

FIG. 7.8 ÉLÉVATION LATÉRALE DES JAMBES

Répétez l'élévation latérale de la jambe de 5 à 10 fois de suite, puis recommencez avec l'autre jambe.

Précautions à prendre

• Lorsque vous soulevez la jambe du dessous, l'exercice devient de plus en plus difficile.

• L'élévation latérale de la jambe est plus facile avec l'autre jambe posée au sol.

• Pour obtenir de meilleurs résultats, gardez le corps parfaitement droit.

• Pour faire travailler les muscles de la hanche, effectuez le même exercice, mais penchez votre corps vers l'avant en formant un angle de 15°. Ainsi, vous les sentirez bien travailler!

Le programme d'entretien musculaire

Le programme d'entretien musculaire convient à tous ceux qui ont obtenu des résultats excellents aux tests. Si vos propres résultats sont moins brillants, ne commencez l'entretien musculaire qu'après avoir fait des progrès dans les exercices du programme — soit après environ six semaines. Le programme d'entretien musculaire constitue une excellente façon de débuter vos journées et un très bon exercice d'échauffement avant de faire du sport ou d'autres activités physiques.

Nous avons ajouté cinq nouveaux exercices d'étirement-relâchement et un exercice de développement-renforcement aux cinq exercices du programme que vous êtes maintenant capable d'effectuer facilement.

Étirement-relâchement des épaules

Action de l'exercice

Cet exercice améliore la souplesse des muscles des épaules.

Exécution de l'exercice

1. Laissez vos bras pendre sur les côtés.
2. Tout en inspirant profondément, remontez lentement vos bras au niveau de la tête en les croisant devant vous.
3. Étirez vos bras vers l'arrière dans un mouvement circulaire tout en expirant lentement.

FIG. 7.9 ÉTIREMENT-RELÂCHEMENT DES ÉPAULES

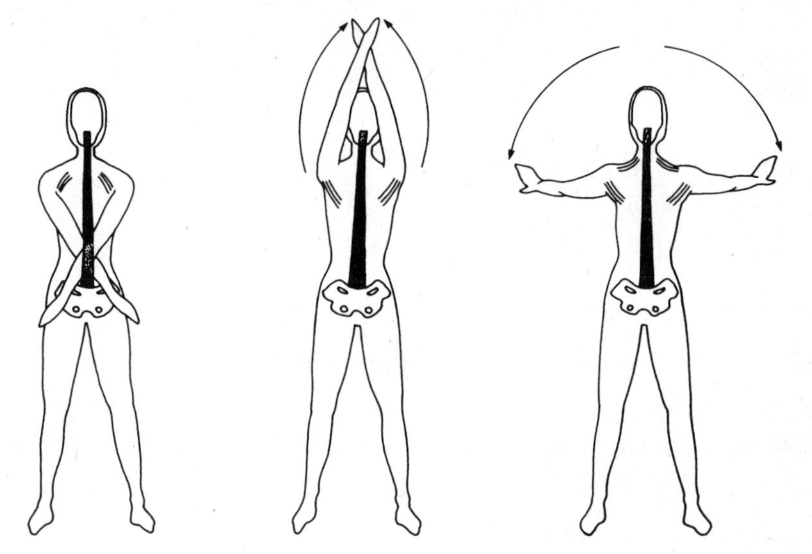

4. Répétez le mouvement en étirant le plus possible les bras vers l'arrière et en faisant des cercles de plus en plus grands.

Répétez le même mouvement de 3 à 5 fois de suite.

Étirement-relâchement de l'aine

Action de l'exercice

Cet exercice améliore la souplesse des muscles de l'aine.

Exécution de l'exercice

1. Asseyez-vous sur le sol, les jambes pliées selon un angle de 45° et les talons joints à une distance de 15 cm des fesses.
2. Écartez vos genoux en les poussant avec les coudes.
3. Baissez la tête jusqu'à ce que le mouvement soit arrêté par la tension des muscles.
4. Gardez cette position et inspirez profondément. Prenez conscience du relâchement musculaire qui suit votre inspiration.
5. Expirez lentement et marquez un temps d'arrêt à la fin de chaque cycle respiratoire.
6. Détendez lentement vos muscles en appuyant sur vos genoux et en abaissant la tête vers les pieds.

FIG. 7.10 ÉTIREMENT-RELÂCHEMENT DE L'AINE

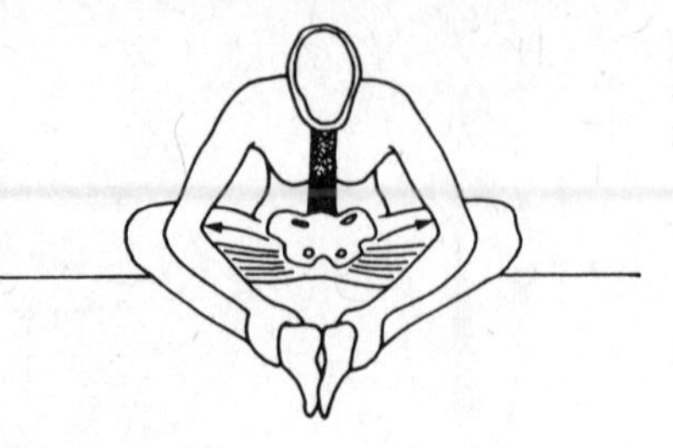

Répétez le mouvement de 3 à 5 fois de suite.

Étirement-relâchement des ischio-jambiers

Action de l'exercice

Cet exercice améliore la souplesse des muscles ischio-jambiers (ou muscles fléchisseurs du genou).

Exécution de l'exercice

1. Asseyez-vous en gardant une jambe tendue et pliez l'autre en amenant le talon à la hauteur du genou de la jambe restée tendue.
2. Fléchissez légèrement le buste en amenant la tête vers le genou de la jambe tendue et en étendant les bras vers l'avant. Arrêtez-vous dès que vous ressentez une tension dans le dos ou la jambe, mais sans attendre d'avoir mal. Gardez cette position.
3. Expirez lentement et à fond. Marquez un temps d'arrêt à la fin de l'expiration. Percevez bien le relâchement de vos muscles.
4. Détendez lentement vos muscles en avançant encore la tête vers le genou.

FIG. 7.11 ÉTIREMENT-RELÂCHEMENT DES ISCHIO-JAMBIERS

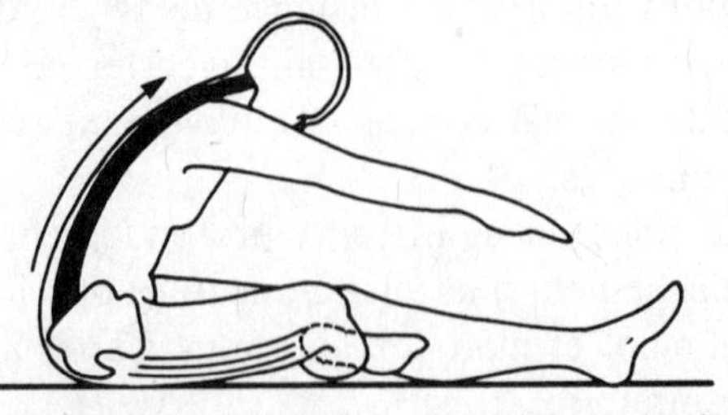

Répétez le mouvement de 3 à 5 fois de suite, puis étirez les muscles de l'autre jambe.

Étirement-relâchement du mollet:

Action de l'exercice
Cet exercice assouplit les muscles du mollet.

Exécution de l'exercice
1. Restez debout, un pied posé devant l'autre et les mains sur les hanches.
2. Pliez la jambe avant pour étirer les muscles du mollet de la jambe arrière en gardant le pied bien à plat et la jambe arrière tendue.
3. Cessez de vous étirer dès que vous ressentez une tension dans les muscles du mollet et gardez la position.
4. Expirez alors lentement et à fond. Percevez bien le relâchement musculaire qui suit l'expiration.
5. Détendez complètement les muscles de votre mollet.

FIG. 7.12 ÉTIREMENT-RELÂCHEMENT DU MOLLET

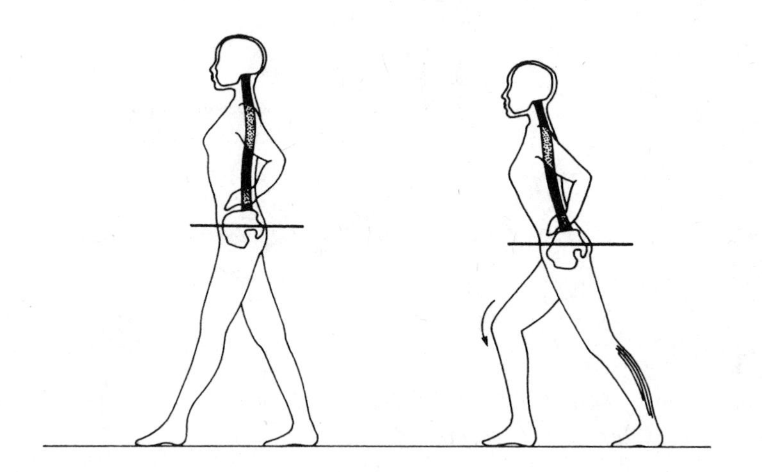

Répétez de 3 à 5 fois de suite le mouvement, puis étirez les muscles de l'autre jambe.

Étirement-relâchement du quadriceps

Action de l'exercice
Cet exercice assouplit les quadriceps (muscles de l'avant de la cuisse).

Exécution de l'exercice
1. Restez debout en appuyant l'une de vos épaules contre un mur pour vous stabiliser.
2. Pliez la jambe extérieure en amenant votre talon contre la fesse. Maintenez le bassin en position de renversement arrière.
3. Cessez le mouvement dès que vous ressentez une tension des muscles de la cuisse et conservez la position.
4. Expirez alors lentement et à fond.
5. Détendez complètement les muscles de votre cuisse.

FIG. 7.13 ÉTIREMENT-RELÂCHEMENT DU QUADRICEPS (CUISSE)

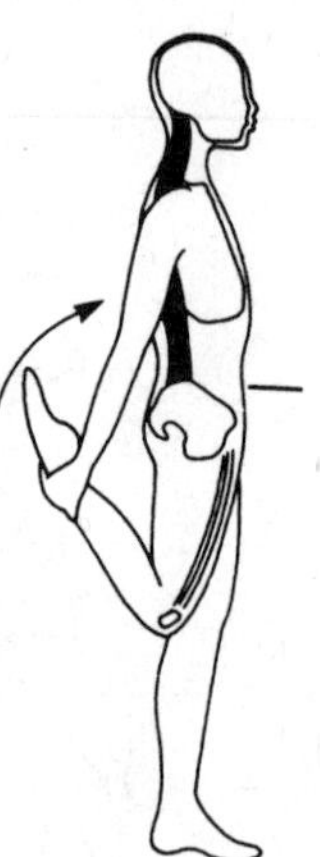

Répétez le mouvement de 3 à 5 fois de suite, puis étirez les muscles de l'autre jambe.

Précautions à prendre
- Ne cambrez pas le dos.

Flexion-extension des bras (développement-renforcement)

Action de l'exercice

Cet exercice (*push-up*) permet de renforcer les muscles de l'épaule et du tronc.

Exécution de l'exercice

Niveau facile

1. Agenouillez-vous au sol en prenant appui sur les mains (comme dans le «dos de chat»).
2. Avancez légèrement les mains.
3. En gardant le tronc dans le prolongement des cuisses, fléchissez les coudes pour abaisser la poitrine près du sol, puis tendez vos bras pour l'en éloigner.

Niveau difficile

1. Allongez-vous sur le ventre, les jambes tendues vers l'arrière, et prenez appui sur vos mains posées au sol vis-à-vis de vos épaules.
2. Tendez d'abord les bras, puis fléchissez-les.

FIG. 7.14 FLEXION-EXTENSION DES BRAS

Répétez le mouvement de flexion-extension des bras de 5 à 10 fois de suite pour les deux niveaux de difficulté.

Entretien musculaire permanent

La plupart des gens sont très surpris de la facilité de ces exercices et du peu de temps qu'ils nécessitent — environ 10 minutes par jour. Ils sont cependant extrêmement efficaces car ils complètent les activités quotidiennes normales tout en corrigeant les déficiences qu'elles laissent subsister. Ils ont été conçus pour développer un bon équilibre entre la longueur et la force des muscles.

Ils devraient être exécutés tous les jours, à la même heure et au même endroit. Afin d'en tirer le maximum de bénéfice, vous devriez les inclure dans la routine de votre vie quotidienne, au même titre que le brossage de vos dents ou le soin de vos cheveux. L'entretien musculaire constitue une activité essentielle.

En résumé: les règles d'efficacité des exercices

Avant de terminer ce chapitre, résumons rapidement les règles qui assurent l'efficacité des exercices du programme de renforcement du dos et de l'entretien musculaire:

1) Une douleur intense n'apporte aucun progrès. Le programme de renforcement du dos est et doit rester une méthode indolore.
2) Toutefois, n'oubliez pas que pour progresser il faut absolument forcer un peu. Commencez lentement, mais attendez-vous à devoir augmenter un peu la difficulté ou le nombre des exercices.
3) Suivez votre propre rythme et ne dépassez jamais vos limites. N'essayez pas de devenir un superathlète en l'espace de quelques semaines.
4) Faites les exercices dans la bonne humeur, car le programme ne constitue pas une punition. Ne vous forcez pas. Vous pouvez ressentir un certain malaise au début, mais vous ne devez jamais avoir très mal.
5) Pensez à bien respirer. Le secret de la réussite du programme passe par une respiration profonde et calme, surtout pour les exercices d'étirement-relâchement.
6) Chaque fois que la chose est possible, ajoutez la position de renversement arrière du bassin à vos exercices.

QUATRIÈME PARTIE

PROGRAMMES DE PRÉVENTION ET DE TRAITEMENT

CHAPITRE VIII

Prévention: le fin mot de l'histoire

Ce poème, récemment publié dans une revue médicale, définit assez bien le sujet du dernier chapitre:

> La falaise était dangereuse, ils étaient tous d'accord,
> Mais marcher au bord était si excitant;
> Ils glissèrent et dévalèrent donc la terrible pente,
> Un duc et un grand nombre de paysans.
> Tous clamèrent alors qu'il fallait prendre des mesures,
> Mais pas un seul ne fut du même avis.
> «Posons une barrière au bord du précipice», dit l'un.
> «Laissons une ambulance en bas dans la vallée», dit l'autre.
>
> Le peuple se lamentait avec passion et force,
> Car son cœur débordait de pitié;
> Mais ce fut l'ambulance qui connut sa faveur,
> Et la rumeur en atteignit la ville voisine.

Une collecte eut lieu pour recueillir des fonds,
Et tous les habitants, riches ou pauvres,
Donnèrent billets ou piécettes — et pas pour la barrière —
Mais bien pour l'ambulance en bas dans la vallée.
«La pente est sans danger au voyageur prudent, disaient-ils;
S'il advenait jamais que quelqu'un glisse et tombe,
Ce n'est pas la glissade qui lui ferait bien mal,
Mais c'est surtout le choc — lorsqu'il s'arrêterait.»
Durant des années, dès que quelqu'un tombait,
Les sauveteurs se mettaient vite en marche
Pour venir ramasser la victime qui avait dévalé la pente
Avec l'ambulance en bas dans la vallée.

Un homme dit alors, devant cette misère: «Voilà qui me paraît
Bien étonnant de vous voir attacher plus d'importance
À réparer les dégâts au lieu d'en supprimer les causes;
Il vaudrait bien mieux songer à prévenir.
Car le problème doit, bien sûr, être pris à sa source,
Venez tous, parents et amis, et regroupons-nous
Car c'est bien plus sensé d'avoir confiance en la barrière
Plutôt qu'en l'ambulance en bas dans la vallée.»

«Il a tout à fait tort, dit la majorité;
Il voudrait briser là tous nos efforts,
C'est un homme qui manque à ses responsabilités,
Mais nous n'y manquerons jamais.
Ne ramassons-nous pas tous ceux qui tombent?
Et ne les soignons-nous pas avec dévouement?
La barrière est inutile et n'a pas d'intérêt
Tant que l'ambulance sera en bas dans la vallée.»

Cette histoire paraît bizarre racontée ici,
Mais souvent il se passe des choses étonnantes.
Plus humain, croyons-nous, que de soigner la blessure
Est le fait d'en prévenir le danger.
Le moyen le meilleur est bien de protéger la source
En veillant rationnellement aux choses.
Oui, construisez la barrière et laissez-nous nous passer
De l'ambulance en bas dans la vallée.

Un champion de la prévention

Ralph Nader est devenu célèbre au cours des années soixante. Ce jeune avocat bien décidé et peu influençable s'était décerné lui-même le titre de «champion de la défense des consommateurs» et l'avait bien mérité. Nader et ses «mousquetaires» étaient à la tête d'un nouveau mouvement de défense des droits des consommateurs. En réclamant des voitures de meilleure qualité et de conception plus sécuritaire, ils ont affronté les géants de l'automobile — et ils ont gagné la bataille.

Quoi que l'on puisse penser de Ralph Nader et de ses méthodes, il a tout de même atteint son objectif. Les automobiles sont maintenant beaucoup plus sûres.

Mais quelle que soit la qualité de la voiture et celle de la route, la variable la plus importante de toutes est encore le conducteur. La sécurité automobile est la résultante d'un jeu complexe d'interactions entre la voiture et son chauffeur. L'identification et la réduction des risques inhérents à la conduite ainsi qu'au véhicule lui-même doivent être associés avec la réduction des risques intrinsèques du conducteur. Comment peut-on relever ce défi?

Au niveau de la population, les affiches et les campagnes de publicité dans la presse écrite et à la télévision font la promotion d'habitudes de conduite plus sécuritaires. Il s'agit alors de prévention primaire: diffuser les messages prônant la conduite sécuritaire *avant* que ne se produisent les accidents.

Vient ensuite l'identification des *groupes cibles* que constituent les conducteurs «à hauts risques» — les jeunes hommes en particulier. Des mises en garde contre «les dangers de l'alcool au volant» sont diffusées partout. Des mesures incitatives sont offertes sous forme de réduction des primes d'assurance aux jeunes chauffeurs qui suivent des cours de perfectionnement et de conduite préventive. Cette méthode constitue la *prévention secondaire*.

La *prévention tertiaire* met l'accent sur la recherche des mauvais conducteurs et sur la mise en œuvre de moyens importants visant à améliorer leurs performances. Par exemple, de nombreux États américains demandent à certains chauffeurs (ceux qui éprouvent de la difficulté à obtenir leur permis de conduire) de suivre avec succès un cours de conduite sécuritaire.

Prévention des problèmes de dos

De la même manière, la prévention des problèmes de dos comporte l'identification et la réduction des risques inhérents à l'occupation, à l'environnement, au lieu de travail et à l'individu. Nous savons que les blessures résultent spécifiquement d'une mauvaise association entre les risques inhérents au travail et les risques intrinsèques de la personne — c'est-à-dire d'une mauvaise combinaison des tâches à accomplir et des capacités de l'exécutant.

Les risques propres au travail | Les risques propres à l'individu

Dans l'industrie, il existe une campagne permanente d'identification et de réduction des risques professionnels, laquelle prône la création d'occupations moins dangereuses par la conception d'outils plus fiables, ainsi que l'amélioration de l'environnement du travail. Des politiques cohérentes encouragent une meilleure formation professionnelle et exigent des équipements de protection là où ils sont nécessaires. Appliqué dans l'industrie, le programme de renforcement du dos vient compléter tous ces efforts de réduction des risques pour les travailleurs.

Notre programme aide *tous* ceux qui souffrent du dos à se rétablir plus rapidement et plus complètement. Mais la prévention primaire (*avant* des douleurs au dos ou une blessure) et la prévention secondaire (remise en état d'un dos affaibli par des douleurs ou une blessure) est toujours difficile à admettre. La raison en est donnée par cette courte maxime que nous nous plaisons à nommer la «loi Imrie»:

> L'intérêt que les gens portent à leur dos et le souci qu'ils en ont sont inversement proportionnels au temps qui s'est écoulé depuis leurs dernières douleurs.

> Dieu et le Docteur nous aimons mêmement,
> Mais seulement au danger, et pas auparavant.
> Dès le danger passé, les deux sont rejetés.
> Dieu est oublié et le Docteur négligé.
>
> John Owen (1560-1622)

En d'autres termes, notre vision du monde change lorsque nous ne ressentons plus de *douleur*!

Un sens de la perspective

Avez-vous déjà essayé de jouer au dessin-mystère des neuf points? Le jeu se présente ainsi:

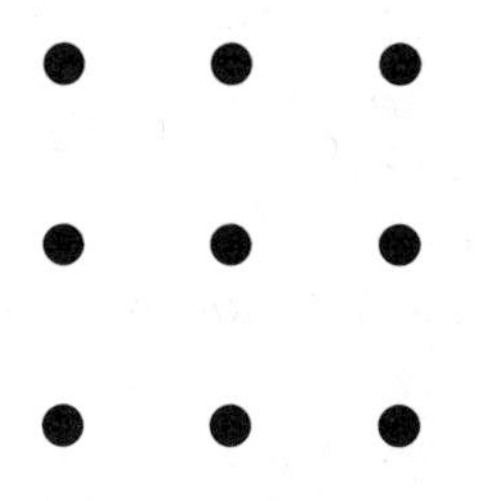

Pour gagner, vous devez joindre les neuf points en ne traçant que *quatre* lignes droites, sans jamais soulever la pointe de votre crayon. (Voir la solution à la fin de ce chapitre.)

La plupart des gens ont de la difficulté avec ce dessin car la vision qu'ils en ont — leur perspective — est réduite à l'espace compris entre les points. En regardant la solution, vous vous apercevrez que le dessin-mystère ne peut être effectué qu'en adoptant une approche non conventionnelle et non limitative du problème. Cela signifie qu'il faut considérer ces neuf points dans une perspective plus large.

De la même manière, la perspective conventionnelle que l'on a au sujet du dos et de ses problèmes nous empêche d'aller réellement à leur source et de nous en occuper efficacement.

Notre questionnaire au sujet du dos

L'interrogatoire de nos patients comporte toujours les questions suivantes:

1. Avez-vous déjà souffert d'un problème de dos?
2. Souffrez-vous actuellement d'un problème de dos?
3. Quelle est la cause de ce problème?
4. Que faites-vous pour empêcher sa récidive?

Dans ce questionnaire, nous insistons sur le mot *problème* plutôt que sur le mot *douleur*, mais les patients répondent souvent aux deux premières questions par une référence à la *douleur*. Par exemple:

«Oui, docteur, j'ai eu un problème il y a deux ans. Mais je vais bien maintenant. Je ne ressens plus aucune *douleur*.»

«Oh, oui! J'ai eu des *douleurs* il y a cinq ans, mais je vais bien aujourd'hui. Mon dos est peut-être un peu faible — je ne sais pas. Mais je me sens bien. Je n'ai plus de *douleurs*.»

«Oui, j'avais des *douleurs*. D'ailleurs, j'ai encore quelques petits problèmes. Lorsque je me lève le matin, je me sens toute raide.»

«Oui. J'ai un problème qui a débuté il y a cinq ans et j'ai encore des *douleurs* tous les jours. Ces *douleurs* m'épuisent. Ce problème ne me lâche pas!»

Ces réponses à nos deux questions reflètent bien ce que les patients pensent de leurs problèmes de dos: ils confondent toujours un problème de dos avec une douleur au dos.

Une nouvelle perspective

Cet ouvrage présente un programme d'évaluation du bon état ou du bon fonctionnement du dos. Nous proposons donc un outil que chacun peut utiliser pour:

- Définir un problème au dos, non seulement lorsque les douleurs sont là mais aussi *avant* qu'elles n'apparaissent;
- Identifier le dysfonctionnement d'un dos trop faible;
- S'assurer, après avoir souffert du dos, que tout risque de blessure a disparu.

Cette nouvelle perspective a son importance, car elle favorise la prévention des problèmes et leur «gestion». Notre objectif est de montrer les problèmes qui affectent le dos selon une perspective nouvelle. Ce qui suit constitue une analogie intéressante.

Relations entre la santé et la maladie

L'hypertension artérielle: un exemple indolore

Nous savons tous que plusieurs années d'hypertension artérielle (*haute pression*) demandent des efforts supplémentaires au cœur — qui doit pomper plus énergiquement à cause de la pression excessive — et aux vaisseaux sanguins, dont elle accélère la dégénérescence et le vieillissement. Elle augmente les risques de maladies cardiaques, d'attaques et d'infarctus. Ses effets dévastateurs ne deviennent souvent perceptibles qu'au moment de l'infarctus ou de l'attaque cardiaque.

Toutefois, avec l'hypertension artérielle, ni le patient ni le médecin n'attendent que la catastrophe se produise pour traiter le problème. Cette anomalie est facilement détectée grâce au *sphygmomanomètre* — le cadran gradué et la poire montés sur un bracelet gonflable que l'on serre autour du bras. L'hypertension constitue un problème asymptomatique ou *indolore* qui est à peu près toujours connu avant que des troubles graves ne se manifestent. Il s'agit d'une anomalie dont le patient peut s'occuper lui-même pour éviter que d'irréversibles changements n'affectent son cœur ou ses vaisseaux sanguins. Le traitement de l'hypertension artérielle est tellement routinier que les médecins considèrent pratiquement la crise cardiaque ou l'infarctus comme résultant d'une négligence du patient!

Tout le monde sait très bien que l'hypertension artérielle est un problème grave même s'il est *indolore*. Chez le patient, une vive résistance se manifeste devant la nécessité de modifier son alimentation, de prendre tous les médicaments nécessaires et de surveiller son niveau d'activité physique pour abaisser sa tension artérielle.

Il s'agit là d'un bon exemple des relations qui existent entre la santé et la maladie. Permettez-nous d'insister encore sur le fait que la santé *n'est pas simplement l'absence de maladie,* de crise cardiaque ou d'infarctus — ni une impression que «tout va pour le mieux». La santé doit être définie en termes de fonctionnement optimal du corps par comparaison avec une norme reconnue. Dans l'exemple précédent, l'hypertension artérielle ne pouvait certainement pas être considérée comme le modèle de fonctionnement optimal du corps.

Gestion et entretien de la santé

L'hygiène buccale constitue un autre bon exemple de gestion de la santé et de traitement de la maladie. Lorsque votre dentiste a traité vos caries dentaires ou vos problèmes de gencives, il vous a très probablement dit de revenir le voir en cas de douleurs. Les bons dentistes s'assurent que leurs patients connaissent bien l'hygiène buccale, le brossage des dents et l'utilisation du fil dentaire. Une bonne hygiène buccale doit être une préoccupation partagée par le dentiste et son patient. Une rage de dents peut alors être considérée comme un défaut de gestion de l'hygiène buccale.

Vous et votre dos

Notre objectif est de faire comprendre que les maux de dos constituent un défaut de gestion de la santé. Ils ne sont pas le commencement d'un problème, ils en sont la conséquence. Ils peuvent se comparer à la «panne d'usure» d'un système mécanique. Ils sont le résultat de la détérioration progressive du bon état du dos pendant une longue période.

Si vous avez déjà souffert de maux de dos et qu'ils ont maintenant disparu, ne vous imaginez surtout pas que votre dos est redevenu en bonne santé et que vous pouvez reprendre toutes vos activités antérieures. Vous devez plutôt garder à l'esprit que votre dos est resté affaibli et fragile après ces douleurs.

Comment débutent les problèmes de dos

À notre troisième question, *Quelle est la cause de votre problème de dos?,* la plupart de nos patients répondent en expliquant ce qu'ils étaient en train de faire lorsque la douleur a débuté:

«Je sortais le bébé de son berceau.»

«Je déchargeais une caisse de bière de ma voiture.»

«Je déblayais la neige à la pelle.»

«J'ai glissé et je suis tombé.»

«Je soulevais quelque chose de très lourd au travail.»

Un nombre surprenant de patients sont incapables de déterminer la cause exacte de leurs douleurs et répondent d'une manière évasive:

«Un matin, je me suis levé et j'ai eu mal. La douleur a augmenté toute la journée. À un moment, je me suis baissé pour renouer le lacet de ma chaussure et je n'ai pas pu me redresser.»

Parfois, les patients attribuent leurs maux de dos à une activité effectuée récemment: «J'ai tondu la pelouse il y a trois jours, et j'ai mal aujourd'hui.» Ils trouvent presque invariablement une cause *extérieure* à leurs douleurs — des problèmes, des risques qu'ils prennent dans leur travail, dans leurs loisirs ou à la maison. Qu'ils associent leurs maux de dos à un événement précis — récent ou non — ou qu'ils ne puissent en identifier les causes exactes, les gens ont tendance à aborder la question de la douleur dans une perspective unidimensionnelle.

Il est toutefois intéressant de constater que la plus grande part des activités auxquelles les patients attribuent leurs douleurs sont des gestes quotidiens — des activités répétées jour après jour, année après année: prendre le bébé, décharger la voiture, tondre la pelouse, déneiger à la pelle. Aucune de ces activités n'est nouvelle ou inhabituelle pour ces patients. Par ailleurs, nous ne recevons que rarement des patients blessés au dos dans un accident de voiture, à cause d'une chute grave ou d'un malencontreux plaquage au football — c'est-à-dire un quelconque accident dépassant les limites physiques du corps.

Toutefois, si la vision que nous avons de nos problèmes de dos est unidimensionnelle, leur solution nous paraît faite de nombreux détails: nous arrêtons de déneiger, de tondre le gazon ou de soulever le bébé. Mais tout cela est-il bien *raisonnable*? Nous croyons — et vous devez maintenant commencer à vous en douter — qu'il faut adopter une perspective plus large, multidimensionnelle, pour considérer les problèmes de dos.

Le facteur de risque

Cela étant dit, nous devons souligner qu'il existe aussi, bien entendu, des risques inhérents à une profession, à une activité ou à un environnement. Ces dernières années, de très nombreuses recherches ont été menées pour les définir. Nous savons aujourd'hui qu'il existe essentiellement six facteurs de risque spécifiques:

1. Le risque pour le dos augmente proportionnellement avec le poids de la charge manipulée.
2. Une tension anormale s'exerce sur le dos lorsqu'un mouvement de pivotement accompagne le soulèvement d'une charge lourde.
3. Les travailleurs soumis à des vibrations — conduite d'un camion, par exemple, ou d'un autre véhicule lourd — paraissent prédisposés à des problèmes de dos.
4. Les travailleurs exerçant une profession qui n'exige que peu de mouvements — la conduite d'une automobile, par exemple, ou un emploi dans un bureau — ont la même prédisposition.
5. Certaines professions demandent d'adopter des postures anormales ou de porter des charges, créant ainsi des mouvements musculaires exagérés.
6. Les situations au cours desquelles une charge peut basculer soudainement en cours d'élévation créent aussi des problèmes — le travail d'ambulancier, par exemple.

L'essentiel des études sur les problèmes de dos a permis de modifier l'un de ces facteurs de risques ou même plusieurs, surtout dans l'environnement professionnel. Nous sommes cependant persuadés qu'il est essentiel de considérer une autre composante du problème: l'individu.

Le programme de renforcement du dos et l'individu

Le programme de renforcement du dos a été conçu pour aider chacun à définir les risques qui dépendent de *lui-même:* les risques qui sont entraînés par la diminution de la force et de la souplesse du dos et qui peuvent exister avant qu'un problème ne se manifeste à la suite d'un trouble mécanique.

Reprenons notre comparaison précédente avec le levier et son axe:

Exigences de la tâche et état du dos (capacités de l'individu)

Dans cette perspective, nous pouvons constater que les problèmes de dos sont le résultat d'une mauvaise association de deux facteurs de risque: les *tâches à effectuer* et les *capacités de*

l'individu. Nous pouvons en déduire que les tâches à hauts risques demandent des travailleurs forts et que, réciproquement, des risques excessifs et une trop grande faiblesse du travailleur font que ce dernier ne peut effectuer même les simples activités de sa vie quotidienne.

Épidémiologie: deux études sur la prévention

L'épidémiologie est l'étude des facteurs qui déterminent la fréquence et la distribution des maladies dans les populations humaines. Il s'agit d'une méthode d'étude extrêmement utile qui fournit souvent des indices sur les principaux moyens de prévention et de traitement d'une maladie.

Par exemple, l'une des études épidémiologiques qui a permis de relier les maladies cardiaques au style de vie sédentaire a été faite sur les chauffeurs d'autobus et les contrôleurs de la Société de transport de la ville de Londres. Dans ce cas, les travailleurs avaient œuvré dans le même milieu pendant plusieurs années. Une chose différenciait cependant ces travailleurs: le chauffeur était assis durant toute la journée (travail sédentaire comportant beaucoup de tensions et de stress) alors que le contrôleur se déplaçait beaucoup — montant et descendant l'escalier des célèbres autobus rouges à deux étages ou restant debout pour encaisser l'argent des passagers.

Ces recherches ont démontré que les maladies du cœur et les crises cardiaques étaient beaucoup plus fréquentes chez les chauffeurs que chez les contrôleurs malgré le fait qu'ils travaillaient dans le même environnement. Cette étude, devenue classique, fut l'une de celles qui ont prouvé que les maladies du cœur et l'inactivité étaient véritablement liées. Ces découvertes ont fini par susciter l'immense vogue actuelle du conditionnement physique.

Une autre preuve de l'utilité de l'épidémiologie est qu'elle a permi d'associer cancer du poumon et usage du tabac. Cette relation était connue depuis longtemps, bien que ses détracteurs — et parmi eux, des médecins — insistassent sur le fait que rien n'avait jamais été prouvé.

Récemment, le cancer du poumon a dépassé le cancer du sein comme principale maladie chez les femmes — un fait attribuable à l'augmentation de l'usage qu'elles font du tabac depuis la Deuxième Guerre mondiale.

Ces deux exemples ne représentent toutefois qu'une infime fraction des innombrables études épidémiologiques effectuées à ce jour.

La réapparition des problèmes de dos

Trois types de réponses prédominent nettement sur toutes celles fournies au quatrième et dernier point de notre questionnaire: *Que faites-vous pour empêcher la récidive de votre problème?*

Le premier type de réponse est: «Je vis avec. Il n'y a rien à faire contre ma douleur.» Ou parfois, sur un ton désenchanté: «Je vais vivre avec jusqu'à ce que je ne puisse plus la supporter et que j'aille assez mal pour me faire opérer.»

Les patients de ce groupe sont résignés à voir leurs douleurs se poursuivre et probablement s'aggraver dans l'avenir, et ils ne pensent pas disposer de moyens d'agir pour régler leur problème. Ils risquent de se sentir rejetés par les médecins qui ne sembleront pas comprendre l'intensité de leur douleur, les médecins sourds ou insensibles à leurs besoins. Nous avons même eu des patients qui nous ont dit que leur médecin ne voyait pas l'utilité d'une intervention chirurgicale «parce qu'il ne croit pas que je souffre suffisamment».

Le second type de réponse dépend du comportement. Les patients de ce groupe modifient leur attitude pour éviter le moindre risque qui, dans leur travail ou leur environnement, pourrait provoquer ou aggraver leurs maux de dos. Ils évitent de faire du sport, des travaux domestiques ainsi que toute autre activité qui ne concerne pas leur profession. Ils vont même parfois jusqu'à changer d'emploi. Nous pouvons constater ici que le patient perd la maîtrise de sa vie et, ce qui est encore plus grave, il voit diminuer la *qualité* de cette vie.

Le dernier type de réponse est une attitude que nous pourrions qualifier d'«active dans un genre passif». Ce troisième groupe englobe les patients qui prennent des médicaments pour diminuer leurs douleurs ou qui vont se faire traiter lorsque ces dernières empirent. Pour pouvoir vivre normalement, ils suivent souvent un programme de conditionnement physique ou reçoivent les soins d'un physiothérapeute ou d'un chiropraticien.

Ces patients ont en commun la certitude que leur dos est faible, mais ils *manquent* de connaissances sur ce qu'ils pourraient faire pour s'occuper de leur problème. Ils n'ont pas la moindre idée des méthodes qu'ils pourraient employer pour déterminer l'importance de leur déficience ou de leur dysfonctionnement. Ces patients vivent dans la douleur, leur vie est centrée sur la douleur et leur comportement est dicté par la douleur. La douleur est devenue leur «maîtresse» et elle décrète ce qu'ils peuvent ou ne peuvent pas faire.

Le programme de renforcement du dos pourra les aider à changer tout cela. Et ce sont *eux-mêmes* qui seront les principaux acteurs de ce changement.

Solution du jeu de la page n• 161.

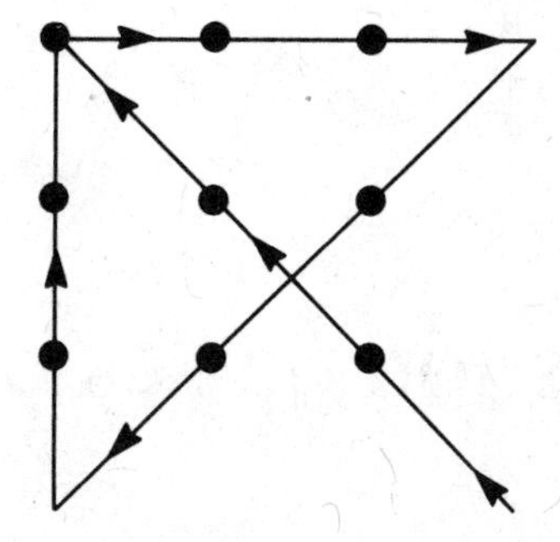

CHAPITRE IX

La gestion de ses déficiences

Ce n'était pas un homme ordinaire. Ce jeune et bel athlète venait tout juste de boucler un périple de 40 000 km autour du monde — bravant la chaleur du désert Great Victoria en Australie, aveuglé par les tempêtes de poussière en Chine, épuisé par l'ascension des Alpes et lassé par les 7 800 km de l'interminable route Transcanadienne.

Douze ans plus tôt, sur une route de montagne battue par la pluie et le vent, le camion dans lequel voyageait un adolescent de quinze ans avait dérapé sur la chaussée glissante et s'était retourné; ce terrible accident avait laissé l'adolescent paralysé de la taille jusqu'aux pieds.

Le jeune homme s'appelait Rick Hansen et son périple autour du monde fut baptisé le Marathon de l'espoir. En 1986 et 1987, il a parcouru ces 40 000 km en fauteuil roulant. Son objectif était double: d'abord, il voulait prouver au monde entier que les handicapés pouvaient réaliser l'«impossible», ensuite, il amassait des fonds pour la recherche sur les traumatismes de la moelle épinière.

«Ce qui compte, disait-il, ce ne sont pas les incapacités dont vous souffrez, mais les capacités dont vous disposez.» Rick Hansen, paraplégique, s'est comporté comme s'il n'avait pas la moindre déficience. Son attitude vaut à elle seule toutes les explications.

Vivre avec ses déficiences

Rick Hansen, comme tous les accidentés qui conservent des séquelles irréversibles, est passé par diverses phases avant de s'accommoder de son handicap.

Dans une situation semblable, les gens réagissent d'abord par la *dénégation*: «Je *ne peux pas* être dans cet état. Je suis sûr que je vais guérir.»

Puis par la *rationalisation*: «Ça aurait pu être pire. Au moins, je suis toujours *vivant*.»

Puis par l'*angoisse*: «Je suis perdu. Qu'est-ce que je vais bien pouvoir faire? Je ne serai plus jamais le même.»

Et enfin, par la *détermination*: la quête de l'espoir — un traitement, un miracle. Attente dans d'innombrables cliniques, consultation de tous les spécialistes, analyses à répétition, espoirs qui à peine formulés sont déjà déçus. Recherche d'un diagnostic moins irrémédiable, d'un pronostic plus favorable, d'un espoir de *guérison*.

Comme rien de tout cela ne vient, le désespoir finit par s'installer comme un immense chagrin. Le changement de vie, les projets bouleversés et la perte de l'autonomie conduisent à une diminution de l'amour-propre — au sentiment de ne plus rien valoir.

La réaction instinctive «se battre ou fuir» fait alors surface. Le désir de fuir — d'abandonner — pave la voie au retranchement de la vie en société, alors que se battre signifie retrouver la maîtrise de sa vie.

Commencer la lutte

Pour être couronnée de succès, la décision de rester maître de son avenir passe par plusieurs étapes:

1. Élaborer un plan. Cette démarche donne le sentiment de diriger sa vie et d'avoir, au bout du chemin, un *but*.
2. S'assurer que ce plan est réalisable. Il faut toujours se rappeler *d'accepter ce que l'on ne peut pas changer et de modifier ce qu'il*

est possible de changer. C'est alors que l'acceptation de ce qui est réalisable remplace la quête insensée d'une guérison improbable.
3. Faire de l'*espoir* son mot d'ordre — mais fondé sur des objectifs réalisables.
4. Rechercher et accepter le soutien — de sa famille, de ses amis, de la médecine, de la communauté.

En retrouvant son estime de soi et en commençant à accepter l'interdépendance — en s'appuyant davantage sur la famille, les amis et les autres —, on s'engage sur la route d'une nouvelle indépendance. C'est alors qu'il faut rechercher les compliments plutôt que la pitié. C'est alors qu'il faut essayer de vous comporter comme Rick Hansen, comme si votre corps était *totalement fonctionnel.*

Lorsque les maux de dos handicapent les patients

L'existence de l'homme peut se définir par ses deux activités principales: *penser* et *agir*. Exception faite de l'intellect, notre corps est organisé en fonction du mouvement: pour travailler, pour allaiter, pour manger, pour jouer — bref, pour *fonctionner*.

Il n'est donc pas surprenant que les anomalies les plus courantes et les plus perturbatrices soient celles qui se manifestent par les douleurs en général et les douleurs vertébrales en particulier. Malgré les méthodes scientifiques d'investigation et les thérapeutiques de pointe, les solutions aux problèmes de dos restent encore à découvrir.

Chaque être humain possède un désir d'immortalité qui se manifeste surtout dans ses périodes de grande vulnérabilité: maladie, vieillesse ou deuil. La maladie est en outre responsable d'un sentiment d'insécurité.

Nous guérissons de la plupart des maladies, bien que certaines laissent des séquelles qui finissent habituellement par être acceptées. La situation est toutefois beaucoup plus délicate lorsque nous nous sentons malades sans qu'aucune cause ne puisse être découverte ni aucun diagnostic posé: il n'existe donc pas de traitement spécifique ni de pronostic sur l'évolution du mal — c'est l'incertitude totale pour l'avenir.

L'*incertitude* est en elle-même un état débilitant et elle constitue la pierre angulaire du processus de déficience.

Rick Hansen et ses semblables, qui se sont accommodés avec succès d'une maladie chronique, ont finalement été libérés le jour où ils ont accepté la réalité — aussi pénible soit-elle — et qu'ils ont réagi positivement devant le défi qu'elle constituait.

Docteur! Docteur! Arrangez-moi le dos!

Les perceptions des patients et celles de leurs médecins sont basées sur une vision mécaniste du monde et sur l'espoir d'un «traitement miracle». De nos jours, ce genre d'attente s'avère parfois réaliste. Les gestes entrepris reposent sur la conviction que les maux de dos proviennent d'un état pathologique du corps:

Cause	→	Effet
(blessure, problème structurel)		(maux de dos)

Comme nous l'avons vu, cette méthode scientifique de traitement de la maladie s'est révélée efficace pendant des années parce que, souvent, *elle agissait*. Toutefois, pour la grande majorité des patients souffrant de maux de dos, elle n'agit pas. Pour eux, le traitement est palliatif et passif: repos, chaleur et médicaments contre la douleur (analgésiques). Et cela fonctionne! Les maux de dos disparaissent. Des études ont prouvé que:

45 % des maux de dos disparaissaient en une semaine.
80 % des maux de dos disparaissaient en quatre semaines.
90 % des maux de dos disparaissaient en huit semaines.

L'évolution normale des maux de dos passe par la disparition des symptômes dans les deux premiers mois, quel que soit le traitement appliqué! Toutefois, les maux de dos ont une fâcheuse tendance à *récidiver*. Après avoir subi une blessure, le dos pose continuellement des problèmes — chaque nouvelle rechute étant plus grave que la précédente.

ÉVOLUTION DES MAUX DE DOS

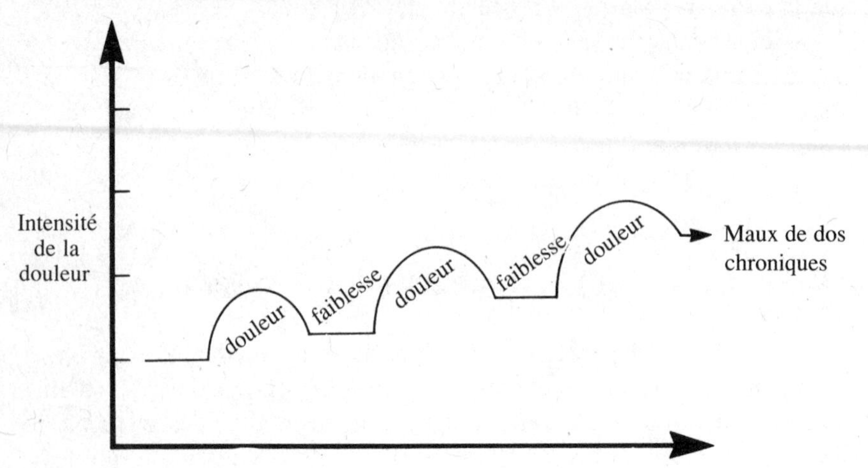

Au début, la formule habituelle:
blessure + repos (passivité) = succès (soulagement de la douleur) renforce la conviction du patient selon laquelle cette blessure provoque un défaut mécanique du corps réparé par le repos. Cette vision des choses provient de la croyance en un «traitement miracle». Cette croyance peut persister longtemps chez de nombreux patients, surtout lorsque les moyens conventionnels ne permettent plus de calmer leurs douleurs.

Le *processus de déficience* commence à s'installer dès que la douleur devient chronique (sans qu'elle puisse être attribuée à un défaut curable) et qu'elle ne répond pas aux traitements palliatifs habituels. Là encore, la vision mécaniste si efficace auparavant permet de garder espoir en la découverte d'un meilleur test, d'un meilleur spécialiste, d'un meilleur médicament ou d'un meilleur traitement. Cette façon de voir les choses se traduit souvent par une quête faite d'attentes irréalistes et d'espoirs déçus. Il est alors facile de comprendre comment les problèmes physiques sont rapidement masqués par les réactions émotionnelles — incertitude, colère et désespoir — des patients.

Les réactions face aux déficiences du dos

Les mots que nous utilisons pour décrire les nombreuses déficiences chroniques du dos contiennent tous une notion d'«incompatibilité».

Nous parlons d'une déficience incompatible — une déficience *trop importante* par rapport aux anomalies habituelles du corps.

Nous parlons d'utilisation incompatible de médicaments — pour la quantité, le mélange et le dosage. Les tentatives pour réduire les doses de médicaments peuvent provoquer la colère du patient et la culpabilité du médecin: «Ce sont mes douleurs. Vous ne me croyez pas lorsque je vous dis que c'est affreux. Aidez-moi à les calmer.»

Nous décrivons des symptômes incompatibles, qui sont souvent très difficiles à mesurer (sans autre découverte clinique): maux de tête, fatigue, insomnies et douleurs de la nuque entre autres.

Les émotions incompatibles composent tout un éventail: dépression ou découragement, principalement causés par l'incapacité de découvrir ce qui ne va pas et donc d'y remédier; colère du médecin traitant que le patient met souvent au défi d'établir un diagnostic et de soulager ses douleurs; colère des supérieurs hiérarchiques ou des collègues du patient qui risquent d'être considérés comme responsables du problème, mais qui ne croient pas à sa gravité; colère des assureurs, qui doutent de la légitimité des prestations dues ou en retardent indéfiniment le versement; passivité du patient — qui fait tout son possible pour se reposer et éviter d'autres blessures, et ressent du désespoir devant la perte de maîtrise de sa vie.

Et enfin, nous parlons de comportement incompatible, créé et soutenu par des modifications significatives du mode de vie du patient (souffrir d'une invalidité, prendre des médicaments, ne sortir que pour subir des traitements et renouveler des prescriptions).

Les réactions du patient qui souffre ne se font pas en vase clos: elles s'insèrent dans le contexte plus large du milieu de travail, du milieu familial ou de la communauté. Ainsi, les réactions de l'entourage *devant* l'individu déficient comptent autant que *sa propre* réaction subjective face au développement de sa déficience.

Le conjoint, la famille ou les amis réagissent d'abord à la déficience en manifestant intérêt, sympathie, soutien et aide. Comme les mois passent sans que rien ne change, que les travaux domestiques s'accumulent, que les factures s'empilent, que les besoins indispensables ne sont plus satisfaits et que l'avenir devient incertain, l'intérêt du début se transforme d'abord en neutralité, puis en indifférence — quand ce n'est pas en hostilité ou en rejet. Les parents et les amis sont d'abord prévenants — ils pallient les déficiences — mais l'incertitude peut modifier leur attitude.

En tant que médecins, notre principal objectif est d'être au service des patients, de soigner les malades et de soulager ceux qui souffrent. Jamais aucun compliment n'est plus doux à nos oreilles que: «Merci, docteur, je me sens tellement mieux maintenant!» Il est triste de constater que les maux de dos chroniques entraînent rarement ce genre de réaction gratifiante — et cela est aussi frustrant pour le patient que pour son médecin.

Le coût des déficiences du dos

L'importance de la relation entre le patient et le médecin vient tout de suite après celle qui existe entre le patient et la compagnie d'assurances chargée de pallier ses pertes de revenu. Le médecin est une source d'aide et de traitement, l'assureur, une source de sécurité financière.

Le paiement des indemnités de maladie est d'abord automatique, mais après quelques mois les compagnies d'assurances commencent à reconsidérer les cas d'incapacité au travail, et les employeurs examinent attentivement les réclamations qui leur coûtent maintenant très cher. Ce processus ne fait qu'ajouter à la détresse émotionnelle du patient qui éprouve de l'*angoisse,* car le réexamen des dossiers lui apparaît comme du scepticisme face à la gravité de sa maladie. Il peut aussi ressentir une *peur* parce que la catastrophe financière apparaît soudain imminente. Lorsque l'avis d'une tierce partie est demandé, cette démarche est perçue comme une menace. Pour des raisons de probité, de justification ou de sécurité financière, les efforts du patient ne sont pas toujours orientés vers son rétablissement, mais souvent vers la pénible tâche de prouver que sa déficience est bien réelle.

La combinaison de colère, de peur et de frustration qui en découle amène souvent le patient dans le bureau d'un avocat. Parvenu à ce stade, la déficience est solidement enracinée. De nouvelles analyses sont faites, de nouveaux tests sont effectués et de nouveaux avis sont demandés, des avis qui *ne servent ni* à élucider le problème, *ni à* le guérir, *ni à* remédier au dysfonctionnement ou à atténuer la déficience, mais bien à *prouver* l'importance de l'affection et de l'incapacité physique qui en résulte.

De nombreuses études ont prouvé que les chances qu'a un patient de retrouver rapidement une vie active et productive dépendent directement de la durée de sa période de découragement face à sa déficience. Lorsque les comportements de soumission face à la maladie et à l'invalidité sont solidement enracinés, ils sont extrêmement difficiles à déloger. Les douleurs chroniques constituent plus qu'une perception des sens, elles représentent une désorganisation complète du comportement de l'individu et de son style de vie.

Pourquoi une déficience?

Dans le chapitre II, nous avons expliqué ce qui se passait chez un individu dont les comportements sont dictés par la douleur. Les réactions de ces gens sont essentiellement de trois types:

1. Certains acceptent la douleur et l'intègrent à leur vie.
2. D'autres réagissent d'une tout autre manière et sont déterminés à «se reposer» jusqu'à ce que leur corps guérisse complètement.
3. D'autres encore commencent un long périple à la recherche du médecin qui pourra diagnostiquer leur maladie, soulager leurs douleurs et les traiter.

Le processus de déficience est un comportement qui dépend moins de la *maladie* elle-même que de la *réaction* du patient face à cette maladie. L'acceptation de la déficience constitue un grand défi qui n'a rien à voir avec le rétablissement qui suit une fracture de la jambe ou une opération de l'appendicite. Les chapitres suivants vous entretiendront d'une approche visant à faire accepter la déficience.

La recette du succès

Après avoir traité des circonstances qui provoquent l'installation du processus de déficience, nous allons maintenant vous suggérer une manière de le *gérer*: la recette du succès. En guise d'introduction, le diagramme suivant vous permettra de bien comprendre quels sont les facteurs en présence.

FIG. 9.2 LE PROCESSUS D'INSTALLATION DE LA DÉFICIENCE

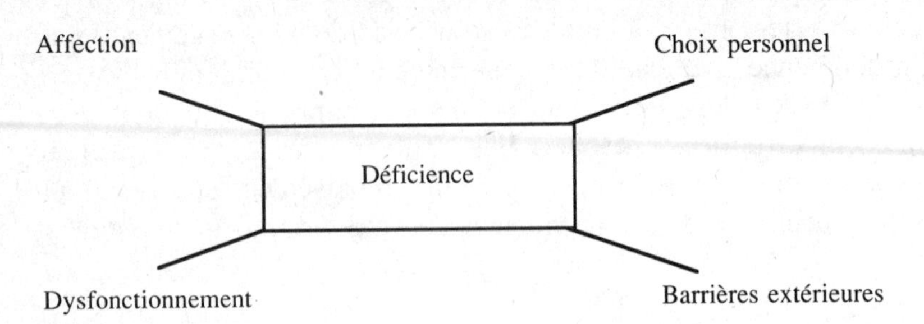

Les facteurs en présence

Comme l'illustre clairement ce diagramme, la déficience est le résultat de l'interaction complexe de quatre facteurs: l'affection, le dysfonctionnement, le choix personnel et les barrières extérieures.

L'affection

Une affection est un processus morbide organique qui signale que quelque chose ne va pas dans le corps, lorsque certaines modifications néfastes (comme une fracture ou une tumeur, par exemple) se sont produites. L'affection est caractérisée par des symptômes particuliers et elle peut être confirmée par des tests spécifiques et reproductibles effectués par différents praticiens et conduisant à un diagnostic précis. À chaque diagnostic correspondent des traitements particuliers et un pronostic, c'est-à-dire un jugement sur l'évolution probable de l'affection. L'affection peut ou non entraîner un *dysfonctionnement.*

Le dysfonctionnement

Un dysfonctionnement est un trouble qui modifie la capacité normale d'un organe spécifique, d'une articulation ou d'un groupe d'articulations — comme la colonne lombaire — qui ne se comportent plus comme ils le devraient.

Pour la colonne lombaire, le dysfonctionnement peut se présenter comme une perte de l'amplitude des mouvements, une diminution de la force musculaire, une perte de l'*équilibre musculaire,* une raideur ou une instabilité des articulations vertébrales.

Il faut toutefois se rappeler que, tout comme une affection n'entraîne pas obligatoirement un dysfonctionnement, un dysfonctionnement n'est pas obligatoirement la conséquence d'une affection. Prenons l'exemple du patient qui présente un rétrécissement des vaisseaux sanguins du cœur sans en présenter les symptômes ni en ressentir les douleurs. Cette victime en puissance de la crise cardiaque contraste avec l'individu en mauvaise condition physique qui court deux kilomètres pour la première fois depuis des années et qui ressent un serrement dans la poitrine accompagné d'essoufflement — mais ne souffre pas de maladie. Nous pouvons avancer que seules un très petit nombre de douleurs lombaires sont reliées à une affection facilement identifiable. Elles ne font qu'indiquer un dysfonctionnement. La plupart des gens pensent que leur problème est lié à une maladie, alors qu'en fait, il ne s'agit que d'un dysfonctionnement.

La *déficience* est la somme des attitudes, des convictions et des comportements de celui qui présente un dysfonctionnement — pouvant ou non être la conséquence d'une affection. La manière de percevoir cette déficience peut être *appropriée* à l'état physique (mise au repos après une fracture de la jambe) ou *incompatible* (mise au repos à cause d'un doigt raide qui a besoin d'être remué). Ce qui n'empêche pas de considérer notre troisième facteur: le choix du patient.

Le choix du patient

Lorsque le patient décrète: «Mon mal de dos m'*empêche* de faire telle activité», il affirme son aversion pour cette activité parce que sa douleur est trop intense, parce qu'il en redoute les conséquences, parce qu'il a peur de comprendre ce que signifie cette douleur ou pour toute autre raison. Son choix personnel peut dépendre de plusieurs facteurs:

Son système de valeurs. Le patient qui croit que sa douleur est *dangereuse* parce qu'une activité présente un danger évitera de pratiquer cette activité. Celui qui croit plutôt que cette activité sera *douloureuse* mais *indispensable* à l'amélioration de la situation décidera de la pratiquer quand même malgré les malaises qui en résulteront.

Les conséquences du choix. Si le patient trouve plus intéressant de demeurer malade et déficient que d'aller mieux, dans le cas, par exemple, où il reçoit une forte indemnité après une blessure ou un accident, le choix de rester déficient peut l'emporter.

Son désir de changer de style de vie ou de comportement pour atténuer ce qu'il a perdu et améliorer sa situation. Un patient peut souffrir d'une affection assez grave du dos et atténuer la déficience qui en résulte en améliorant le fonctionnement, la souplesse et la force de ses muscles. Il est parfois nécessaire de connaître de graves inconvénients pour que la situation puisse s'améliorer. Le choix personnel est certainement le facteur critique du processus de déficience, bien qu'il en constitue le paramètre le plus souvent négligé.

Barrières extérieures

La déficience peut parfois être subie par un patient — par ailleurs enthousiaste — à cause des barrières extérieures dressées par l'environnement. Un patient confiné au fauteuil roulant, par exemple, peut avoir la capacité et le désir d'effectuer certaines tâches, mais être dans l'impossibilité d'atteindre les lieux où s'effectuent ces tâches à cause de l'absence de rampes d'accès. Ce sont parfois les *autres* qui influencent le processus de déficience, bien qu'ils soient animés des meilleures intentions du monde.

Perspective de la déficience

Notre diagramme sur la déficience est extrêmement important parce qu'il nous permet de considérer chaque situation dans la même perspective et parce qu'il nous facilite la tâche de démontrer au patient qu'il est véritablement un élément de la solution. Chaque choix personnel et chaque tentative pour surmonter la perte d'autonomie est une partie importante de la *gestion* du processus de déficience.

Pour conclure ce chapitre, nous offrons au patient et au praticien un plan de gestion des déficiences du dos.

Plan de gestion des déficiences du dos en sept points

Affirmation — Bien se faire comprendre par le patient

L'*affirmation* est la définition claire de la présence ou de l'absence d'une affection organique. Si rien n'est mis en évidence, le patient doit être aidé dans son désir de comprendre la cause de son problème. Une radiographie ne montrant pas de lésions osseuses constitue, par exemple, un excellent moyen de le rassurer et d'attirer son attention sur un autre élément vital du dos — les muscles.

Que la déficience du dos soit ou non la conséquence d'une maladie, le point *crucial* consiste, pour le praticien, à être parfaitement compris de son patient. La désinformation ou la mauvaise communication peuvent entraîner une anxiété extrême ou un comportement incompatible du patient, qui prend alors les *attitudes de la déficience.*

Explication — Que signifie la douleur?

Comme nous l'avons vu, le patient doit pouvoir comprendre la différence qui existe entre la douleur *organique* et la douleur *psychique.*

La *douleur organique* signifie que quelque chose ne va pas dans le corps. Après une blessure grave, comme une fracture, la douleur remplit une *fonction utilitaire* en nous faisant comprendre que l'activité ou le mouvement nous sont néfastes et retardent notre guérison. La douleur aiguë est *nuisible* et oblige à certains comportements — repos, pose d'attelles ou de plâtre pour une fracture — favorisant la guérison.

La *douleur psychique* — inquiétude, tristesse, contrainte — est aussi le signe que quelque chose ne va pas, mais elle entraîne des comportements différents. Dans le cas de la douleur psychique, l'activité et les exercices physiques sont *habituellement* indiqués. La douleur psychique fait souvent partie du *principe progressif de surcharge* nécessaire à l'amélioration de la condition physique. La douleur psychique de la spondylarthrite ankylosante ou de la discarthrose, par exemple, constitue une partie du sacrifice à la douleur psychique nécessaire à la vie; elle ne crée toutefois pas de douleur organique chez le patient.

Le patient a besoin d'explications quant à la nature de sa douleur et aux comportements à adopter. De très nombreux patients souffrant de problèmes de dos ne ressentent jamais de douleurs significatives mais, incapables de faire la différence entre *douleur physique* et *douleur psychique*, ils craignent d'effectuer le *moindre geste* qui risquerait de les faire souffrir.

Définition — Fonctionnement et dysfonctionnement

Comprendre les définitions du fonctionnement normal et du dysfonctionnement et dresser un plan de traitement cohérent basé sur la restauration de l'équilibre musculaire et de la liberté de mouvement des articulations.

Transformation — Modifier la préoccupation

Accepter les changements qui affectent les os comme une réalité incontournable. Modifier ensuite les dysfonctionnements musculaires et articulaires. Ces deux étapes clés font passer la préoccupation du patient de la douleur (physique et psychique) à une remise en mouvement du corps, à la pratique d'une activité ou à l'adoption d'un comportement positif:

- Canaliser l'énergie émotionnelle vers des buts positifs et sains.
- Dissocier activité physique et douleur.
- Transformer une attitude passive en maîtrise de soi.
- Éliminer autant que possible les médicaments: ils peuvent agir sur l'humeur et les sentiments; ils ne sont pas une solution au problème et ne contribuent habituellement qu'à attiser le sentiment de déficience.

Dévouement — Retrouver la maîtrise de soi

«Est-ce que je souhaite vraiment reprendre le contrôle de ma vie et me sentir le mieux possible?» La chose est parfois douloureuse physiquement, mais le médecin doit pouvoir interpréter la différence entre douleur physique et douleur psychique. Si vous savez qu'on vous surveille pour vous éviter les blessures physiques, cette étape deviendra une question de *choix personnel.*

Évaluation, surveillance et direction — La relation à établir entre le patient et le praticien.

La relation qui doit se créer entre le patient et le praticien peut alors devenir une relation de gestion plutôt qu'une relation de traitement; un soutien vous encourageant à adopter de meilleures attitudes; une source de bons conseils vous orientant vers les meilleurs programmes de conditionnement physique pour compléter la guérison naturelle. Le médecin reste, bien entendu, celui qui vous aidera à vous relever si un jour vous vous «écroulez» de nouveau — c'est-à-dire si votre problème de dos récidive.

Prévention et entretien — Gestion du processus de déficience

La douleur peut avoir disparu, mais vous avez pris une résolution: faire en sorte de vous sentir le mieux possible et de le demeurer, suivre un programme de conditionnement physique et gérer le processus de déficience de votre corps. Cela nous conduit à la seconde «loi Imrie»: *Lorsque la douleur s'atténue, il est temps de commencer à gérer son problème.*

CINQUIÈME PARTIE

TOUT SUR LE PROGRAMME DE RENFORCEMENT DU DOS

CHAPITRE X

Des histoires de cas

Rappel de la notation des tests du programme	
Excellent	1
Bon	2
Moyen	3
Faible	4

A. La principale cause des maux de dos

HISTOIRE DE CAS N° 1: SIMPLE MAL DE DOS
PRÉNOM: David
ÂGE: 35 ans
L'un de nos patients, David, est âgé de trente-cinq ans et il est ouvrier. Il a souffert de plusieurs crises de maux de dos au cours des dernières années. Lors de sa première consultation, il ne souffrait pas car sa dernière crise remontait à plusieurs mois. Au moment où nous l'avons rencontré, David se préoccupait beaucoup de ses ca-

pacités et il était très désireux de passer les tests du programme de renforcement du dos.

David est un homme grand et bien musclé qui a fait beaucoup de sport par le passé, mais il a maintenant réduit ses activités sportives. Il était à peu près certain de réussir très facilement nos tests. Voici les notes qu'il a obtenues:

1. Test de redressement-assis	4	(souplesse du dos)
2. Test d'élévation des jambes	1	(force de l'abdomen)
3. Test du psoas (G : 3 + D : 1 = 4 ÷ 2)	2	(souplesse des psoas)
4. Test d'élévation latérale du tronc (G : 3 + D : 1 = 4 ÷ 2)	2	(souplesse et force des obliques)
Total:	**9**	(note *moyenne*)

Il a obtenu la note de *4* aux tests d'extension et de flexion, signe d'une perte importante de l'amplitude des mouvements.

Ces résultats ont étonné David qui s'est mis à réfléchir à son passé. La première crise très douloureuse qui l'avait laissé en mauvais état concernait son côté *gauche,* où les muscles psoas et obliques étaient nettement plus faibles que ceux du côté droit. Sa seconde crise avait affecté son côté *droit*: comment était-ce possible? Nous lui avons expliqué que les muscles de son côté droit avaient dû travailler beaucoup plus fort pour essayer de compenser la faiblesse de ceux du côté gauche. David avait reçu quelques traitements de chiropractie qui l'avaient soulagé de ses douleurs, mais ses muscles déséquilibrés avaient laissé s'installer des tensions mécaniques dans la région lombaire, tensions que les manipulations vertébrales avaient momentanément fait disparaître. Un malaise était vite réapparu et avait nécessité d'autres manipulations vertébrales.

Le programme de renforcement du dos

Nous avons déjà précisé que David possédait une importante masse musculaire qui manquait de souplesse. Nous lui avons expliqué comment le travail et l'exercice raccourcissaient les muscles —

produisant ce que nous appelons des «muscles d'haltérophile» —, qui s'affaiblissent. David fut très surpris. Il connaissait tout à propos des exercices de musculation, mais il considérait les étirements comme des «exercices de femmelettes».

Nous lui avons ensuite expliqué qu'il devait suivre le programme de renforcement (voir chapitre VII) en insistant sur les exercices susceptibles d'améliorer ses faiblesses.

Zone de faiblesse	*Exercice*
1. Souplesse du dos	«Dos de chat»
2. Force de l'abdomen	Déroulement du tronc
3. Souplesse du psoas	Étirement du psoas (gauche)
4. Souplesse et force des obliques	Étirement du psoas (gauche) Élévation latérale des jambes

David était d'accord pour effectuer une série d'exercices cinq minutes par jour. Après une semaine, nous lui avons fait subir de nouveaux tests. Voici quels étaient ses résultats:

1. Test de redressement-assis	3
2. Test d'élévation des jambes	1
3. Test du psoas	1
4. Test d'élévation latérale des jambes	1
Total:	**6**

Cette fois-ci, David a obtenu la note de *2* aux tests d'extension et la note de *3* à ceux de flexion — il s'est rapproché de ses orteils comme cela ne lui était pas arrivé depuis des années!

David a non seulement constaté une amélioration au niveau de son dos, mais il *s'est senti* différemment. Il affirme que maintenant, il est moins fatigué à la fin de sa journée de travail et qu'il dispose de plus d'énergie pour ses activités personnelles. Il est vraiment étonné de la facilité avec laquelle il a pu effectuer de tels progrès en un laps de temps aussi court.

B. Les affections de la colonne lombaire et le programme de renforcement du dos

HISTOIRE DE CAS N° 2: HERNIE DISCALE
PRÉNOM: Francis
ÂGE: 53 ans

Francis, notre patient, se décrivait lui-même comme un homme transformé. Avant sa blessure, il avait toujours été actif — un infatigable travailleur. Il avait été livreur de gros appareils électroménagers et transportait facilement une machine à laver depuis son camion jusque dans le sous-sol d'une maison. Toujours de bonne humeur, rien ne semblait vraiment le tracasser. Quand il est venu nous consulter, il souffrait constamment et ne supportait pas la plus petite charge sur les épaules, que ce soit à son travail ou à la maison. Il avait dû changer d'emploi à cause de ses problèmes de dos, et son nouveau travail de surveillance le faisait marcher un peu — ce qui était une bonne chose dans son cas.

À cinquante-trois ans, Francis disait souvent qu'il avait l'impression d'en avoir quatre-vingt-dix. À l'époque de notre rendez-vous, il avait cessé de travailler pendant deux mois à cause de douleurs chroniques au dos et à la jambe, et, même s'il disait que son dos allait un peu mieux, il avait toujours besoin de s'asseoir pour mettre son caleçon et son pantalon. Son épouse lui enfilait ses chaussettes et ses chaussures, car il n'arrivait pas à se pencher pour le faire lui-même.

Sept ans plus tôt, Francis s'était blessé au dos en faisant une mauvaise chute. Bien qu'il ait eu très mal au moment de l'accident, il pouvait néanmoins se déplacer presque normalement. Le lendemain, il éprouva cependant de grandes difficultés à remuer. Il ressentait des douleurs et de la raideur dans le dos et la jambe.

Au début, on lui dit qu'il souffrait d'une «entorse lombaire». Il prit des calmants et on lui conseilla de s'allonger à plat jusqu'à ce que la douleur diminue. Devant l'absence d'amélioration, Francis pensa à la physiothérapie, mais il découvrit qu'elle aggravait sa douleur au point de l'obliger à rester allongé. Totalement incapable de bouger sans souffrir, Francis était devenu très dépendant de son épouse pour toutes ses activités — elle l'aidait même dans la salle de bains.

Après plusieurs semaines de désespoir, drogué par les médicaments, épuisé par la physiothérapie, contraint de se reposer constamment, on l'envoya consulter un spécialiste en neuro-orthopédie. Mais ce chirurgien ne traitait que les cas «urgents» — ce qui signifiait six semaines d'attente avant d'être reçu en consultation. Ce retard indisposa Francis, car son problème lui paraissait être une urgence; d'ailleurs sa démarche traînante montrait bien qu'il souffrait énormément.

Les six semaines d'attente lui parurent six années. Lorsqu'il finit par rencontrer le chirurgien, tout indiquait qu'il souffrait d'une hernie discale et qu'il n'y avait pas de temps à perdre. L'examen au scanner et une myélographie furent concluants: il y avait bien une hernie discale entre la cinquième vertèbre lombaire (L5) et la première vertèbre sacrée (S1). Le disque intervertébral comprimait le nerf de sa jambe gauche, ce qui rendait son pied insensible, provoquait une sciatique et affaiblissait sa cheville.

Francis fut sidéré d'apprendre que sa hernie discale devait d'abord être traitée d'une manière conventionnelle: chaleur, repos et calmants. Il endura six nouvelles semaines de repos complet au lit, mais son problème ne fit que s'aggraver. L'intervention chirurgicale lui apparut alors comme la seule solution. Enfin, son problème allait être résolu!

Pendant les deux premières années qui suivirent l'intervention, Francis n'eut pas de nouvelles douleurs au dos ni de problèmes avec sa jambe. Il eut ensuite deux nouvelles crises, très douloureuses, qui l'empêchèrent de se pencher vers l'avant ou de s'asseoir confortablement. La douleur était toutefois moins violente qu'auparavant et elle ne descendait pas le long de ses jambes.

L'année suivante, le problème se reproduisit et Francis dut cesser de travailler pendant trois ou quatre semaines. Les crises douloureuses devenaient plus fréquentes et la douleur touchait à nouveau sa jambe. Francis ne retourna à son travail que pendant quelque temps, avant d'être de nouveau cloué au lit par la douleur.

Lorsqu'il est venu nous voir, il avait constamment mal dans la jambe jusqu'à ce qu'il s'assoie. Allongé, certaines positions lui étaient confortables, alors que d'autres le faisaient terriblement souffrir. Depuis peu, sa jambe était devenue très engourdie. Francis ne pouvait pas conduire sa voiture lorsqu'il avait mal. Il décrivait comment il était obligé de soulever sa jambe avec ses mains pour pouvoir poser le pied sur la pédale de frein.

Francis prenait des analgésiques qui soulageaient un peu ses douleurs, mais qui provoquaient des effets secondaires comme la constipation. Il était persuadé d'avoir vraiment «tout essayé» pour enrayer sa douleur, mais sans résultat. La chirurgie l'ayant déjà aidé une fois, il était convaincu qu'elle pourrait l'aider de nouveau, mais un récent examen au scanner ne montrait rien qui aurait nécessité le recours à la chirurgie. Francis en fut abasourdi. Ses espoirs s'étaient envolés. Pas de traitement. Désormais il était condamné à vivre avec ses douleurs.

Un de ses amis lui avait alors conseillé de venir nous consulter. Le programme de renforcement du dos pouvait-il l'aider?

Résultats des tests et programme de renforcement

En lui faisant passer les tests, nous avons retrouvé le tableau classique du patient souffrant de maux de dos chroniques et ayant subi une intervention chirurgicale.

Il a obtenu la note de *4* au test de redressement-assis. Ce résultat indique un manque total de souplesse du dos attribuable à l'âge et à l'intervention chirurgicale.

Le test d'élévation des jambes étonnait avec sa note de *2* et indiquait un assez bon tonus des abdominaux.

Le test du psoas montrait une note de *4* à droite et de *3* à gauche. Le test d'élévation latérale des jambes: *4* à gauche et *3* à droite. Ces notes s'expliquaient très bien dans le cas de Francis. Il avait souffert beaucoup plus de la jambe gauche et, même s'il avait mal aux deux jambes lors du test, il remarquait une nette différence entre elles.

Sa note finale était de *13*.

La chirurgie ne pouvait plus aider Francis, mais la présence d'un dysfonctionnement l'avait préparé à suivre un programme d'exercices et il avait de bonnes chances d'améliorer son état.

Nous avons commencé à lui faire effectuer les exercices du programme de renforcement du dos, en insistant sur la souplesse: le «dos de chat», l'étirement du psoas et l'élévation latérale des jambes pour commencer, puis, après avoir augmenté progressivement le nombre des répétitions, il passa au déroulement et à la flexion du tronc ainsi qu'à l'élévation latérale des jambes.

Quelques mois plus tard, la note finale de Francis s'améliora à *7*. Avec des efforts constants, il sera capable de l'améliorer encore. Mais le plus important est qu'il a enfin le sentiment de maîtriser son destin. Le fonctionnement de son dos s'est amélioré. Il *se sent* beaucoup mieux.

HISTOIRE DE CAS N° 3: SPONDYLARTHRITE ANKYLOSANTE

PRÉNOM: Robert
ÂGE: 23 ans

Robert, vingt-trois ans, en pleine force de l'âge, aurait dû être vigoureux, heureux et aventureux. Malheureusement, en s'asseyant dans notre salle de consultation, il était abattu, pâle, fatigué, déprimé et confus. Son histoire était assez caractéristique.

Quatre ans auparavant, son problème avait commencé par une raideur de la colonne lombaire qui s'étendait de chaque côté du sacrum. La douleur n'était pas trop forte au début et il avait remarqué que, dès qu'il s'activait, elle avait tendance à disparaître. Mais elle *revenait*. En fait, elle avait empiré progressivement au point d'affecter son aspect physique et son travail.

Les examens n'avaient rien révélé. Les radiographies étaient normales. Les médicaments le soulageaient au début, mais avec le temps ils cessèrent de faire effet et la douleur commença à gagner tout son dos.

À la première consultation, il était évident que le problème de Robert n'était pas seulement physique mais qu'il avait une influence néfaste sur son moral. Sa fiancée nous confirma qu'il était très grognon.

Un examen complet ne révéla qu'une légère raideur du dos lorsqu'il y avait mouvement. Les radiographies étaient normales et les analyses sanguines ne révélaient pas d'atteinte rhumatismale. Cependant, chez un jeune homme, la douleur qui se manifeste pendant la marche laisse soupçonner la présence d'arthrite, mais nous sommes incapables de le prouver. La consultation d'un spécialiste et un examen du squelette au scanner confirmèrent le diagnostic de spondylarthrite ankylosante.

Un traitement anti-inflammatoire soulagea le problème physique. La levée des incertitudes et la possibilité de faire un pronostic eurent raison de la dépression. Pouvions-nous faire quelque chose pour améliorer l'état de Robert?

Résultats des tests et programme de renforcement

Les résultats de ses tests étaient typiquement ceux d'un patient atteint de spondylarthrite ankylosante.

Au test de redressement-assis, il obtenait la note de *4* qui montrait bien la grande raideur qui s'était installée. Tous les autres résultats étaient assez bons: son *1* au test d'élévation des jambes indiquait de bons abdominaux, et son *2* aux tests de psoas révélait une certaine raideur attribuable à des activités sportives effectuées peu de temps auparavant. Ses notes de *1* au test d'élévation latérale de la jambe droite et de *2* à celui de la gauche complétaient bien le tableau.

Sa note finale était de 8,5, mais la raideur de son dos au test de redressement-assis comptait pour la moitié des points.

Il avait déjà un programme d'exercices à effectuer, mais nos tests montraient bien l'importance de son manque de souplesse du dos. La mise en évidence de ce problème, tout autant que la compréhension de la différence entre la *douleur physique* et la *douleur psychique,* lui a redonné la motivation nécessaire pour redoubler d'efforts. Il a particulièrement travaillé le «dos de chat» et les autres exercices de souplesse du dos.

Les douleurs et la raideur de Robert ne le quitteront probablement pas au cours des années à venir, mais il est déterminé à les atténuer le plus possible.

HISTOIRE DE CAS N° 4: SPONDYLOLISTHÉSIS

PRÉNOM: Jeanne
ÂGE: 30 ans

Jeanne, trente ans, ignorait les petites tracasseries de la vie et se portait très bien. Elle se félicitait de sa bonne santé et de sa chance, ainsi que de son corps athlétique. Mais une douleur au dos changea tout.

L'hiver précédent, elle avait glissé en marchant sur une plaque glacée. Elle avait beaucoup souffert à cause de cet accident et sa douleur avait empiré par la suite.

Un jour, Jeanne alla consulter un médecin. L'examen clinique et les radiographies montrèrent qu'une spondylolisthésis était en cause — une instabilité des vertèbres lombaires.

Le médecin lui expliqua qu'elle présentait ce défaut depuis sa naissance, mais qu'une chute — aussi bénigne qu'elle ait pu être — avait soudainement aggravé son état. Jeanne fut très surprise de cette explication car elle n'avait jamais eu mal au dos. Mais c'était bien là son problème et elle souhaitait vivement le régler.

Résultats des tests et programme de renforcement

Les notes de ses tests étaient de *4* au redressement-assis, signe d'une raideur significative de son dos qui la faisait souffrir lorsqu'elle tentait de s'asseoir. Elle obtenait *3* à l'élévation des jambes, signe que ses abdominaux étaient plutôt faibles — probablement à cause de ses deux grossesses et du fait qu'elle ne faisait pas d'exercices pour les renforcer.

Elle obtenait la note de *1*, des deux côtés, au test du psoas, résultat assez caractéristique de la plupart des femmes, alors qu'à l'élévation latérale du tronc, elle obtenait *3* du côté gauche et *1* du côté droit (pour une moyenne de 2). Sa note finale était de *10*.

À cause de son problème osseux au niveau de la colonne lombaire et de sa perte de force musculaire, nous lui avons prescrit un programme de renforcement du dos modifié. Au lieu de faire des déroulements du tronc qui auraient pu aggraver sa spondylolisthésis, elle devait effectuer des flexions du tronc (pour renforcer ses abdominaux) et, très précautionneusement, des «dos de chat» (pour assouplir son dos). L'étirement du psoas ne lui convenait pas, mais les étirements latéraux et les élévations latérales des jambes pouvaient renforcer cette partie de son corps.

Jeanne risquait d'éprouver un certain malaise et des douleurs au dos pendant toute sa vie, mais elle disposait maintenant d'un moyen pour les atténuer — ou du moins pour se sentir le mieux possible. Cela lui a donné assez de force pour se rendre compte qu'elle pouvait rester maîtresse de la situation au meilleur de ses intérêts.

HISTOIRE DE CAS N° 5: TRAUMATISME DE LA COLONNE LOMBAIRE

PRÉNOM: Angèle
ÂGE: 49 ans

À quarante-neuf ans, Angèle avait franchi le cap de la ménopause. Contrairement à la plupart de ses amies, elle n'avait pas souffert d'irritabilité, de «bouffées de chaleur», ni des autres désagréments généralement associés à cette période de la vie d'une femme. Elle appréciait donc sa chance.

Un jour, alors qu'elle descendait un escalier, elle manqua la dernière marche. C'était un simple petit faux pas, mais une douleur en «coup de poignard» dans la colonne lombaire la fit pratiquement s'évanouir et tomber sur le sol. Son mari la releva et la porta sur un sofa. La douleur impitoyable empirait au moindre mouvement. De toute évidence, il venait de lui arriver quelque chose de grave.

Angèle fut transportée en ambulance au service d'urgence de l'hôpital le plus proche. Un bref examen clinique et des radiographies permirent le diagnostic d'un état dont elle avait entendu parler, sans jamais se douter qu'il aurait pu un jour s'appliquer à elle. Comme des millions d'autres femmes de son âge, elle souffrait d'ostéoporose, une affection responsable de l'amincissement et de l'affaiblissement des os. La chute dans l'escalier avait entraîné l'affaissement du corps de la troisième vertèbre lombaire (L3).

Malgré sa douleur, Angèle s'est sentie rassurée de savoir ce qui n'allait pas et d'apprendre que le repos permettrait à la fracture de se solidifier, alors que des calmants lui rendraient la douleur supportable. Dans 8 à 10 semaines, elle allait pouvoir marcher de nouveau.

Elle a de nouveau pu marcher — mais *à peine*. Sur le plan physique, Angèle ne se sentait plus la même. Elle n'avait plus d'énergie. Son dos était faible, mais la pire chose était qu'elle avait perdu totalement confiance en elle. Elle savait que l'ostéoporose affectait ses autres vertèbres et elle *avait peur* que chacun de ses pas ne lui cause d'autres problèmes.

Elle était au courant de la controverse entourant la prise de suppléments alimentaires à base de calcium pour lutter contre l'ostéoporose. Sans être assurée que cette pratique puisse l'aider et sans tenir compte de ce que cela allait lui coûter, Angèle décida de l'essayer. Elle finit même par prendre des doses quotidiennes supérieures aux recommandations «juste au cas...». Malgré cela, la peur faisait qu'elle sortait rarement seule de chez elle.

La vie d'Angèle pouvait-elle être ainsi noyée dans la crainte? Le programme de renforcement du dos pouvait-il l'aider?

Résultats des tests et programme de renforcement

La raideur résultant de la fracture d'Angèle lui a valu la note de *4* au test de redressement-assis. Elle a obtenu *1* à celui de l'élévation des jambes, mais sa note de *4* au test de psoas du côté gauche, de même qu'à celui de l'élévation latérale de la jambe droite, montrait une contracture de son côté gauche, résultat du traumatisme qu'elle avait subi. Le résultat final de ses tests atteignait la note de *12*.

Après s'être rétablie de sa fracture, Angèle se retrouva avec une nette faiblesse structurelle et certaines modifications au niveau de la colonne lombaire. La faiblesse et le déséquilibre de ses muscles de soutien amplifiaient aussi le problème.

Angèle fut très heureuse de commencer le programme complet de renforcement du dos. Dans son cas aussi, l'exercice de déroulement du tronc a été remplacé par celui de flexion du tronc.

Elle a persévéré dans ses exercices et, avec le temps, elle a retrouvé confiance en elle. Aujourd'hui elle s'est trouvé un emploi à mi-temps dans un centre commercial où elle n'hésite pas à se déplacer souvent. Elle effectue quotidiennement la totalité du programme de renforcement du dos.

HISTOIRE DE CAS N° 6: DISCARTHROSE

PRÉNOM: William
ÂGE: 60 ans

William a émigré du Royaume-Uni il y a plus de trente ans, alors qu'il était un jeune homme de vingt-huit ans. Il a toujours eu une vie active, tant dans son travail de policier que dans sa pratique de sports comme le soccer et la natation. Au Royaume-Uni, il jouait au soccer dans l'équipe locale de la police et il avait été sérieusement blessé en subissant une fracture du cou. Il s'était également infligé de nombreuses petites blessures, comme une déchirure du cartilage du genou, mais il n'avait jamais souffert de douleurs ni de problèmes de dos avant l'âge de quarante ans.

Commença alors une longue période au cours de laquelle la douleur s'installa dans sa région lombaire (on avait diagnostiqué une discarthrose). Ses vieilles blessures liées à ses activités sportives s'étaient guéries, mais sa douleur au dos avait empiré. De nombreux praticiens étaient d'accord pour dire qu'il n'y avait rien à faire, sauf vivre avec la douleur.

Au cours des six ou sept années précédentes, l'état de son dos s'était progressivement détérioré. William possédait une maison en ville et un chalet d'été. Tondre le gazon et exécuter les petits travaux d'entretien de ses deux propriétés le tenait bien actif, mais la douleur de son dos le handicapait parfois tellement qu'il ne pouvait pas mener une vie normale. Il avait aussi fait une malencontreuse chute qui avait aggravé son problème.

Ses crises douloureuses devenant de plus en plus perturbantes, il entreprit de trouver un traitement. Un spécialiste lui avait fait porter une ceinture lombaire, mais William n'avait pas pu la supporter. Un chirurgien qui lui avait fait radiographier le dos avait estimé que son état n'était pas assez grave pour nécessiter une opération. William n'était pas d'accord avec cette opinion. Il se sentait vraiment mal.

Le programme de renforcement du dos pouvait-il l'aider?

Résultats des tests et programme de renforcement

À cause de la raideur due à son âge, William a obtenu la note de *4* au test de redressement-assis. Effectuant déjà des exercices de renforcement des abdominaux et de flexion du tronc, il a obtenu *2* au test d'élévation des jambes, *3* au test du psoas, des deux côtés, et *4* aux tests d'élévation latérale du tronc, des deux côtés. Sa note finale était de *13,* et elle pouvait être améliorée.

William a d'abord continué à faire les exercices du programme de renforcement du dos et il a pu constater une amélioration de ses résultats. Ses maux de dos ont été grandement soulagés. Bien qu'il reconnaisse ne pas faire quotidiennement ses exercices comme il le devrait, il sait qu'il se mettra «à les refaire à la première réapparition de la douleur». «Ces exercices m'ont toujours réussi, dit-il, et c'est bien plus sain que d'avaler des produits chimiques.»

HISTOIRE DE CAS N° 7: MÉTASTASE OSSEUSE

PRÉNOM: Laurent

ÂGE: 55 ans

Nous connaissions Laurent depuis plusieurs années. Cet homme de cinquante-cinq ans était agent de sécurité dans l'une des entreprises dont nous assurions la surveillance médicale. Nous ne l'avions pas vu depuis un certain temps mais nous nous souvenions de lui comme d'un homme énergique et toujours de bonne humeur. Il n'avait jamais été l'un de nos patients; ce jour-là, lorsqu'il est entré dans notre clinique, il avait l'air d'un homme malade. Son sourire proverbial avait disparu et sa démarche semblait difficile. Il paraissait amaigri et son visage était pâle.

Laurent s'est assis et nous a expliqué qu'il ressentait une douleur persistante depuis quelques semaines et que «ça l'ennuyait un peu». Cette douleur s'était installée insidieusement et il n'en comprenait pas la raison. Il n'avait pas subi d'accident ni de blessure et la douleur s'était manifestée un matin au réveil. Elle n'était pas affectée par le mouvement ni soulagée par le repos. Il avait essayé de bouger différemment, sans noter de différences. Il avait seulement remarqué que cette douleur s'intensifiait beaucoup durant la nuit et perturbait son sommeil. Il avait essayé des calmants et découvert que l'aspirine et la codéine le soulageaient un peu, mais la douleur persistait et s'intensifiait.

Alarmés par cette douleur nocturne qui pouvait annoncer une grave affection, nous l'avons questionné sans relâche sur ses autres symptômes. La seule chose qu'il avait remarqué était une légère diminution de son débit urinaire et une faible sensation de brûlure, surtout lorsqu'il urinait la nuit, habitude qu'il n'avait jamais eue auparavant.

Un examen clinique très approfondi ne révéla rien d'autre que quelques zones douloureuses dans la région lombaire. À cause de ses troubles urinaires, nous lui avons fait un examen rectal — obligatoire chez un homme de son âge. Cet examen confirma hélas! nos pires inquiétudes. Sa prostate, la glande traversée par le canal d'excrétion de l'urine, se présentait au toucher comme une masse dure et bosselée au lieu d'avoir la consistance lisse et souple habituelle, et nous devions lui faire subir des examens plus approfondis.

Nous avons envoyé Laurent chez un néphrologue qui a diagnostiqué un cancer de la prostate, une tumeur relativement fréquente chez les hommes de son âge. Malheureusement, la tumeur soulevait la prostate et elle avait fait des métastases, c'est-à-dire qu'elle s'était étendue aux os de la région lombaire. Ces métastases cancéreuses étaient la cause de ses douleurs lombaires.

Pour Laurent, il ne s'agissait pas seulement de pouvoir mettre un nom sur son problème et d'essayer de le traiter: il s'agissait véritablement de lutter contre la mort. La cause de la plupart des douleurs lombaires est un dysfonctionnement d'origine mécanique, musculaire ou osseux. Mais de temps à autre, la douleur lombaire n'est qu'un symptôme qui peut révéler la présence d'une grave maladie — surtout lorsqu'une douleur apparaît soudainement chez un patient de plus de cinquante ans, et à plus forte raison lorsqu'elle se manifeste la nuit.

C. Passer de la douleur au fonctionnement

HISTOIRE DE CAS N° 8: «TOUT EST DANS LA TÊTE»
PRÉNOM: Suzanne
ÂGE: 27 ans
Suzanne est une patiente qui avait peu de troubles organiques mais qui a fini par présenter une grave déficience.

Un jour, son mari a téléphoné à notre clinique depuis l'autre bout du continent afin de prendre rendez-vous pour elle. Il avait cherché de l'aide dans un hôpital universitaire de sa région, puis dans une institution californienne célèbre, avant de s'adresser à une clinique bien connue du Midwest américain. Il avait entendu de bons commentaires sur le programme de renforcement du dos et il souhaitait nous amener Suzanne en avion pour voir si nous pourrions la soulager. Ils arrivèrent avec le dossier médical complet de la jeune femme et un grand nombre de radiographies.

Suzanne était alors âgée de vingt-sept ans et son petit garçon de deux ans était resté au domicile familial. Sa douleur avait débuté pendant sa grossesse, puis elle avait disparu pour ensuite revenir quelques mois plus tard et ne jamais plus disparaître. Elle s'était d'abord manifestée dans la région lombaire, mais elle s'étendait maintenant au dos tout entier. La patiente décrivait des élancements ici, de l'insensibilité là et des picotements ailleurs. Sa douleur se manifestait de différentes façons et rendait Suzanne *sérieusement déficiente.*

Suzanne n'était pas retournée travailler depuis la naissance de son fils, malgré l'utilité que représentait un second salaire. Elle était pratiquement clouée à la maison. Sa mère était venue s'installer chez elle pour l'aider à s'occuper du bébé et à effectuer les tâches quotidiennes. En fait, les activités de Suzanne en tant que mère, ménagère et conjointe étaient considérablement réduites. Bien qu'elle eût «horreur de ça», elle dépendait maintenant d'un grand nombre de médicaments destinés à calmer sa douleur. Comme Suzanne le disait elle-même, sa douleur était devenue insupportable et elle l'*empêchait* de faire quoi que ce soit. *La douleur l'empêchait!*

Après avoir écouté son histoire, nous avons feuilleté rapidement les épais dossiers qui provenaient de trois hôpitaux de réputation internationale. Elle avait subi tous les examens existants — et pas seulement une fois, mais plusieurs fois: radiographies, scanner du corps, résonnance magnétique nucléaire, myélographie, scanner du squelette. Bien qu'on lui eût découvert une ou deux anomalies, elles avaient toutes été qualifiées de «légères». *Léger* changement... *Légère* élévation... *Légère* anomalie... *Léger* écart par rapport à la normale...

Elle avait aussi reçu tous les traitements possibles, les uns après les autres: chaleur, repos, massages, ceintures, ultrasons, acupuncture, cortisone. Rien ne lui avait apporté un soulagement durable. Restait une dernière possibilité: un examen psychologique.

Suzanne et son mari n'étaient pas d'accord pour accepter cette recommandation. Elle était en bonne santé avant que la douleur n'apparaisse et elle n'avait jamais montré de signes d'un quelconque problème psychologique. Ils étaient tous deux convaincus que son problème de dos *devait* être causé par une anomalie mécanique.

Nous avons examiné la patiente, consulté les radiographies et les divers rapports, et nous avons pu établir avec certitude qu'elle ne souffrait d'aucune déficience organique. Notre seule découverte intéressante était celle de nombreuses zones sensibles formées de nodules fibreux — petites masses rondes et dures enchâssées dans les muscles — et dont la palpation déclenchait des douleurs. Ces zones sensibles se trouvaient dispersées sur la totalité du corps, mais elles étaient plus nombreuses autour de la colonne vertébrale.

Comment cette patiente pouvait-elle être *aussi* déficiente avec si peu de lésions organiques?

Gestion de la déficience

Bien que notre évaluation du cas de Suzanne concordât avec toutes les autres — il n'existait pas d'anomalies structurelles de la région lombaire —, une évaluation *fonctionnelle* montra une perte significative de mobilité articulaire à tous les niveaux de la colonne vertébrale, ainsi qu'un affaiblissement et un déséquilibre musculaires. Les nodules douloureux répartis sur tout son corps trahissaient cependant un dysfonctionnement évident. De plus, sa grossesse avait provoqué un relâchement de la ceinture pelvienne qui nécessitait l'emploi d'une ceinture de maintien pour stabiliser son bassin.

Elle a été soulagée lorsque nous lui avons expliqué la situation, mais elle a paru en même temps un peu déçue que nous ne lui ayons rien découvert d'anormal au niveau structurel. Elle nous a néanmoins écouté attentivement lorsque nous lui avons indiqué un moyen d'action — quelque chose lui permettant de *traiter* son problème. Suzanne était prête à croire en notre évaluation et à faire de son mieux, malgré sa douleur, pour développer et équilibrer sa musculature et pour améliorer la mobilité de ses articulations. De plus, le port de la ceinture lui procurait une sensation de stabilité qu'elle n'avait pas éprouvée depuis plusieurs années. Suzanne paraissait véritablement encouragée.

Nous n'oublierons jamais le visage radieux du mari de Suzanne lorsque nous avons ramené son épouse dans notre bureau en lui expliquant le plan du traitement qu'elle avait accepté de suivre. Il était rayonnant et lui dit: «Attends-moi ici pendant que je descends préparer la voiture.»

Nous avons eu du mal à en croire nos oreilles. Cet homme allait descendre pour arranger les oreillers dont il avait garni la banquette arrière de sa voiture afin que son épouse puisse voyager confortablement jusqu'à leur hôtel. Pourtant nous venions à peine de lui expliquer qu'elle ne souffrait d'aucune maladie grave — et qu'elle n'avait besoin que de grand air, d'exercices physiques et d'un peu d'encouragement. Il continuait pourtant à la traiter comme une invalide. Dans son désir d'aider son épouse, dans sa sympathie et son intérêt pour elle, il provoquait et encourageait un comportement de déficience. Il n'avait rien compris. Suzanne avait besoin de *se forcer* un peu. Pourquoi ne pouvait-elle pas s'asseoir normalement à côté de lui sur le siège avant de leur voiture?

Suzanne a persisté, bien que l'amélioration de son état ait nécessité plusieurs mois. Au fur et à mesure que sa force et son équilibre musculaires s'amélioraient, que ses articulations retrouvaient leur mobilité et que sa confiance en elle revenait, la prise en charge de son problème commençait à *porter ses fruits*.

Nous l'avons revue près d'un an plus tard et, malgré la subsistance d'un certain malaise physique, elle avait fait de très grands progrès.

«Quelle est réellement la différence, lui avons-nous demandé?

— Eh bien, je *vous* remercie, a-t-elle répondu, parce que l'année dernière je commençais à douter de moi, j'avais peur de souffrir *vraiment* de troubles mentaux. La différence, aujourd'hui, c'est que lorsque je commence à avoir mal au dos, je ne m'asseois plus en élevant mes jambes, mais je vais nager au YMCA et la douleur disparaît. Ce n'est pas tellement ma douleur qui a changé, mais ma réaction face à elle. Maintenant, je sais que je peux me venir en aide *toute seule*.»

Aux dernières nouvelles, le mari de Suzanne continuait de se charger des tâches ménagères. Et Suzanne? Elle est retournée sur le marché du travail, puis elle a mené une seconde grossesse à terme sans aucune difficulté. Son programme quotidien d'exercices physiques fait maintenant partie de sa vie.

HISTOIRE DE CAS N° 9: UN PRONOSTIC DE MAUVAIS AUGURE

PRÉNOM: Mario
ÂGE: 49 ans

Comme les nombreux autres patients qui l'ont précédé ou suivi, Mario avançait lentement dans le long couloir de notre cabinet. Il est entré, a pris position devant une chaise et s'est assis lentement. Son visage était dénué d'expression avant que vienne notre question: «Eh bien, Mario, qu'est-ce qui ne va pas chez vous?»

Après nous avoir décrit la douleur qui affligeait son dos et nous en avoir indiqué les sièges exacts, il a fini par nous expliquer qu'il s'était blessé au dos douze ans plus tôt, à l'âge de trente-sept ans. Au moment de sa blessure, il effectuait un travail manuel.

Au début, il s'était d'abord accommodé à la douleur de son dos. Puis il a décidé d'aller consulter un spécialiste qui l'a fait entrer à l'hôpital où on lui a fait une myélographie.

«D'accord, Mario, et qu'est-ce qu'ils ont trouvé?»

Il nous a répondu tristement, avec du désespoir plein la voix: «Ils ont découvert que j'étais dans un si mauvais état qu'ils ne pouvaient pas m'opérer. Je vais certainement finir ma vie estropié.»

Il est sorti de l'hôpital, mais sa douleur a continué à le perturber. Il est retourné travailler, mais la douleur était devenue insupportable et il devait s'allonger souvent. Encore à ce moment-là, tant bien que mal, depuis 12 ans, Mario continuait de travailler. Son employeur s'était montré compréhensif et lui confiait des tâches de plus en plus légères, essayant de l'aider et de diminuer les efforts demandés à son corps «malade et handicapé». Son employeur avait néanmoins décidé de nous l'envoyer car il ne trouvait plus de petits travaux à lui confier. Les chances que Mario avait de trouver un autre emploi semblaient alors bien compromises.

Nous avions devant nous un homme qui souffrait d'une sérieuse déficience malgré tous ses efforts personnels et ceux de son employeur. Comment Mario allait-il s'en sortir? Allait-il trouver une solution?

Gestion de la déficience

Mario était un immigrant de première génération. Sa maîtrise de l'anglais était correcte bien qu'imparfaite.

Après enquête, nous avons découvert que sa myélographie ne montrait pas que son état était trop mauvais pour qu'on puisse l'opérer, comme il le croyait, mais qu'elle montrait que son état *ne nécessitait pas* d'intervention chirurgicale. Ce simple malentendu l'avait amené à se comporter pendant *12 ans* comme si la *douleur psychique* qu'il ressentait faisait de lui un handicapé, et non pas la *douleur physique* qui, dans son cas, était un signe de dysfonctionnement (déséquilibre musculaire et raideurs). Un simple problème de communication au sujet d'un pronostic avait transformé ses craintes en réalité.

Même dans cet état, Mario paraissait beaucoup plus jeune que son âge véritable. Après enquête, nous avons découvert qu'il était arrivé en Amérique en tant que joueur de soccer professionnel. Il était fort, en bonne condition physique et son corps semblait toujours en grande forme. Son principal problème était son manque de souplesse — raideur des articulations et des muscles résultant de ses années de pratique sportive, de dur travail, de douleurs et de crampes au dos.

En commençant à traiter son dysfonctionnement avec le programme quotidien d'exercices que nous lui avions établi, il a effectué de réels progrès et repris confiance en lui. Il est rapidement devenu de plus en plus actif et, en retournant travailler, il a pu reprendre un rôle productif dans son entreprise.

HISTOIRE DE CAS N° 10: UN JEUNE HOMME ÉCRASÉ PAR LA GENTILLESSE

PRÉNOM: Alain

ÂGE: 22 ans

Alain était jeune et solide, mais il était venu chercher de l'aide malgré ses vingt-deux ans. Il était sur le point de perdre son emploi — un emploi d'avenir bien rémunéré et qu'il aurait voulu conserver.

Plusieurs années auparavant, Alain avait commencé à présenter le symptôme caractéristique de la spondylarthrite ankylosante: une raideur le matin qui disparaît progressivement au cours de la journée. Graduellement, les manifestations de la maladie devinrent insupportables et il se mit à chercher une façon de se soulager — tout d'abord avec des médicaments obtenus sans prescription et avec de la chaleur, puis avec le secours d'un médecin.

Ce dernier n'avait pas été long à établir son diagnostic. La raideur et la sensibilité excessive du dos, les radiographies qui montraient de petites modifications de l'opacité au niveau des articulations sacro-iliaques et les analyses sanguines aux résultats anormaux signalaient la présence d'arthrite.

Alain avait été soulagé par les médicaments, mais bientôt ceux-ci ne suffirent plus et de fortes douleurs le rendirent déficient.

Le médecin lui suggéra d'effectuer un travail plus facile, mais son employeur n'avait rien d'autre qui aurait pu lui convenir — sauf sa propre occupation. Son patron lui conseilla donc de se trouver un autre emploi s'il était incapable d'accomplir celui qui lui était offert.

Alain était furieux de la réaction de son employeur, car il travaillait pour lui depuis longtemps et s'était même un jour blessé au dos dans l'entreprise, ce qui avait encore aggravé son problème. Il avait le sentiment que son employeur le traitait avec mesquinerie et qu'il lui devait quelque chose.

Gestion de la déficience

Les troubles d'Alain avaient été bien évalués et correctement traités. Son diagnostic était exact et on l'avait encouragé à rester actif et à entretenir la mobilité de ses articulations avec des exercices bien choisis. Il recevait aussi des médicaments anti-inflammatoires et faisait de la physiothérapie.

Deux choses, cependant, contrariaient Alain. Son médecin, plein de bonnes intentions, avait contacté le bureau régional de la Société de l'arthrite afin de lui assurer un «soutien moral». Ainsi, notre fringant jeune homme de vingt-deux ans qui souffrait d'un peu d'arthrite dans la colonne vertébrale avait reçu la visite d'un représentant de cette société comme s'il avait été un invalide. Qu'est-ce que cette attitude pouvait bien laisser penser à Alain? Quel était le sombre avenir qui l'attendait? Jusqu'à quel point la maladie allait-elle empirer?

En outre, son médecin lui avait bien recommandé: «Vous ne pouvez plus occuper votre emploi actuel car il vous demande trop de force. Même si l'activité physique est souhaitable dans votre cas, votre travail entraîne *probablement* une trop grande activité par rapport à ce que votre état peut supporter.»

Le conseil partait d'une bonne intention, l'idée du soutien moral aussi, mais toute cette gentillesse écrasait le jeune homme. En fait, l'activité physique était *très* souhaitable — il lui fallait le plus d'exercices possible pour améliorer sa mobilité de la colonne lombaire. Le médecin avait fait *sa propre* suggestion en se basant sur *sa propre* évaluation de la douleur physique que son patient pouvait supporter, sans tenir compte des besoins ni du bien-être de ce dernier. En fait, le médecin a obéi à un sentiment paternaliste parce que son patient semblait avoir besoin d'être *protégé*.

En agissant ainsi, le médecin d'Alain a pris une décision que seul un patient a le droit de prendre. Cette décision aurait dû être un choix personnel du patient, et *non pas* un choix dicté par des raisons médicales.

HISTOIRE DE CAS N° 11: «IL FAUT BIEN QU'IL AIT QUELQUE CHOSE!»
PRÉNOM: Jean
ÂGE: 36 ans

Jean est un travailleur manuel de trente-six ans qui aime son métier et le pratique depuis près de vingt ans.

Il travaille bien, il est consciencieux et s'entend bien avec tout le monde. On lui a souvent offert d'occuper des postes de contremaître, mais il a toujours refusé parce qu'il *aime* le travail manuel — il aime être dehors au grand air et au soleil, il aime sentir la terre sous ses pieds ou sous sa pelle. À son avis, une promotion de contremaître diminuerait sa qualité de vie, malgré un meilleur salaire. Malheureusement, la souffrance est venue assombrir ce tableau.

Depuis quelques années, Jean souffrait de maux de dos répétitifs qui devenaient de plus en plus tenaces. Il avait essayé divers types de traitements — prodigués par des physiothérapeutes, des chiropraticiens et des médecins. Le dernier médecin qu'il avait consulté lui avait dit qu'il souffrait d'une dégénérescence du dos, que ses disques intervertébraux s'usaient et que, s'il continuait d'exercer son métier actuel, il «serait fini» dans quelques années. C'est ce qu'il nous a raconté en venant nous consulter.

Pouvait-il faire quelque chose pour ralentir le processus et continuer à vivre comme il l'entendait?

Gestion de la déficience

Malgré les avertissements inquiétants au sujet de l'invalidité qui l'attendait s'il continuait son travail manuel, les résultats des examens de tous les spécialistes étaient normaux. Jean n'avait pas de fragilité décelable et son dos était parfaitement mobile. La seule découverte clinique avait été une légère discarthrose (dégénérescence des disques intervertébraux) décelée grâce aux radiographies, bien que, deux ans plus tard, un autre radiologue n'eût rien remarqué d'anormal. Le premier radiologue avait, semble-t-il, interprété les radiographies avec beaucoup de pessimisme de manière à trouver absolument quelque chose au patient.

Le diagnostic du dernier spécialiste ne prêtait pourtant pas à confusion:

> «Je pense que ce monsieur souffre de polyarthralgie, que son problème est d'origine professionnelle et qu'à ce titre, son cas pourrait donner lieu à un dédommagement de sa compagnie d'assurances. Pour le moment, il ne gagne correctement sa vie qu'au prix d'efforts de plus en plus importants. Je lui ai prescrit des analgésiques et un médicament contre les problèmes d'estomac.
> «Il s'agit d'une situation bien triste. Ce monsieur a travaillé pendant longtemps pour cette entreprise et il y a acquis beaucoup d'expérience, mais il ne semble pas y avoir de programme de formation professionnelle. Donc, dans 10 ans, il y fera probablement toujours le même travail et risque de souffrir encore plus. Cette situation est vraiment très triste.»

Existait-il quelque véritable raison d'être si ennuyé pour Jean? D'abord, il s'était fait dire qu'il souffrait de polyarthralgie. Ce terme savant signifiait simplement qu'il souffrait de diverses douleurs dans les articulations. Ce *n'était pas* un diagnostic médical, mais le mot avait littéralement terrorisé Jean. Ignorant tout des expressions médicales, il s'était cru atteint d'une maladie mortelle.

En l'examinant, ce médecin n'avait rien trouvé d'anormal, mais plutôt que de reconnaître ce simple fait, il aurait dû expliquer la *cause de la douleur* — un exemple classique de la présentation d'un symptôme comme s'il s'agissait d'une maladie.

Ensuite, ce médecin a donné un traitement *contre* la douleur à prendre avec un médicament contre les ulcérations de l'estomac. Au lieu d'un unique médicament, Jean devait en prendre un contre la douleur, accompagné d'un autre destiné à atténuer les effets secondaires du premier.

Au lieu de recevoir un conseil bien concret sur la manière de continuer à travailler malgré son état, Jean s'était fait abreuver d'une litanie de paroles de sympathie, de reproches envers son employeur et de suggestions pour se faire prendre en charge par les assurances — pour devenir *encore plus* déficient.

Nous lui avons simplement prescrit un programme d'exercices à faire quotidiennement. Cette habitude a provoqué des changements spectaculaires chez Jean, qui refuse toujours les promotions pour pouvoir effectuer le travail qu'il aime.

HISTOIRE DE CAS N° 12: «ET QUE LA FÊTE CONTINUE!»
PRÉNOM: Rita
ÂGE: 30 ans

Rita, trente ans, est écrivain et elle a toujours aimé faire du sport. Elle se garde en bonne condition physique en fréquentant un club de santé et pratique régulièrement la natation et le jogging. Bref, c'est un modèle de bonne santé.

Un jour, alors qu'elle vient de taper un texte sur sa machine à écrire, elle ressent une douleur aussi soudaine que violente qui descend dans sa jambe et lui fait pratiquement perdre l'équilibre. Se rendant parfaitement compte qu'il ne s'agit pas d'une douleur normale — surtout lorsqu'elle commence à empirer —, Rita se dirige vers l'urgence de l'hôpital le plus proche. Elle boite légèrement, pliée en deux et penchée d'un côté à cause de la douleur. Selon un examen clinique et des radiographies (qui sont normales), elle présente une faiblesse de la jambe et de la cheville droite, avec diminution des réflexes tendineux et des difficultés à élever les jambes. Ces signes cliniques sont symptomatiques d'une hernie discale.

On lui conseille de rentrer chez elle, de se reposer pendant une semaine et de prendre des calmants — pour pouvoir élever ses jambes et se reposer. Ce n'est malheureusement pas si simple: non seulement Rita n'est jamais restée inactive durant un si grand laps de temps, mais elle est travailleuse indépendante et n'a pas d'assurance-salaire ni d'autre source de revenus que son art. L'importance de la douleur finit toutefois par la convaincre de suivre les conseils que lui a donnés le médecin de l'hôpital. Elle n'a pas vraiment le choix.

Un examen de contrôle, la semaine suivante, permet de confirmer la hernie discale, mais sa douleur commence déjà à s'estomper et le médecin l'autorise à augmenter progressivement ses activités. Le retard prévu pour la remise de son manuscrit et le réel besoin «d'assurer sa subsistance» obligent Rita à souffrir un peu pour pouvoir continuer à vivre normalement. En tant qu'artiste, elle a un cri de ralliement: «Et que la fête continue!»

Nous avons reçu Rita plusieurs semaines plus tard sur les conseils de son médecin. Pouvions-nous faire quelque chose pour ses douleurs lombaires?

Gestion de la déficience

Nous lui avons recommandé d'effectuer de légers exercices d'étirement pour commencer à décontracter ses muscles tendus et améliorer le fonctionnement biomécanique de son dos. Elle devait répéter ces exercices plusieurs fois par jour.

Progressivement, ses symptômes de hernie discale ont commencé à s'estomper. Comme la guérison du disque lésé s'effectuait très lentement, nous avons ajouté de nouveaux exercices jusqu'à ce que le fonctionnement de son dos soit redevenu pratiquement normal.

Nous avons ici le cas d'une patiente qui a souffert d'une anomalie sérieuse, mais qui l'a correctement traitée, puisqu'elle avait compris toutes les implications de son état — la différence entre douleur *physique* et douleur *psychique* — et qu'elle était prête à maintenir son autonomie pendant son rétablissement, puis à *retrouver* son fonctionnement normal lorsque le temps serait venu.

Au cours de son traitement, Rita, qui souffrait d'une grave anomalie de la colonne lombaire, a été déficiente pendant quelques jours seulement et elle a été sérieusement gênée pendant quelques semaines à peine.

CHAPITRE XI

Les réponses à vos questions

À propos des problèmes de dos

On m'a dit que mon problème de dos provenait d'une entorse lombaire — d'une discarthrose... de l'ostéoporose... d'un syndrome des facettes articulaires... d'une scoliose. Qu'est-ce que le programme de renforcement du dos peut faire pour moi?

Pour chaque anomalie douloureuse du dos, la prudence vous dicte de consulter votre médecin et de vous soumettre aux tests du programme afin de pouvoir choisir les exercices adaptés à votre cas particulier. Sauf dans le cas de maladies graves, le programme peut, une fois la crise aiguë terminée, éliminer totalement ou au moins atténuer considérablement votre problème.

• L'*entorse lombaire* est un terme général qui désigne de légères anomalies organiques, mais les nerfs rachidiens ne sont pas atteints et il n'y a pas de maladie déclarée. L'aspect des radiographies est normal. Le programme est alors d'un excellent secours.

• La *discarthrose* présente des anomalies comparables, mais elle affecte habituellement des patients plus âgés. (À notre avis, son appellation fréquente de «maladie dégénérative des disques intervertébraux» est mal choisie, car cette dégénérescence fait partie du processus normal de vieillissement.) Les radiographies montrent des modifications dues à l'âge et à l'arthrite, bien que la plupart des patients qui souffrent de cette affection présentent aussi les signes du vieillissement normal qui apparaissent après l'âge de quarante ans. Les tests et les exercices du programme améliorent le soutien musculaire qui compense la faiblesse des os.

• L'*ostéoporose* fait diminuer la solidité des vertèbres à cause de la perte de calcium — le matériau dur qui constitue les os. Cette affection est découverte grâce à la radiographie. Elle est souvent responsable de l'affaissement partiel d'un ou de plusieurs corps vertébraux. Bien que l'ostéoporose soit plus fréquente chez la femme (à cause des modifications hormonales entraînées par la ménopause), elle affecte parfois l'homme âgé. De nombreux praticiens recommandent aujourd'hui l'exécution régulière de mouvements et d'exercices *modérés* qui semblent favoriser le dépôt de calcium dans les os. Votre médecin pourra adapter parfaitement le programme à vos besoins tout en assurant sa sécurité et son efficacité.

• Le *syndrome des facettes articulaires* est une sensation désagréable provoquée par l'application de poids sur les facettes articulaires plutôt que sur le corps des vertèbres. Le malaise augmente avec l'extension arrière du dos. De nombreuses manifestations de ce syndrome proviennent du déséquilibre des muscles de soutien (psoas trop tendus, abdominaux trop faibles); les malaises peuvent être améliorées par notre programme.

• La *scoliose* est une courbure latérale anormale de la colonne vertébrale. Bien que cette déformation puisse être la conséquence de modifications osseuses, le renforcement des muscles de soutien du tronc, particulièrement les psoas et les obliques, peut corriger ou améliorer cette anomalie.

J'ai subi une intervention chirurgicale. Quelles précautions dois-je prendre pour essayer les tests et les exercices du programme?

Après la période de convalescence qui suit une intervention chirurgicale au dos, il est indispensable de refaire la musculature de soutien du tronc. Votre chirurgien connaît vos problèmes et vos besoins personnels et il pourra vous guider dans la façon d'exécuter les exercices du programme afin de les adapter à votre cas.

Le programme peut-il améliorer mon problème de sciatique?

La «sciatique» est une affection du nerf sciatique dont la douleur suit la cuisse et la jambe jusqu'au pied et aux orteils. Elle peut s'accompagner d'un affaiblissement des muscles et d'une diminution ou de la disparition des réflexes tendineux. Elle est habituellement causée par la compression de la racine du nerf de la jambe. Cette compression provoque souvent une hernie discale ou un rétrécissement du canal médullaire (sténose vertébrale).

Entrepris après un diagnostic correct et des soins appropriés, le programme peut contribuer au processus de rétablissement du patient. Comme il s'agit d'une maladie, vous devez cependant consulter votre médecin. Il choisira les exercices les plus appropriés, la meilleure fréquence d'exécution et l'enchaînement qui convient le mieux à vos besoins personnels.

À propos du programme de renforcement du dos et des exercices

Pour quelle raison l'exécution d'un exercice provoque-t-elle des douleurs dans mon dos?

Cette situation se produit souvent parce que le dos sert de base à tous les mouvements. Cette base est menacée dans sa fragilité par le travail manuel, les sports et les autres exercices exigeants pour les bras et les jambes, mais le programme a une approche différente.

Les tests permettent l'identification des faiblesses et des déséquilibres de vos muscles du tronc et de la colonne vertébrale. Dès que vous les connaîtrez, un programme d'exercices pourra être adapté à vos besoins pour tout rééquilibrer. Cette approche vous donne le maximum de chances d'atteindre votre plein potentiel et de vivre la vie que vous souhaitez. L'originalité du programme de renforcement du dos tient au fait qu'il fait se relâcher les muscles tendus et aide les muscles trop longs à se tendre. Il ne consiste pas seulement en quelques «bons vieux exercices» pour tous les dos: c'est un programme spécifique et individuel basé sur les résultats obtenus aux tests. C'est aussi pour cela qu'il offre un taux de succès si élevé et qu'il peut vraiment diminuer les maux de dos.

Il faut savoir qu'un certain malaise, tout à fait normal, peut être ressenti au début de la mise en œuvre du programme. Il provient de ce que nous appelons «le principe de surcharge progressive» selon lequel un muscle en mauvaise condition demande un certain temps pour s'adapter à de nouveaux exercices.

Pourquoi insistez-vous sur la technique de respiration relaxante?

Vous devez vous familiariser avec la respiration relaxante pour pouvoir retirer le bénéfice maximum de notre programme. Nombreux sont ceux qui ont tendance à négliger cette méthode parce qu'ils la trouvent trop facile, ou la considèrent comme une perte de temps ou comme un geste naturel qu'ils n'ont pas besoin d'apprendre.

Une lente et profonde inspiration, suivie d'une expiration complète, provoque l'émission d'un message de relaxation qui va du cerveau vers les muscles. Ce mode de respiration entraîne une réponse de relâchement des muscles, leur permettant de s'allonger jusqu'à leur longueur optimale sans gêne ni douleur. La plupart des patients sont d'accord pour dire que la méthode de respiration relaxante est, après les tests, l'élément le plus important du programme de renforcement du dos. C'est elle qui lui donne toute son efficacité.

Les exercices du programme paraissent si simples à exécuter. Pourquoi sont-ils aussi efficaces?

Le programme de renforcement du dos *est* simple. Il est efficace parce que les tests identifient d'abord vos faiblesses et parce que le programme prescrit les exercices dont vous avez le plus besoin: étirement-relâchement pour allonger les muscles faibles et tendus, et développement-renforcement pour raccourcir les muscles longs, flasques et faibles. La plupart des gens n'ont besoin que de cinq minutes d'exercices par jour pour pouvoir retrouver leur forme.

Quand dois-je effectuer le programme? À quelle fréquence? En répétant combien de fois les mouvements?

Nous vous recommandons d'effectuer les exercices du programme le matin, au sortir du lit. Ils vous aideront à vous réveiller et à vous mettre en forme, d'autant plus que c'est le matin que les raideurs se font le plus sentir. Vous découvrirez aussi que l'exécution du programme de renforcement et l'entretien musculaire constituent une excellent réchauffement avant les sports ou avant des activités physiques comme le jardinage par exemple.

Nous vous recommandons aussi de les effectuer une fois par jour, bien que vous puissiez encore les refaire le soir avant d'aller au lit. Nous vous suggérons d'effectuer 3 fois de suite chaque exercice d'étirement-relâchement et 5 à 10 fois de suite chaque exercice de développement-renforcement. Ce n'est pas difficile et cette fréquence semble être la plus efficace pour la majorité des gens. Vous n'aurez besoin que de 5 minutes par jour pour effectuer les exercices du programme de renforcement et de 10 minutes pour ceux de l'entretien musculaire.

Est-ce que le programme d'entretien musculaire constitue tout l'exercice physique dont j'ai besoin?

Le véritable conditionnement physique est une heureuse combinaison de:

- minceur;
- vigueur;
- force;
- souplesse.

La *minceur,* c'est le contrôle du poids. La *vigueur,* c'est l'endurance et le bon état cardiovasculaire — la capacité du cœur à pomper suffisamment de sang oxygéné vers les muscles. L'entretien musculaire vise à développer la *force* et la *souplesse* des principaux groupes musculaires du tronc, de la colonne vertébrale, des bras et des jambes.

Le conditionnement physique idéal nécessite aussi des exercices d'endurance comme la natation, la marche ou le jogging. L'entretien musculaire associé à un exercice aérobique vous amènera sur la voie d'un programme équilibré de conditionnement physique.

On m'a recommandé de ne jamais effectuer de redressement-assis. Qu'en pensez-vous?

Il faut bien faire la différence entre les deux types de redressement-assis. Le premier se pratique en glissant ses pieds sous un lit ou un canapé pour les immobiliser. Ce type d'exercice est fait avant tout pour les muscles psoas et il risquerait d'aggraver l'état d'un dos faible ou de lui faire courir des risques.

Le programme de renforcement du dos compte *un seul* test de redressement-assis pour évaluer la souplesse de la colonne lombaire. Ce second type d'exercice est différent, il se pratique *sans im-*

mobilisation des pieds. Nous enchaînons ensuite avec un exercice de déroulement du tronc qui permet de renforcer et de retendre les muscles relâchés de l'abdomen. La lente flexion arrière du tronc sans immobilisation des pieds a prouvé, selon notre expérience, qu'elle était efficace et presque sans risques.

Certaines affections comme la spondylolisthésis et diverses anomalies de la ceinture pelvienne *peuvent* cependant être aggravées par les exercices de déroulement du tronc. Dans ce cas, nous vous recommandons de n'effectuer que la flexion du tronc.

Si votre médecin vous a conseillé de ne jamais faire de redressement-assis, remplacez ce mouvement par notre exercice de flexion du tronc qui est presque aussi efficace.

Je sais que je dois éviter les mouvements de ressort lorsque je m'étire, mais pourquoi votre technique d'étirement-maintien est-elle préférable?

Le mouvement de ressort stimule le fonctionnement du fuseau proprioceptif et la contraction du muscle. La technique d'étirement-maintien telle que pratiquée par de nombreux sportifs implique l'étirement du muscle à sa longueur maximale et son maintien dans cette position pendant 20 à 30 secondes. C'est une excellente méthode d'étirement musculaire. Sans la nommer, le programme utilise aussi la technique d'étirement-maintien associée à la méthode de respiration relaxante, afin d'améliorer l'efficacité de l'étirement et d'en raccourcir la durée.

On m'a dit de ne jamais effectuer l'exercice d'élévation des jambes. Êtes-vous d'accord avec ce conseil?

C'est un excellent conseil. L'exercice d'élévation des jambes est assez risqué, même pour ceux qui ont un dos en bon état. Il peut effectivement devenir une source de problèmes pour tout ceux qui ont le dos faible.

Nous utilisons l'élévation des jambes comme un test, et *non pas* comme un exercice. Il est à effectuer une seule fois et on doit l'interrompre dès que le dos se cambre et se décolle du sol. L'élévation des jambes donne une bonne indication de la force des abdominaux — mais c'est un très mauvais exercice.

Je fais assez d'exercice dans ma profession. Pourquoi aurais-je besoin du programme de renforcement du dos?

Le programme est essentiel pour remettre le dos en bon état et lui assurer sa force optimale. Les muscles du dos et du tronc sont différents de ceux des bras et des jambes. Les muscles du dos peuvent se comparer aux brins d'une corde: ils agissent ensemble et travaillent en *synergie* (de *syn,* ensemble, et *ergon,* travail). Lorsqu'une blessure provoque la contraction d'un ou de plusieurs muscles du tronc, leur activation ne restaure ni leur longueur ni leur équilibre; au contraire, elle provoque, à cause de la surutilisation des muscles, l'augmentation de leur faculté de contraction. Le seul moyen de rétablir la synergie musculaire normale est d'agir isolément sur chaque groupe de muscles en exécutant l'exercice approprié: renforcement ou étirement.

On m'a dit que tous les exercices devaient comporter le renversement arrière du bassin. Le «dos de chat» comporte une phase d'extension qui vient en contradiction avec ce conseil. Quelle en est la raison?

L'exercice d'étirement que l'on appelle «dos de chat» est pratiqué depuis des siècles comme posture de yoga. Bien que la pertinence de l'extension ait été remise en question ces dernières années, les physiothérapeutes ont applaudi cette technique d'extension du dos mise au point par Robin Mackenzie. Ils l'ont utilisée avec succès pour traiter les crises douloureuses. L'objectif du programme est de restaurer l'amplitude normale des mouvements de la colonne vertébrale — les flexions aussi bien que les extensions. Le «dos de chat» est un exercice d'étirement important qui doit faire partie du programme.

J'ai essayé l'étirement du psoas et j'ai ressenti un malaise à la base de la colonne vertébrale et au niveau des articulations sacro-iliaques. Que dois-je faire?

Cet exercice est important, surtout chez les jeunes et chez les sportifs des deux sexes. Avec le vieillissement, la ceinture pelvienne a malheureusement tendance à se relâcher. L'exercice d'étirement du psoas effectué de manière trop brutale provoque un relâchement accru de ce muscle, mais il peut aussi provoquer ou aggraver le relâchement de la ceinture pelvienne et des articulations sacro-iliaques.

Si vous éprouvez un malaise dans cette région, interrompez l'exercice d'étirement du psoas pendant une semaine ou deux. Recommencez-le en portant la ceinture sacro-coccygienne et diminuez son intensité.

L'élévation latérale des jambes me paraît très difficile. Dois-je craindre de la pratiquer?

L'élévation latérale des jambes n'est pas un exercice. C'est un test d'évaluation de la force des muscles obliques. Nombreux sont ceux qui le croient difficile — mais ils le trouvent facile lorsqu'ils l'effectuent correctement. Des quatre types de muscles du tronc, les obliques sont les plus négligés et c'est pour cela que nous vous incitons à essayer ce test. Les notes obtenues lors du test d'élévation latérale des jambes sont souvent très faibles et peuvent servir d'indicateur pour contrôler vos progrès.

Je sais que mon dos est faible, mais je pense que je ferais mieux de le laisser tranquille car il m'a posé trop de problèmes. Ai-je raison de m'inquiéter?

Le programme veut permettre aux gens de renforcer leur dos, mais chacun est parfaitement libre de faire un choix et de prendre un engagement. Certaines personnes ont eu tellement d'ennuis avec leur dos qu'elles ont peur des risques et craignent souvent de commencer le programme. La vie est remplie de situations risquées, mais aussi de situations gratifiantes. Avoir une colonne vertébrale fragile soutenue par des muscles faibles est un moyen certain de se créer des ennuis. Si votre colonne vertébrale est fragile, le programme vous permettra de réduire ces ennuis en la dotant d'un bon soutien musculaire.

Êtes-vous prêt à prendre un risque qui vous permettra de vous sentir le mieux possible par la suite? Pour mettre toutes les chances de votre côté, demandez conseil à votre médecin, puis commencez à effectuer le programme de renforcement — graduellement.

Est-ce que les exercices du programme conviennent aussi aux enfants?

Bien que peu d'enfants se plaignent de maux de dos et que l'essentiel de notre expérience provienne de patients adultes, il est surprenant de constater la fréquence avec laquelle les muscles du tronc peuvent se tendre et s'affaiblir — même chez les enfants. On nous a enseigné que l'enfant atteignait le maximum de sa condition physique entre dix et treize ans. Nous avons découvert que les tests du programme présentaient beaucoup d'attrait pour les jeunes et développaient leur intérêt pour le conditionnement physique — car ils mettent l'accent sur la nécessité de conserver des muscles forts et équilibrés. Les tests du programme s'adaptent parfaitement à tous.

On m'a dit de ne pas faire de jogging et de ne pas pratiquer d'autres sports. Quel est le niveau des exercices que je peux effectuer?

Les problèmes de dos résultent d'un déséquilibre entre la difficulté de la tâche à accomplir et les capacités de l'exécutant. Malheureusement, pour diminuer la fréquence de nos problèmes de dos, nous réduisons habituellement nos activités — dans le travail ou les loisirs — et nous diminuons notre plaisir de vivre. Le programme de renforcement du dos a été conçu pour permettre à chacun d'apprécier une vie mieux remplie.

Les «interdictions» réduisent les risques liés à l'environnement, mais nous préférons favoriser les «encouragements» qui améliorent les capacités de chacun.

Personne ne peut juger avec certitude du niveau d'activité qui vous convient le mieux. Le seul moyen de le connaître est d'être à l'écoute de votre corps — vous le découvrirez par vous-même.

Et le yoga?

Les muscles se tendent et se raccourcissent dans les cas de blessure, de stress, de vieillissement et, paradoxalement, sous l'effet des travaux manuels ou de l'exercice physique. Dans les sociétés orientales, la pratique traditionnelle des étirements — yoga indien, tai chi chuan chinois et arts martiaux japonais — est considérée comme un élément normal de la vie. Ce n'est toutefois pas la même chose dans nos sociétés occidentales, où beaucoup de gens ont les muscles tendus — surtout passé le cap de la trentaine.

Nos exercices d'étirement-relâchement ressemblent beaucoup au yoga, mais simplifié, pour que le concept d'étirement soit plus facile à admettre par les Nord-Américains, pour qu'ils en retirent des bénéfices et pour que les amateurs aient ensuite envie de se mettre à suivre un véritable cours de yoga.

Est-ce que les exercices d'extension conviennent à ceux qui souffrent de problèmes de dos?

La règle d'or du programme de renforcement du dos est l'équilibre: équilibre des mouvements articulaires (ni trop d'amplitude, ni trop peu) et équilibre de l'état et de la force des muscles (ni trop courts, ni trop longs). Le programme sert à identifier vos besoins en mouvements articulaires et ce qui concerne l'équilibre musculaire, et ce afin d'établir un programme qui permette de les satisfaire.

Si vos mouvements manquent d'amplitude, les exercices d'extension vous seront très bénéfiques. D'autre part, si votre dos manque de souplesse, les mouvements et les exercices de flexion vous seront indispensables. Le plus important est de définir ce dont *vous* avez besoin et non pas de choisir arbitrairement tel type d'exercice ou tel autre.

À propos de la ceinture sacro-coccygienne

Est-ce que mes muscles vont s'affaiblir si je porte la ceinture sacro-coccygienne?

La ceinture sacro-coccygienne stabilise les os et les ligaments des hanches mais elle n'a que très peu d'effet sur les muscles. Nous vous recommandons de ne la porter que pendant deux ou trois semaines, et seulement en complément à vos exercices de remise en état de l'équilibre musculaire. Cette ceinture est un accessoire temporaire qui ne vous servira que le temps de corriger un problème de santé, tout comme le plâtre ou l'attelle pour une fracture. Il s'agit donc d'un moyen et non d'une fin.

Je souffre d'un problème particulier — une dégénérescence du disque intervertébral situé entre la cinquième vertèbre lombaire (L5) et la première vertèbre sacrée (S1) — et mon test de la chaise est positif. Qu'est-ce que cela signifie?

Comme nous l'avons mentionné au chapitre IV, une affection spécifique comme la discarthrose ne constitue souvent qu'une partie d'un problème plus vaste. Un test de la chaise positif peut indiquer un dysfonctionnement de la ceinture pelvienne pouvant lui-même être la conséquence d'un autre problème — votre discarthrose par exemple. Relisez le chapitre IV consacré aux anomalies de la ceinture pelvienne et demandez conseil à un médecin quant à la bonne manière d'agir.

Je n'aime pas les choses artificielles. Mon test de la chaise est positif, la ceinture m'aide, mais je préfère vivre avec mon problème. Qu'en pensez-vous?

Nous avons déjà dit que la ceinture sacro-coccygienne agissait comme un plâtre ou une attelle — c'est un accessoire qui améliore le fonctionnement de la ceinture pelvienne et solidifie le bassin. Comme pour tout le reste du programme, votre décision doit être basée sur la comparaison entre les bénéfices et les «risques» qui résultent du port de la ceinture. L'expérience a montré que la ceinture stabilise efficacement le bassin. Sans cette stabilité, la plupart des gens risqueraient de voir leur problème récidiver pendant toute leur vie. Encore une fois, comme pour tout le programme, ce sont votre choix personnel et votre engagement qui comptent. Nous respectons toujours votre droit de choisir.

Mon dos fait entendre un bruit de cliquetis lorsque je bouge ou que je fais certains exercices. Quelle en est la cause? La ceinture sacro-coccygienne peut-elle alors m'aider?

Le bruit de cliquetis ou de claquement produit par votre dos peut avoir de nombreuses causes. Selon notre expérience, il indique une instabilité de la ceinture pelvienne. Relisez le chapitre IV consacré à ses anomalies et suivez-en les conseils.

Nous avons découvert que le port de la ceinture sacro-coccygienne et les exercices de renforcement ne suffisaient pas toujours à améliorer le problème. Si le bruit est fort, nous vous conseillons d'effectuer l'exercice de flexion des hanches plutôt que celui du déroulement du tronc et de ne pas trop étirer vos muscles psoas. Un bruit provenant des articulations n'est pas d'un très bon augure et il peut réapparaître dans l'avenir. Grâce au programme, vous pourrez toutefois réduire au minimum les risques de rechute.

À propos des chiropraticiens

Qu'est-ce qu'une manipulation vertébrale?

Pour que le dos fonctionne bien, toutes les articulations vertébrales doivent avoir un mouvement normal et la musculature de soutien doit être solide et équilibrée. Lorsqu'un praticien examine le fonctionnement de la colonne vertébrale, aussi bien manuellement qu'à l'aide de radiographies, il peut découvrir un blocage ou une perte de mobilité à certains niveaux. Une perte de mobilité à un niveau cause souvent des tensions à d'autres niveaux, provoquant ainsi un mouvement excessif.

Une manipulation vertébrale est une manœuvre manuelle utilisée par le chiropraticien pour faire bouger les vertèbres bloquées et en rétablir la mobilité normale. Les chiropraticiens préfèrent utiliser le terme «ajustement» parce qu'il suggère une méthode plus scientifique, plus précise et moins violente que le terme «manipulation». Il est intéressant de constater que ces manipulations vertébrales sont aussi employées par les ostéopathes et quelques spécialistes de la médecine orthopédique. Une des variantes, appelée «mobilisation vertébrale» et dont l'amplitude de mouvement est moindre, est employée par quelques physiothérapeutes spécialement formés.

Bien que les manipulations vertébrales ne soient pas réservées aux seuls chiropraticiens, ce sont néanmoins ces spécialistes qui possèdent la formation la plus complète dans ce domaine des soins de la santé.

Quel est le niveau de formation des chiropraticiens?

Le chiropraticien, comme le médecin, doit d'abord suivre un cours complet de formation prémédicale — il possède habituellement un baccalauréat en sciences — dans une université reconnue. Ses études durent quatre ans et comportent des cours d'anatomie, de pathologie et de physiologie — les mêmes que ceux des médecins, à l'exception de la pharmacologie.

Les études du chiropraticien répondent à des normes internationales d'accréditation qui équivalent à celles du médecin, sauf que ces études ne donnent pas droit au diplôme. Dans certains domaines spécialisés, comme la radiologie, la formation du chiropraticien est plus approfondie et plus complète que celle du médecin.

La formation du chiropraticien lui permet d'identifier les maladies qui dépassent son domaine de compétence (comme celles qui sont responsables de douleurs lombaires) et de diriger ses patients vers un médecin. De nombreuses enquêtes ont démontré que le chiropraticien peut établir des diagnostics et que ses connaissances atteignent de hauts niveaux de qualité.

Pourquoi les chiropraticiens utilisent-ils autant les radiographies?

Comme pour les autres examens, l'utilisation des radiographies doit respecter un juste équilibre entre leur intérêt pour le diagnostic et leurs risques pour le patient — les risques étant, dans ce cas, une dose excessive de rayons X. Le chiropraticien fait prendre le jeu normal de clichés qui permettent de déterminer les anomalies structurelles du dos, mais il ajoute souvent des rayons X animés destinés à l'étude du mouvement. Ceux-ci l'aident à déterminer les segments immobiles de la colonne vertébrale, lesquels justifient une manipulation ou un autre traitement.

À propos des médicaments

Je n'aime pas prendre des calmants, mais j'en ai parfois réellement besoin. Que dois-je faire?

La douleur devient quelquefois si intense qu'elle nécessite la prise de calmants. Il faut d'abord vous assurer que le diagnostic est exact avant de juger qu'une douleur très intense n'est pas le signe d'un trouble grave, et être certain que votre niveau d'activité physique convient à votre situation. En général, la prise de calmants n'est pas conseillée durant la journée, mais la chose est parfois nécessaire pour ceux qui ont besoin de nuits de sommeil normales. Un sommeil perturbé, nuit après nuit, peut aggraver l'état dépressif d'un patient et le décourager.

Il est essentiel de comprendre que les calmants ne doivent en aucun cas être considérés comme une fin en eux-mêmes. Ils ne traitent pas l'affection qui est responsable de la douleur, mais ils possèdent néanmoins un avantage: ils permettent au patient de ne pas souffrir pendant sa convalescence et au début de sa thérapie physique.

Quel est l'effet des médicaments anti-inflammatoires?

Les médicaments anti-inflammatoires — dont l'aspirine fait partie avec divers autres produits vendus librement ou sur prescription — luttent contre l'inflammation des tissus ou peuvent être extrêmement efficaces, en particulier dans le cas de la spondylarthrite ankylosante et d'autres affections liées à l'arthrite. Ils font donc partie du traitement et doivent être absorbés régulièrement s'ils sont prescrits. En diminuant l'inflammation, ils atténuent aussi la douleur et permettent au patient d'être plus actif s'il le désire.

Quel est l'effet de la chaleur, du froid, des massages, de l'acupuncture, des ultrasons et des autres traitements comparables?

Nombreux sont ceux qui considèrent ces traitements (et d'autres) comme une fin en eux-mêmes. Dans le programme de renforcement du dos, nous pensons qu'ils constituent des accessoires du traitement, au même titre que les calmants. Alors que le programme restaure le libre mouvement des articulations et équilibre les muscles, ces traitements peuvent améliorer le confort du patient en diminuant l'intensité de ses douleurs.

La controverse est grande sur l'utilisation de la *chaleur* et des *massages* comme traitement. En général, nous employons le *froid* pour soigner une blessure ou un traumatisme au dos accompagnés d'un étirement des ligaments, d'une souffrance musculaire ou, parfois, d'une hémorragie interne. Le froid contracte les vaisseaux sanguins, limite l'importance du saignement interne et calme la douleur.

En général, le froid doit être utilisé dans les heures qui suivent la blessure. Après 48 heures (ou en cas de spasmes ou de crampes musculaires), nous utilisons plutôt la chaleur pour améliorer la circulation sanguine et diminuer la contraction et la douleur des muscles et des tissus voisins.

Toutes les formes de massage sont aussi très utiles pour augmenter la circulation sanguine dans les muscles courts et contractés — et permettre ainsi une meilleure mobilité des articulations voisines.

L'*acupuncture,* l'*acupression* et diverses autres formes de traitement comparables sont habituellement employées sur les zones douloureuses ou les zones atteintes de fibrose. L'acupuncture soulage bien la douleur, mais dans la plupart des cas son effet n'est que momentané. Le temps et le soulagement gagnés par ce type de calmants, surtout dans le cas des chroniques, permettent néanmoins au patient de remettre ses articulations en mouvement et d'équilibrer ses muscles. L'acupuncture est aussi un moyen et non pas une fin en elle-même.

Les *ultrasons* et d'autres formes de traitements physiques sophistiqués permettent de diminuer l'inflammation profonde des muscles, des ligaments et des articulations et ils peuvent constituer un complément intéressant au traitement général.

À propos des facteurs externes

Quel poids peut-on soulever sans danger?

Il est impossible d'établir une norme pour le poids maximum que l'on peut soulever sans risque. Chacun possède des capacités physiques différentes et nous avons déjà dit que les blessures au dos provenaient d'une mauvaise évaluation des capacités de l'individu relativement aux exigences de la tâche à effectuer. Les capacités de l'individu dépendent de la résistance de ses os et de ses disques intervertébraux ainsi que de la force des muscles de son dos. Le programme permet d'améliorer au maximum les capacités de l'individu.

Il faut aussi prendre en considération le fait que toute discussion sur le soulèvement de poids doit non seulement tenir compte du *poids de l'objet* déplacé, mais aussi de la *distance* parcourue, de la hauteur et de la position de départ, de l'écart entre l'objet et le corps, de la *répétition* des mouvements et d'un certain nombre d'autres facteurs. Il est donc impossible de répondre avec précision à cette question, mais d'une manière générale, le risque s'accroît selon l'importance du poids de l'objet transporté.

Que pensez-vous des lits d'eau?

De nombreuses personnes qui ont un lit d'eau trouvent que celui-ci diminue la raideur et le malaise ressentis au réveil. Le but du programme n'est toutefois pas de «cajoler» votre dos avec un lit spécial, mais de lui redonner sa force et de le remettre en bon état. Rien ne vous empêche toutefois de vous en acheter un.

Sur un lit d'eau, le corps bouge légèrement pendant le sommeil et ne conserve jamais une position unique et statique. On obtient le même effet avec un matelas très ferme qui incite aux mouvements et à l'adoption de différentes positions pendant la nuit, ce qui diminue la raideur du corps au matin. Le plus mauvais matelas est celui qui se déforme — et dans lequel le dormeur «creuse» sa position qu'il conserve pendant de longues périodes, ce qui provoque raideur et perte de mobilité au réveil.

Quel genre de chaussures devrais-je porter pour soulager mon dos?

Comme pour le lit d'eau, nous vous conseillons d'abord de renforcer votre dos au maximum. Nous ne vous conseillons pas d'acheter des chaussures spéciales ni des accessoires destinés à «soulager le dos douloureux». Il faut toutefois savoir que les chaussures à talons hauts modifient la posture et aggravent la lordose de la colonne lombaire et le syndrome des facettes articulaires, alors que ces deux affections peuvent, la plupart du temps, être soulagées par le port de chaussures à «talon inversés». Mais là encore, pourquoi vouloir «cajoler» un dos faible alors qu'il est si facile de le renforcer — et de porter ensuite vos chaussures préférées!

Les vêtements peuvent-ils compliquer le fonctionnement d'un dos en mauvais état?

Dans certains cas, lorsqu'une tâche demande beaucoup de mouvements, des pantalons trop ajustés risquent d'entraver le fonctionnement biomécanique des articulations. Si des vêtements vous obligent à utiliser des techniques de soulèvement inappropriées, il peut se produire des tensions excessives causant des blessures de la colonne lombaire.

Que dois-je faire si l'exécution de mon travail ou la mauvaise conception de mon poste de travail sont la cause de mes problèmes?

Les problèmes de dos sont la conséquence d'une mauvaise association entre les capacités de l'individu et les exigences de la tâche. Le programme de renforcement du dos ne concerne que l'individu. Mais une approche convenable des problèmes de dos doit, bien entendu, comporter l'identification des risques propres aux tâches exécutées et à l'environnement, ainsi que la réduction de ces risques par une conception rationnelle du poste de travail. L'étude des relations entre les travailleurs et leur poste de travail s'appelle l'*ergonomie*. Son application s'est beaucoup étendue, amenant à une meilleure conception de l'environnement quotidien et améliorant les performances du travailleur car elle réduit les tensions inutiles et nocives qui s'appliquent sur sa colonne vertébrale et sur l'ensemble de son corps.

ÉPILOGUE

Défier la tradition

Défier sa propre perspective

Comme vous avez pu le constater au cours de votre lecture, la mise au point du programme de renforcement du dos s'écarte de la façon habituelle d'aborder les problèmes de dos. Notre approche bouleverse les conceptions traditionnelles. *Elle renverse l'idée que le dos est fragile, faible et vulnérable aux blessures et qu'on doit le dorloter par une multitude d'interdictions (ne soulevez rien... ne faites pas de jogging... ne faites aucune activité...).* Le programme de renforcement considère que le dos est solide, souple et *puissant* — une vraie merveille de génie mécanique avec toutes ses composantes qui, pour aussi complexes qu'elles soient, sont conçues pour interagir harmonieusement. Un dos qui s'est *affaibli* à la suite d'un dysfonctionnement, d'une maladie ou d'une blessure n'est pas un organe à dorloter ou à ignorer. Il faut plutôt le considérer comme un organe à renforcer et à remettre en bon état.

D'où notre devise: «Vous donner le moyen de vous sentir le mieux possible.»

Comment? *En considérant les maux de dos comme un symptôme et en les définissant sur trois plans:*

1) La douleur *physique* — aspect structurel de la maladie — soulagée par le traitement;

2) La douleur *psychique* — sur le plan du dysfonctionnement — soulagée par l'association du traitement et de l'effort personnel du patient;

3) La douleur responsable de l'*incapacité* — sur le plan du comportement — qui ne peut être maîtrisée que par le choix personnel de l'individu et par des actes dictés par une information valable.

En mettant au point un modèle précis — le modèle fonctionnel du programme de renforcement du dos — basé sur l'équilibre: équilibre des articulations de la colonne vertébrale et équilibre des muscles de soutien. Ce genre de modèle constitue la base d'un programme de remise en état du dos et de réadaptation qui encourage une approche saine et rationnelle en reléguant le traitement de la douleur à un rôle secondaire.

En accordant beaucoup d'importance à la prévention et à un programme de gestion qui complète le diagnostic et le traitement.

En enseignant la gestion du processus de déficience et en combinant le traitement avec un engagement personnel et efficace librement consenti.

En définissant correctement la douleur lombaire. La plupart de ceux qui souffrent de maux de dos se font diagnostiquer une entorse lombaire, un syndrome des facettes articulaires ou une autre anomalie «passe-partout». S'agit-il d'une approche scientifique? Estce *véritablement* un diagnostic? Ou bien est-ce l'identification d'une douleur qui permet ensuite de se consacrer entièrement à son traitement — le traitement d'un *symptôme?*

La plupart des douleurs lombaires sont causées par un dysfonctionnement mécanique, et le but du traitement doit être de restaurer le fonctionnement normal en favorisant la mobilité des articulations et l'équilibre de la musculature de soutien. Le traitement chimique (les médicaments) destiné à modifier la perception de la douleur ne doit jouer qu'un rôle secondaire.

Le défi du coût des blessures au dos

Bien que l'estimation du coût des blessures au dos soit extrêmement difficile à faire, les plus récentes statistiques donnent néanmoins une idée de son importance.

• Aux États-Unis, le montant annuel des versements effectués par la Caisse de compensation des travailleurs (WCB) atteint les *10 milliards de dollars.*

• Au Royaume-Uni, il atteint un milliard de livres.

• Au Canada, il atteint *un milliard de dollars* et la moyenne annuelle de temps de travail perdu à cause des maux de dos atteint le total de 53 jours par travailleur.

• En Amérique du Nord, le coût moyen *initial* de chaque blessure au dos se chiffre à 5480 $.

• Pour une indemnité *acceptée,* la moyenne nord-américaine atteint la somme de 30 000 à 100 000 $ (y compris les paiements de pensions).

• Les coûts indirects qui résultent de la perte de productivité, y compris les frais de remplacement du travailleur et de formation des remplaçants, représentent *plusieurs fois* le montant des paiements de la Caisse de compensation américaine.

• L'incidence des maux de dos est passée de 210 cas pour 100 000 travailleurs en 1960 à 717 cas en 1980.

Ces coûts ne concernent toutefois que les blessures *initiales,* mais hélas! les maux de dos récidivent. Les coûts indirects atteignent 4 milliards par année au Canada, alors qu'ils sont de 40 à 50 milliards aux États-Unis.

L'importance des chiffres finit par faire oublier un coût qui ne doit pas passer inaperçu: le prix personnel d'une blessure au dos. Comme le constate un article intitulé «Une épidémie sournoise: les blessures du dos» signé par l'un des plus importants syndicats d'Amérique du Nord:

> Les sommes que coûte cette épidémie sont tout à fait inacceptables et les souffrances qui affligent travailleurs et travailleuses sont parfaitement intolérables. La douleur, la perte de mobilité, la privation des joies familiales, la perte de confiance en eux-mêmes pour ceux qui sont forcés de s'arrêter de travailler sont autant de coups durs que doivent supporter les blessés et leurs familles.

Les problèmes de dos affectent chaque année de 1,5 à 2 p. 100 des travailleurs, et ces chiffres ne tiennent compte que des *travailleurs qui reçoivent des compensations.* Ils ne tiennent pas compte des travailleurs qui subissent des blessures au dos ailleurs qu'au travail.

Les statistiques indiquent que les problèmes de dos augmentent, qu'ils durent plus longtemps, qu'ils coûtent plus cher, qu'ils nécessitent plus de médicaments et qu'ils empêchent de travailler plus de gens qu'auparavant. Au cours des 10 dernières années, au Canada, le nombre de traitements de physiothérapie s'est accru de 400 p. 100 alors que la population a très peu augmenté. Il s'agit donc d'une situation paradoxale à une époque où nous n'avons jamais été si bien nourris, si bien vêtus ni si bien logés et que notre travail de plus en plus automatisé demande de moins en moins d'efforts physiques.

Malgré toutes ces souffrances, toute cette activité et tous ces coûts, le total des fonds alloués à la prévention — dépenses réelles des *soins de santé* — compte pour moins de 2 p. 100 des dépenses totales engagées dans le soin des *maladies.* Seule une part très minime des fonds destinés à la prévention va aux problèmes de dos, l'essentiel étant absorbé par des affections à forte mortalité comme le cancer, les maladies cardiovasculaires et maintenant le sida.

Une approche équilibrée

La perspective

Lorsqu'on les questionne, la plupart des gens disent que leurs problèmes de dos ont une cause *externe* (mes chaussures... ma chaise... mon lit... mon travail) ou sont la conséquence de l'une de leurs erreurs (j'ai mal soulevé... je me suis tourné au mauvais moment... j'ai glissé et je suis tombé...). Comme nous l'avons bien précisé dans cet ouvrage, il semble nécessaire de relier les risques à la tâche, au lieu de travail et à l'environnement, de les réduire et de les éliminer complètement aussi souvent que possible.

Mais un équilibre est nécessaire. Le programme de renforcement du dos pourra vous aider à équilibrer l'équation des risques en vous montrant comment identifier les *risques qui dépendent de vous-même.* Ses tests vous montreront les zones de faiblesse et de déséquilibre de votre dos qui sont vulnérables aux blessures. Ses exercices vous aideront à renforcer — à équilibrer — votre dos pour diminuer le risque d'une blessure et rompre l'enchaînement de l'équation des risques:

Dos faible → Blessure → Dos plus faible → Plus de chances de nouvelle blessure.

Confiance en soi et traitement

Si tu donnes un poisson à un homme,
il aura faim dès le lendemain.
Si tu lui apprends à pêcher,
il n'aura plus jamais faim.
Proverbe chinois.

Dans le passé, en ce qui concerne les maux de dos, la priorité était donnée au traitement de la douleur par des produits chimiques agissant sur l'humeur. Cette approche s'inscrivait dans la théorie du «évitez d'effectuer ce qui vous fait mal». Une récente étude du *New England Journal of Medicine* invitait ses lecteurs à réfléchir sur ce sujet. Que concluait-elle? Après une blessure au dos, deux jours de repos au lit suivis d'une activité physique convenable donnaient chez la plupart des patients de meilleurs résultats que sept jours de repos complet au lit. C'est le minimum de repos qui convient donc le mieux.

La prévention a besoin de moyens d'action convenables pour être efficace — connaissances, aptitudes, encadrement —, mais elle demande aussi que le public fasse un effort pour maîtriser ses problèmes. Comme un praticien nous l'a écrit: «Tous les médecins sont d'accord avec le principe de votre approche qui consiste à rendre le patient responsable du traitement de son dos. La grande question reste toutefois de savoir comment il doit faire.»

Bien que la plupart des praticiens soient d'accord sur le fait que le conditionnement physique et le mouvement sont tous deux nécessaires au maintien d'un dos en bon état, leur réponse la plus *fréquente* est la suivante: «Bien sûr, mais les gens ne le font pas. Ils oublient qu'ils ont un dos dès que la douleur a disparu. Ils ne veulent pas s'astreindre à un programme d'exercices.» Cet argument ne nous paraît pas justifié. Pour demeurer en bonne condition physique, l'individu ne doit-il pas prendre une décision? Tout comme pour arrêter de fumer, pour diminuer sa consommation d'alcool ou cesser complètement de boire, ou pour assurer sa bonne alimentation et celle de sa famille. Certains y parviennent facilement, d'autres n'y parviennent pas, mais tous doivent décider eux-mêmes.

Un manque d'insistance quant à la prévention et à la responsabilité personnelle dans la gestion des problèmes de dos ne peut qu'entraîner une nouvelle escalade du coût des soins de santé, qui se traduit par de grandes sommes versées pour une minorité — dépenses inutiles, gaspillage d'argent — et par une diminution proportionnelle des crédits disponibles pour la majorité.

Haute technologie et empirisme

Plus nous progressons dans l'ère de la haute technologie et plus nous découvrons les limites de ses possibilités.

En médecine, la récente découverte que la prise d'aspirine (acide acétylsalicylique) un jour sur deux permettait de diminuer les risques de crise cardiaque semble être le fait de l'*empirisme*. L'acide acétylsalicylique, le premier médicament préparé par synthèse, a été mis au point il y a plus de 100 ans. Comparons son coût (quelques cents) avec celui d'une transplantation cardiaque (environ 150 000 $) — une solution de haute technologie — et nous obtenons un important *déséquilibre*.

Les traitements de haute technologie, qu'ils soient chirurgicaux ou médicamenteux, sont coûteux mais peuvent avoir un effet spectaculaire. L'empirisme, dans la vie quotidienne, peut cependant avoir un effet tout aussi important — exactement comme le brossage des dents complète l'utilisation de l'équipement sophistiqué et des méthodes de la dentisterie.

Une autre caractéristique de l'énorme potentiel de l'appareillage technologique est que le grand nombre d'anomalies qu'il nous aide à découvrir dépasse largement notre capacité d'interprétation.

Le scanner est, par exemple, un instrument de haute technologie qui permet de détecter les hernies discales — un diagnostic qu'il était impossible d'établir aussi facilement auparavant. Toutefois, le problème est que 25 p. 100 des gens «normaux» (qui n'ont pas de maux de dos) présentent néanmoins des hernies discales. Est-ce donc une affection normale due au vieillissement et n'ayant pas besoin de traitement? Ou bien est-ce un état pathologique qui nécessite une intervention chirurgicale? Le problème se complique encore plus car les examens au scanner ne sont prescrits que pour les maux de dos chroniques: le nombre de patients «normaux» représente un échantillon trop restreint pour permettre de tirer des conclusions. Cette situation risque donc de provoquer une interprétation trop pessimiste des résultats et elle peut entraîner des interventions chirurgicales inutiles.

En préparant le programme de renforcement du dos, nous avons essayé d'associer le meilleur des deux conceptions tout en restant parfaitement conscients des coûts et des limites de la haute technologie et de la demande croissante du public pour un retour à une médecine plus humanisée: une approche compatissante et secourable.

La compensation financière

Les troubles organiques de la colonne vertébrale peuvent aujourd'hui être déterminés avec beaucoup de précision et ses défauts de fonctionnement peuvent être identifiés avec une précision raisonnable. Mais ses déficiences — les douleurs au dos — ne peuvent être déterminées qu'avec beaucoup d'incertitude, car ce problème peut avoir un grand nombre de causes: condition physique, travail, éducation, conséquences financières et, surtout, choix personnel.

Le fait est que chez de nombreux patients sérieusement déficients, les troubles organiques sont minimes. Cette situation frustre le patient, son médecin et sa compagnie d'assurances. Elle conduit souvent à la recherche éperdue et vaine d'une cause impossible à trouver.

Hippocrate disait: «Ne considérez pas la maladie chez le malade, considérez plutôt le malade avec sa maladie.» Depuis très longtemps, les médecins ont été habitués à reconnaître la présence de la maladie grâce à un seul facteur parmi ceux pouvant masquer le trouble organique présent.

Un facteur important de l'aggravation de la déficience est constitué par la providentielle mais malhabile compensation des revenus. En additionnant les aspects financiers, sociaux et professionnels, le fait d'être déficient paraît à certains une solution plus attrayante et plus valorisante, à court terme, que l'adoption d'une approche positive et la lutte pour améliorer sa situation. Une saine politique de compensation devrait récompenser ceux qui luttent pour combattre leur déficience, et non pas ceux qui manquent à ce devoir. La politique des caisses de compensation, qui consiste à attribuer des pensions pour des *lésions organiques minimes ou inexistantes* ou pour de simples douleurs, lèse la société toute entière et transforme le patient en mendiant.

La politique de la compensation financière montre toute sa «nocivité» lorsque le patient engage un avocat. Dans notre société, dès que quelque chose va mal, nous cherchons absolument quelqu'un à *blâmer*. «C'est la faute de quelqu'un.» «Quelqu'un va devoir payer.» «Ce n'était pas de ma faute.»

Il n'est pas question pour nous de remettre en cause le fait que, dans notre société, ceux qui ont souffert ou subi des pertes reçoivent une compensation financière. Nous nous demandons simplement si l'équilibre n'est pas détruit et si la déficience n'est tout simplement pas encouragée, voire même récompensée. Lorsque le comportement d'invalide — la déficience — s'est parfaitement installé avec le temps, il est exceptionnel de voir le fonctionnement normal se rétablir, même chez ceux qui ne présentent qu'un minimum de lésions organiques.

Un système qui favorise le développement de la déficience est un système qui doit être réévalué et modifié. Considérez ces facteurs:

- La tendance des caisses de compensation à récompenser le mécontent et à ignorer le silencieux;
- L'insistance du système politique à financer le *traitement* de la maladie (98 p. 100 du total des fonds), et à ne pas trouver d'argent pour sa *prévention* (2 p. 100 du total des fonds);
- La coutume bien établie du système juridique qui est de trouver «quelqu'un... n'importe qui» à blâmer, au lieu de laisser le plaignant assumer les risques;
- La tradition du système de santé qui est de traiter la maladie, mais de négliger la prise en charge du malade par lui-même, la prévention des risques et la liberté de choix.

Il en résulte une situation où ce qui était simple est devenu compliqué, où des moyens de haute technologie servent à résoudre des problèmes empiriques et où les initiatives relevant du simple bon sens se trouvent noyées dans un océan de bureaucratie.

Il est bien évident que ces aspects de notre système de compensation financière ont besoin de changements urgents.

Un défi personnel

Pendant des milliers d'années, l'humanité a dû grappiller sa nourriture pour survivre. Aujourd'hui, survivre signifie connaître la manière de s'accommoder de l'abondance, dans tous les sens du terme. Dans le cas de la nourriture, par exemple, nous voyons maintenant des maladies qui résultent de la suralimentation.

Dans de nombreux domaines, l'humanité a atteint le sommet de l'accomplissement. Nous sommes destinés à travailler sans efforts véritables, et non plus à la sueur de notre front. Aujourd'hui, le véritable défi à relever est de pouvoir utiliser suffisamment notre corps pour éloigner les maladies résultant de la sédentarité.

Nous avons appris à maîtriser les nombreux risques liés à notre environnement, depuis les inondations jusqu'aux épidémies. Aujourd'hui, notre défi est de maîtriser les risques qui sont au plus profond de nous-mêmes.

Avec ce livre, vous possédez un manuel qui vous aidera à *gérer seul* les risques encourus par votre dos. Avec en prime le défi suivant: *êtes-vous vraiment prêt à accepter de vous sentir le mieux possible...?*

INDEX

K

L

M

N

O

P

Q

R

TABLE DES MATIÈRES

Ouvrages parus chez les éditeurs du groupe Sogides

* Pour l'Amérique du Nord seulement

AFFAIRES

* **Acheter une franchise,** Levasseur, Pierre
* **Bourse, La,** Brown, Mark
* **Comprendre le marketing,** Levasseur, Pierre
* **Devenir exportateur,** Levasseur, Pierre

Étiquette des affaires, L', Jankovic, Elena

* **Faire son testament soi-même,** Poirier, Me Gérald et Lescault-Nadeau, Martine

Finances, Les, Hutzler, Laurie H.
Gérer ses ressources humaines, Levasseur, Pierre
Gestionnaire, Le, Colwell, Marian
Informatique, L', Cone, E. Paul

* **Lancer son entreprise,** Levasseur, Pierre

Leadership, Le, Cribbin, James
Meeting, Le, Holland, Gary
Mémo, Le, Reinold, Cheryl

* **Ouvrir et gérer un commerce de détail,** Roberge, C.-D. et Charbonneau, A.

Patron, Le, Reinold, Cheryl

* **Stratégies de placements,** Nadeau, Nicole

ANIMAUX

Art du dressage, L', Chartier, Gilles
Cheval, Le, Leblanc, Michel
Chien dans votre vie, Le, Margolis, M. et Swan, C.
Éducation du chien de 0 à 6 mois, L', DeBuyser, Dr Colette et Dehasse, Dr Joël

* **Encyclopédie des oiseaux,** Godfrey, W. Earl

Guide de l'oiseau de compagnie, Le, Dr R. Dean Axelson
Guide des oiseaux, Le, T.1, Stokes, W. Donald
Guide des oiseaux, Le, T.2, Stokes, W. Donald et Stokes, Q. Lilian

* **Mon chat, le soigner, le guérir,** D'Orangeville, Christian

Observations sur les mammifères, Provencher, Paul

* **Papillons du Québec, Les,** Veilleux, Christian et Prévost, Bernard

Petite ferme, T.1, Les animaux, Trait, Jean-Claude
Vous et vos oiseaux de compagnie, Huard-Viau, Jacqueline
Vous et vos poissons d'aquarium, Ganiel, Sonia
Vous et votre beagle, Eylat, Martin
Vous et votre berger allemand, Eylat, Martin

ANIMAUX

Vous et votre boxer, Herriot, Sylvain
Vous et votre braque allemand, Eylat, Martin
Vous et votre caniche, Shira, Sav
Vous et votre chat de gouttière, Mamzer, Annie
Vous et votre chat tigré, Eylat, Odette
Vous et votre chihuahua, Eylat, Martin
Vous et votre chow-chow, Pierre Boistel
Vous et votre cocker américain, Eylat, Martin
Vous et votre collie, Éthier, Léon
Vous et votre dalmatien, Eylat, Martin
Vous et votre danois, Eylat, Martin
Vous et votre doberman, Denis, Paula
Vous et votre fox-terrier, Eylat, Martin
Vous et votre golden retriever, Denis, Paula
Vous et votre husky, Eylat, Martin
Vous et votre labrador, Van Der Heyden, Pierre
Vous et votre lévrier afghan, Eylat, Martin
Vous et votre lhassa apso, Van Der Heyden, Pierre
Vous et votre persan, Gadi, Sol
Vous et votre petit rongeur, Eylat, Martin
Vous et votre schnauzer, Eylat, Martin
Vous et votre serpent, Deland, Guy
Vous et votre setter anglais, Eylat, Martin
Vous et votre shih-tzu, Eylat, Martin
Vous et votre siamois, Eylat, Odette
Vous et votre teckel, Boistel, Pierre
Vous et votre terre-neuve, Pacreau, Marie-Edmée
Vous et votre yorkshire, Larochelle, Sandra

ARTISANAT/BRICOLAGE

Art du pliage du papier, L', Harbin, Robert
* **Artisanat québécois, T.1**, Simard, Cyril
* **Artisanat québécois, T.2**, Simard, Cyril
* **Artisanat québécois, T.3**, Simard, Cyril
* **Artisanat québécois, T.4**, Simard, Cyril et Bouchard, Jean-Louis
* **Construire des cabanes d'oiseaux,** Dion, André
* **Encyclopédie de la maison québécoise,** Lessard, Michel et Villandré, Gilles
* **Encyclopédie des antiquités,** Lessard, Michel et Marquis, Huguette
* **J'apprends à dessiner,** Nassh, Joanna
Taxidermie moderne, La, Labrie, Jean
* **Tissage, Le,** Grisé-Allard, Jeanne et Galarneau, Germaine
Vitrail, Le, Bettinger, Claude

BIOGRAPHIES

* **Brian Orser - Maître du triple axel,** Orser, Brian et Milton, Steve
* **Dans la fosse aux lions,** Chrétien, Jean
* **Dans la tempête,** Lachance, Micheline
* **Duplessis, T.1 - L'ascension,** Black, Conrad
* **Duplessis, T.2 - Le pouvoir,** Black, Conrad
* **Ed Broadbent - La conquête obstinée du pouvoir,** Steed, Judy
* **Establishment canadien, L',** Newman, Peter C.
* **Larry Robinson,** Robinson, Larry et Goyens, Chrystian
* **Michel Robichaud - Monsieur Mode,** Charest, Nicole
* **Monopole, Le,** Francis, Diane
* **Nouveaux riches, Les,** Newman, Peter C.
* **Paul Desmarais - Un homme et son empire,** Greber, Dave
* **Plamondon - Un cœur de rockeur,** Godbout, Jacques
* **Prince de l'Église, Le,** Lachance, Micheline
* **Québec Inc.,** Fraser, M.
* **Rick Hansen - Vivre sans frontières,** Hansen, Rick et Taylor, Jim
* **Saga des Molson, La**, Woods, Shirley
* **Sous les arches de McDonald's,** Love, John F.
* **Trétiak, entre Moscou et Montréal,** Trétiak, Vladislav

BIOGRAPHIES

* **Une femme au sommet - Son excellence Jeanne Sauvé,** Woods, Shirley E.

CARRIÈRE/VIE PROFESSIONNELLE

* **Choix de carrières, T.1,** Milot, Guy
* **Choix de carrières, T.2,** Milot, Guy
* **Choix de carrières, T.3,** Milot, Guy

Comment rédiger son curriculum vitae, Brazeau, Julie
Guide du succès, Le, Hopkins, Tom
* **Je cherche un emploi,** Brazeau, Julie

Parlez pour qu'on vous écoute, Brien, Michèle
Relations publiques, Les, Doin, Richard et Lamarre, Daniel
Techniques de vente par téléphone, Porterfield, J.-D.
* **Test d'aptitude pour choisir sa carrière,** Barry, Linda et Gale

Une carrière sur mesure, Lemyre-Desautels, Denise
Vente, La, Hopkins, Tom

CUISINE

* **À table avec Sœur Angèle,** Sœur Angèle
* **Art d'apprêter les restes, L',** Lapointe, Suzanne

Barbecue, Le, Dard, Patrice
* **Biscuits, brioches et beignes,** Saint-Pierre, A.
* **Boîte à lunch, La,** Lambert-Lagacé, Louise

Brunches et petits déjeuners en fête, Bergeron, Yolande
100 recettes de pain faciles à réaliser, Saint-Pierre, Angéline
* **Confitures, Les,** Godard, Misette

Congélation de A à Z, La, Hood, Joan
Congélation des aliments, La, Lapointe, Suzanne
Conserves, Les, Sœur Berthe
Crème glacée et sorbets, Lebuis, Yves et Pauzé, Gilbert
Crêpes, Les, Letellier, Julien
Cuisine au wok, Solomon, Charmaine
Cuisine aux micro-ondes 1 et 2 portions, Marchand, Marie-Paul
* **Cuisine chinoise traditionnelle, La,** Chen, Jean
* **Cuisine créative Campbell, La,** Cie Campbell

Cuisine facile aux micro-ondes, Saint-Amour, Pauline
* **Cuisine joyeuse de Sœur Angèle, La,** Sœur Angèle

Cuisine micro-ondes, La, Benoît, Jehane
* **Cuisine santé pour les aînés,** Hunter, Denyse

Cuisiner avec le four à convection, Benoît, Jehane
* **Cuisiner avec les champignons sauvages du Québec,** Leclerc, Claire L.

Faire son pain soi-même, Murray Gill, Janice
* **Faire son vin soi-même,** Beaucage, André

Fine cuisine aux micro-ondes, La, Dard, Patrice
Fondues et flambées de maman Lapointe, Lapointe, Suzanne
Fondues, Les, Dard, Patrice
Je me débrouille en cuisine, Richard, Diane
Livre du café, Le, Letellier, Julien
Menus pour recevoir, Letellier, Julien
Muffins, Les, Clubb, Angela
Nouvelle cuisine micro-ondes I, La, Marchand, Marie-Paul et Grenier, Nicole
Nouvelles cuisine micro-ondes II, La, Marchand, Marie-Paul et Grenier, Nicole
Omelettes, Les, Letellier, Julien
Pâtes, Les, Letellier, Julien
* **Pâtisserie, La,** Bellot, Maurice-Marie
* **Recettes au blender,** Huot, Juliette
* **Recettes de gibier,** Lapointe, Suzanne
* **Robot culinaire, Le,** Martin, Pol

DIÉTÉTIQUE

Combler ses besoins en calcium, Hunter, Denyse
* **Compte-calories, Le,** Brault-Dubuc, M. et Caron Lahaie, L.
* **Cuisine du monde entier avec Weight Watchers,** Weight Watchers

Cuisine sage, Une, Lambert-Lagacé, Louise

Défi alimentaire de la femme, Le, Lambert-Lagacé, Louise
* **Diète Rotation, La,** Katahn, Dr Martin
* **Diététique dans la vie quotidienne,** Lambert-Lagacé, Louise

Livre des vitamines, Le, Mervyn, Leonard

Menu de santé, Lambert-Lagacé, Louise

Oubliez vos allergies, et... bon appétit, Association de l'information sur les allergies
* **Petite et grande cuisine végétarienne,** Bédard, Manon
* **Plan d'attaque Weight Watchers, Le,** Nidetch, Jean
* **Plan d'attaque Plus Weight Watchers, Le,** Nidetch, Jean
* **Régimes pour maigrir,** Beaudoin, Marie-Josée

Sage bouffe de 2 à 6 ans, La, Lambert-Lagacé, Louise
* **Weight Watchers - Cuisine rapide et savoureuse,** Weight Watchers
* **Weight Watchers - Agenda 85 - Français,** Weight Watchers
* **Weight Watchers - Agenda 85 - Anglais,** Weight Watchers
* **Weight Watchers - Programme - Succès Rapide,** Weight Watchers

ENFANCE

* **Aider son enfant en maternelle,** Pedneault-Pontbriand, Louise

Années clés de mon enfant, Les, Caplan, Frank et Thérèsa

Art de l'allaitement maternel, L', Ligue internationale La Leche

Avoir un enfant après 35 ans, Robert, Isabelle

Bientôt maman, Whalley, J., Simkin, P. et Keppler, A.

Comment nourrir son enfant, Lambert-Lagacé, Louise

Deuxième année de mon enfant, La, Caplan, Frank et Thérèsa

Développement psychomoteur du bébé, Calvet, Didier

Douze premiers mois de mon enfant, Les, Caplan, Frank
* **En attendant notre enfant,** Pratte-Marchessault, Yvette
* **Enfant unique, L',** Peck, Ellen

Évoluer avec ses enfants, Gagné, Pierre-Paul

Exercices aquatiques pour les futures mamans, Dussault, J. et Demers, C.
* **Femme enceinte, La,** Bradley, Robert A.
* **Futur père,** Pratte-Marchessault, Yvette

Jouons avec les lettres, Doyon-Richard, Louise

Langage de votre enfant, Le, Langevin, Claude

Mal des mots, Le, Thériault, Denise

Manuel Johnson et Johnson des premiers soins, Le, Rosenberg, Dr Stephen N.

Massage des bébés, Le, Auckette, Amédia D.

Mon enfant naîtra-t-il en bonne santé? Scher, Jonathan et Dix, Carol
* **Pour bébé, le sein ou le biberon?** Pratte-Marchessault, Yvette
* **Pour vous future maman,** Sekely, Trude

Préparez votre enfant à l'école, Doyon-Richard, Louise

Psychologie de l'enfant de 0 à 10 ans, Cholette-Pérusse, Françoise

Respirations et positions d'accouchement, Dussault, Joanne

Soins de la première année de bébé, Les, Kelly, Paula

Tout se joue avant la maternelle, Ibuka, Masaru

ÉSOTÉRISME

Avenir dans les feuilles de thé, L, Fenton, Sasha
Graphologie, La, Santoy, Claude
Interprétez vos rêves, Stanké, Louis
Lignes de la main, Stanké, Louis
Lire dans les lignes de la main, Morin, Michel
Vos rêves sont des miroirs, Cayla, Henri
Votre avenir par les cartes, Stanké, Louis

HISTOIRE

* **Arrivants, Les,** Collectif
* **Civilisation chinoise, La,** Guay, Michel
* **Or des cavaliers thraces, L',** Palais de la civilisation
* **Samuel de Champlain,** Armstrong, Joe C.W.

JARDINAGE

* **Chasse-insectes pour jardins, Le,** Michaud, O.
* **Comment cultiver un jardin potager,** Trait, J.-C.
* **Encyclopédie du jardinier,** Perron, W. H.
* **Guide complet du jardinage,** Wilson, Charles

J'aime les azalées, Deschênes, Josée
J'aime les cactées, Lamarche, Claude
J'aime les rosiers, Pronovost, René
J'aime les tomates, Berti, Victor
J'aime les violettes africaines, Davidson, Robert
Jardin d'herbes, Le, Prenis, John

* **Je me débrouille en aménagement extérieur,** Bouillon, Daniel et Boisvert, Claude
* **Petite ferme, T.2- Jardin potager,** Trait, Jean-Claude
* **Plantes d'intérieur, Les,** Pouliot, Paul
* **Techniques de jardinage, Les,** Pouliot, Paul

Terrariums, Les, Kayatta, Ken

JEUX/DIVERTISSEMENTS

* **Améliorons notre bridge,** Durand, Charles
* **Bridge, Le,** Beaulieu, Viviane
* **Clés du scrabble, Les,** Sigal, Pierre A.

Dictionnaire des mots croisés, noms communs, Lasnier, Paul
Dictionnaire des mots croisés, noms propres, Piquette, Robert
Dictionnaire raisonné des mots croisés, Charron, Jacqueline

* **Jouons ensemble,** Provost, Pierre

Livre des patiences, Le, Bezanovska, M. et Kitchevats, P.
Monopoly, Orbanes, Philip

* **Ouverture aux échecs,** Coudari, Camille
* **Scrabble, Le,** Gallez, Daniel

Techniques du billard, Morin, Pierre

LINGUISTIQUE

Anglais par la méthode choc, L', Morgan, Jean-Louis
J'apprends l'anglais, Sillicani, Gino et Grisé-Allard, Jeanne

* **Secrétaire bilingue, La,** Lebel, Wilfrid

LIVRES PRATIQUES

* **Acheter ou vendre sa maison,** Brisebois, Lucille
* **Assemblées délibérantes, Les,** Girard, Francine

Chasse-insectes dans la maison, Le, Michaud, O.

Chasse-taches, Le, Cassimatis, Jack

* **Comment réduire votre impôt,** Leduc-Dallaire, Johanne
* **Guide de la haute-fidélité, Le,** Prin, Michel

Je me débrouille en aménagement intérieur, Bouillon, Daniel et Boisvert, Claude

Livre de l'étiquette, Le, du Coffre, Marguerite

* **Loi et vos droits, La,** Marchand, Me Paul-Émile
* **Maîtriser son doigté sur un clavier,** Lemire, Jean-Paul
* **Mécanique de mon auto, La,** Time-Life
* **Mon automobile,** Collège Marie-Victorin et Gouv. du Québec

Notre mariage (étiquette et planification), du Coffre, Marguerite

* **Petits appareils électriques,** Collaboration

Petit guide des grands vins, Le, Orhon, Jacques

* **Piscines, barbecues et patio,** Collaboration
* **Roulez sans vous faire rouler, T.3,** Edmonston, Philippe

Séjour dans les auberges du Québec, Cazelais, Normand et Coulon, Jacques

Se protéger contre le vol, Kabundi, Marcel et Normandeau, André

* **Tout ce que vous devez savoir sur le condominium,** Dubois, Robert

Univers de l'astronomie, L', Tocquet, Robert

Week-end à New York, Tavernier-Cartier, Lise

MUSIQUE

Chant sans professeur, Le, Hewitt, Graham

Guitare, La, Collins, Peter

Guitare sans professeur, La, Evans, Roger

Piano sans professeur, Le, Evans, Roger

Solfège sans professeur, Le, Evans, Roger

NOTRE TRADITION

* **Encyclopédie du Québec, T.2,** Landry, Louis

Généalogie, La, Faribeault-Beauregard, M. et Beauregard Malak, E.

* **Maison traditionnelle au Québec, La,** Lessard, Michel
* **Moulins à eau de la vallée du Saint-Laurent, Les,** Villeneuve, Adam
* **Sculpture ancienne au Québec, La,** Porter, John R. et Bélisle, Jean
* **Temps des fêtes au Québec, Le,** Montpetit, Raymond

PHOTOGRAPHIE

Apprenez la photographie avec Antoine Désilets, Désilets, Antoine

8/Super 8/16, Lafrance, André

Fabuleuse lumière canadienne, Hines, Sherman

* **Initiation à la photographie,** London, Barbara
* **Initiation à la photographie-Canon,** London, Barbara
* **Initiation à la photographie-Minolta,** London, Barbara
* **Initiation à la photographie-Nikon,** London, Barbara

PHOTOGRAPHIE

* **Initiation à la photographie-Olympus,** London, Barbara
* **Initiation à la photographie-Pentax,** London, Barbara
Photo à la portée de tous, La, Désilets, Antoine

PSYCHOLOGIE

Aider mon patron à m'aider, Houde, Eugène
* **Amour de l'exigence à la préférence, L',** Auger, Lucien
Apprivoiser l'ennemi intérieur, Bach, Dr G. et Torbet, L.
Art d'aider, L', Carkhuff, Robert R.
Auto-développement, L', Garneau, Jean
* **Bonheur au travail, Le,** Houde, Eugène
Bonheur possible, Le, Blondin, Robert
Ces hommes qui méprisent les femmes... et les femmes qui les aiment, Forward, Dr S. et Torres, J.
Changer ensemble, les étapes du couple, Campbell, Suzan M.
Chimie de l'amour, La, Liebowitz, Michael
Comment animer un groupe, Office Catéchèse
Comment déborder d'énergie, Simard, Jean-Paul
Communication dans le couple, La, Granger, Luc
Communication et épanouissement personnel, Auger, Lucien
Contact, Zunin, L. et N.
Découvrir un sens à sa vie avec la logothérapie, Frankl, Dr V.
* **Dynamique des groupes,** Aubry, J.-M. et Saint-Arnaud, Y.
Élever des enfants sans perdre la boule, Auger, Lucien
Enfants de l'autre, Les, Paris, Erna
Être soi-même, Corkille Briggs, D.
Facteur chance, Le, Gunther, Max
Infidélité, L', Leigh, Wendy
Intuition, L', Goldberg, Philip
* **J'aime,** Saint-Arnaud, Yves
Journal intime intensif, Le, Progoff, Ira
Mensonge amoureux, Le, Blondin, Robert
Parce que je crois aux enfants, Ruffo, Andrée
Parle-moi... j'ai des choses à te dire, Salomé, Jacques
Perdant / Gagnant - Réussissez vos échecs, Hyatt, Carole et Gottlieb, Linda
* **Personne humaine, La ,** Saint-Arnaud, Yves
* **Plaisirs du stress, Les,** Hanson, Dr Peter, G.
Pourquoi l'autre et pas moi? - Le droit à la jalousie, Auger, Dr Louise
Prévenir et surmonter la déprime, Auger, Lucien
* **Prévoir les belles années de la retraite,** D. Gordon, Michael
* **Psychologie de l'amour romantique,** Branden, Dr N.
Puissance de l'intention, La, Leider, R.-J.
S'affirmer et communiquer, Beaudry, Madeleine et Boisvert, J.R.
S'aider soi-même, Auger, Lucien
S'aider soi-même d'avantage, Auger, Lucien
* **S'aimer pour la vie,** Wanderer, Dr Zev
Savoir organiser, savoir décider, Lefebvre, Gérald
Savoir relaxer pour combattre le stress, Jacobson, Dr Edmund
Se changer, Mahoney, Michael
Se comprendre soi-même par les tests, Collectif
Se connaître soi-même, Artaud, Gérard
Se créer par la Gestalt, Zinker, Joseph
* **Se guérir de la sottise,** Auger, Lucien
Si seulement je pouvais changer! Lynes, P.
Tendresse, La, Wolfl, N.
Vaincre ses peurs, Auger, Lucien
Vivre avec sa tête ou avec son cœur, Auger, Lucien

ROMANS/ESSAIS/DOCUMENTS

* **Baie d'Hudson, La,** Newman, Peter, C.
* **Conquérants des grands espaces, Les,** Newman, Peter, C.
* **Des Canadiens dans l'espace,** Dotto, Lydia
* **Dieu ne joue pas aux dés,** Laborit, Henri
* **Frères divorcés, Les**, Godin, Pierre
* **Insolences du Frère Untel, Les,** Desbiens, Jean-Paul
* **J'parle tout seul**, Coderre, Émile

Option Québec, Lévesque, René
* **Oui,** Lévesque, René
* **Provigo,** Provost, René et Chartrand, Maurice

Sur les ailes du temps (Air Canada), Smith, Philip
* **Telle est ma position,** Mulroney, Brian
* **Trois semaines dans le hall du Sénat,** Hébert, Jacques
* **Un second souffle,** Hébert, Diane

SANTÉ/BEAUTÉ

* **Ablation de la vésicule biliaire, L',** Paquet, Jean-Claude
* **Ablation des calculs urinaires, L',** Paquet, Jean-Claude
* **Ablation du sein, L',** Paquet, Jean-claude
* **Allergies, Les,** Delorme, Dr Pierre

Bien vivre sa ménopause, Gendron, Dr Lionel
Charme et sex-appeal au masculin, Lemelin, Mireille
Chasse-rides, Leprince, C.
* **Chirurgie vasculaire, La,** Paquet, Jean-Claude

Comment devenir et rester mince, Mirkin, Dr Gabe
De belles jambes à tout âge, Lanctôt, Dr G.
* **Dialyse et la greffe du rein, La,** Paquet, Jean-Claude

Être belle pour la vie, Bronwen, Meredith
Glaucomes et les cataractes, Les, Paquet, Jean-Claude
* **Grandir en 100 exercices,** Berthelet, Pierre
* **Hernies discales, Les,** Paquet, Jean-Claude

Hystérectomie, L', Alix, Suzanne
Maigrir: La fin de l'obsession, Orbach, Susie
* **Malformations cardiaques congénitales, Les,** Paquet, Jean-Claude

Maux de tête et migraines, Meloche, Dr J., Dorion, J.
Perdre son ventre en 30 jours H-F, Burstein, Nancy et Roy, Matthews
* **Pontage coronarien, Le,** Paquet, Jean-Claude
* **Prothèses d'articulation,** Paquet, Jean-Claude
* **Redressements de la colonne,** Paquet, Jean-Claude
* **Remplacements valvulaires, Les,** Paquet, Jean-Claude

Ronfleurs, réveillez-vous, Piché, Dr J. et Delage, J.
Syndrome prémenstruel, Le, Shreeve, Dr Caroline
Travailler devant un écran, Feeley, Dr Helen
30 jours pour avoir de beaux cheveux, Davis, Julie
30 jours pour avoir de beaux ongles, Bozic, Patricia
30 jours pour avoir de beaux seins, Larkin, Régina
30 jours pour avoir de belles fesses, Cox, D. et Davis, Julie
30 jours pour avoir un beau teint, Zizmon, Dr Jonathan
30 jours pour cesser de fumer, Holland, Gary et Weiss, Herman
30 jours pour mieux s'organiser, Holland, Gary
30 jours pour redevenir un couple amoureux, Nida, Patricia et Cooney, Kevin
30 jours pour un plus grand épanouissement sexuel, Schneider, A.
Vos dents, Kandelman, Dr Daniel
Vos yeux, Chartrand, Marie et Lepage-Durand, Micheline

SEXUALITÉ

Contacts sexuels sans risques, I.A.S.H.S.
* **Guide illustré du plaisir sexuel,** Corey, Dr Robert et Helg, E.
Ma sexualité de 0 à 6 ans, Robert, Jocelyne
Ma sexualité de 6 à 9 ans, Robert, Jocelyne
Ma sexualité de 9 à 12 ans, Robert, Jocelyne
Mille et une bonnes raisons pour le convaincre d'enfiler un condom et pourquoi c'est important pour vous..., Bretman, Patti, Knutson, Kim et Reed, Paul
* **Nous on en parle,** Lamarche, M. et Danheux, P.
Pour jeunes seulement, photoroman d'éducation à la sexualité, Robert, Jocelyne
Sexe au féminin, Le, Kerr, Carmen
Sexualité du jeune adolescent, La, Gendron, Lionel
Shiatsu et sensualité, Rioux, Yuki
* **100 trucs de billard,** Morin, Pierre

SPORTS

Apprenez à patiner, Marcotte, Gaston
Arc et la chasse, L', Guardo, Greg
Armes de chasse, Les, Petit-Martinon, Charles
Badminton, Le, Corbeil, Jean
* **Canadiens de 1910 à nos jours, Les,** Turowetz, Allan et Goyens, C.
Carte et boussole, Kjellstrom, Bjorn
Comment se sortir du trou au golf, Brien, Luc
Comment vivre dans la nature, Rivière, Bill
Corrigez vos défauts au golf, Bergeron, Yves
* **Curling, Le,** Lukowich, E.
De la hanche aux doigts de pieds, Schneider, Myles J. et Sussman, Mark D.
Devenir gardien de but au hockey, Allaire, François
Golf au féminin, Le, Bergeron, Yves
Grand livre des sports, Le, Groupe Diagram
Guide complet de la pêche à la mouche, Le, Blais, J.-Y.
Guide complet du judo, Le, Arpin, Louis
Guide complet du self-defense, Le, Arpin, Louis
Guide de l'alpinisme, Le, Cappon, Massimo
Guide de la survie de l'armée américaine, Le, Collectif
Guide des jeux scouts, Association des scouts
Guide du trappeur, Le, Provencher, Paul
Initiation à la planche à voile, Wulff, D. et Morch, K.
J'apprends à nager, Lacoursière, Réjean
Je me débrouille à la chasse, Richard, Gilles et Vincent, Serge
Je me débrouille à la pêche, Vincent, Serge
Je me débrouille à vélo, Labrecque, Michel et Boivin, Robert
Je me débrouille dans une embarcation, Choquette, Robert
Jogging, Le, Chevalier, Richard
* **Jouez gagnant au golf,** Brien, Luc
* **Larry Robinson, le jeu défensif,** Robinson, Larry
Manuel de pilotage, Transport Canada
Marathon pour tous, Le, Anctil, Pierre
Maxi-performance, Garfield, Charles A. et Bennett, Hal Zina
Mon coup de patin, Wild, John
Musculation pour tous, La, Laferrière, Serge
* **Partons en camping,** Satterfield, Archie et Bauer, Eddie
Partons sac au dos, Satterfield, Archie et Bauer, Eddie
Passes au hockey, Chapleau, Claude
Pêche à la mouche, La, Marleau, Serge
Pêche à la mouche, Vincent, Serge
Planche à voile, La, Maillefer, Gérard
Programme XBX, Aviation Royale du Canada
Racquetball, Corbeil, Jean
Racquetball plus, Corbeil, Jean
Rivières et lacs canotables, Fédération québécoise du canot-camping
S'améliorer au tennis, Chevalier Richard
Saumon, Le, Dubé, J.-P.

SPORTS

Secrets du baseball, Les, Raymond, Claude
Ski de randonnée, Le, Corbeil, Jean
Taxidermie, La, Labrie, Jean
Taxidermie moderne, La, Labrie, Jean
Techniques du billard, Morin, Pierre
Techniques du golf, Brien, Luc
Techniques du hockey en URSS, Dyotte, Guy
Techniques du ski alpin, Campbell, S., Lundberg, M.
Techniques du tennis, Ellwanger
Tennis, Le, Roch, Denis
* **Viens jouer**, Villeneuve, Michel José
Vivre en forêt, Provencher, Paul
Volley-ball, Le, Fédération de volley-ball

ANIMAUX

* **Poissons de nos eaux,** Melançon, Claude

ACTUALISATION

Agressivité créatrice, L' - La nécessité de s'affirmer, Bach, Dr G.-R., Goldberg, Dr H.
Aimer, c'est choisir d'être heureux, Kaufman, B.-N.
Arrête! tu m'exaspères - Protéger son territoire, Bach, Dr G., Deutsch, R.
Ennemis intimes, Bach, Dr G., Wyden, P.
Enseignants efficaces - Enseigner et être soi-même, Gordon, Dr T.
États d'esprit, Glasser, W.
Focusing - Au centre de soi, Gendlin, Dr E.T.
Jouer le tout pour le tout, le jeu de la vie, Frederick, C.
Manifester son affection -De la solitude à l'amour, Bach, Dr G., Torbet, L.
Miracle de l'amour, Kaufman, B.-N.
Nouvelles relations entre hommes et femmes, Goldberg, Dr H.
* **Parents efficaces,** Gordon, Dr T.
Se vider dans la vie et au travail - Burnout, Pines, A. , Aronson, E.
Secrets de la communication, Les, Bandler, R., Grinder, J.

DIVERS

* **Coopératives d'habitation, Les,** Leduc, Murielle
* **Hiérarchie ethnique dans la grande entreprise,** Rainville, Jean
* **Initiation au coopératisme,** Bédard, Claude
* **Lune de trop, Une,** Gagnon, Alphonse

ÉSOTÉRISME

Astrologie pratique, L',
Reinicke, Wolfgang
Grand livre de la cartomancie, Le,
Von Lentner, G.
Grand livre des horoscopes chinois, Le,
Lau, Theodora
* **Horoscope chinois,** Del Sol, Paula
Lu dans les cartes, Jones, Marthy
Synastrie, La, Thornton, Penny
Traité d'astrologie, Hirsig, H.

GUIDES PRATIQUES/JEUX/LOISIRS

* **1,500 prénoms et significations,**
Grisé-Allard, J.
* **Backgammon,** Lesage, D.

NOTRE TRADITION

* **Lettre à un Français qui veut émigrer au Québec,** Dubuc, Carl

PSYCHOLOGIE/VIE AFFECTIVE ET PROFESSIONNELLE

Adieu, Halpern, Dr Howard
Adieu Tarzan, Franks, Helen
Aimer son prochain comme soi-même,
Murphy, Dr Joseph
* **Anti-stress, L',** Eylat, Odette
Apprendre à vivre et à aimer,
Buscaglia, L.
Art d'engager la conversation et de se faire des amis, L', Gabor, Don
Art de convaincre, L', Heinz, Ryborz
* **Art d'être égoïste, L',** Kirschner, Joseph
Autre femme, L', Sévigny, Hélène
Bains flottants, Les, Hutchison, Michael
Ces hommes qui ne communiquent pas, Naifeh S. et White, S.G.
Ces vérités vont changer votre vie,
Murphy, Dr Joseph
Comment aimer vivre seul,
Shanon, Lynn
Comment dominer et influencer les autres, Gabriel, H.W.
Comment faire l'amour à la même personne pour le reste de votre vie!,
O'Connor, D.
Comment faire l'amour à une femme,
Morgenstern, M.
Comment faire l'amour à un homme,
Penney, A.
Comment faire l'amour ensemble,
Penney, A.
Contacts en or avec votre clientèle,
Sapin Gold, Carol
Contrôle de soi par la relaxation, Le,
Marcotte, Claude
Dire oui à l'amour, Buscaglia, Léo
* **Famille moderne et son avenir, La,**
Richards, Lyn
Femme de demain, Keeton, K.
Gestalt, La, Polster, Erving
Homme au dessert, Un,
Friedman, Sonya
Homme nouveau, L',
Bodymind, Dychtwald Ken
Influence de la couleur, L',
Wood, Betty
Jeux de nuit, Bruchez, C.
Maigrir sans obsession, Orbach, Susie
Maîtriser son destin, Kirschner, Joseph
Massage en profondeur, Le, Painter, J., Bélair, M.
Mémoire, La, Loftus, Élizabeth
* **Mémoire à tout âge, La,**
Dereskey, Ladislaus
Miracle de votre esprit, Le,
Murphy, Dr Joseph
Négocier entre vaincre et convaincre,
Warschaw, Dr Tessa
On n'a rien pour rien, Vincent, Raymond
Oracle de votre subconscient, L',
Murphy, Dr Joseph

PSYCHOLOGIE/VIE AFFECTIVE ET PROFESSIONNELLE

Passion du succès, La, Vincent, R.
Pensée constructive et bon sens, La, Vincent, Raymond
* **Personnalité, La,** Buscaglia, Léo
Petit répertoire des excuses, Le, Charbonneau, C., Caron, N.
Pourquoi remettre à plus tard?, Burka, Jane B., Yuen, L.M.
Pouvoir de votre cerveau, Le, Brown, Barbara
Puissance de votre subconscient, La, Murphy, Dr Joseph
Réfléchissez et devenez riche, Hill, Napoleon
S'aimer ou le défi des relations humaines, Buscaglia, Léo
Sexualité expliquée aux adolescents, La, Boudreau, Y.
Succès par la pensée constructive, Le, Hill, Napoleon et Stone, W.-C.
Transformez vos faiblesses en force, Bloomfield, Dr Harold
Triomphez de vous-même et des autres, Murphy, Dr Joseph
Univers de mon subconscient, L', Vincent, Raymond
Vaincre la dépression par la volonté et l'action, Marcotte, Claude
Vieillir en beauté, Oberleder, Muriel
Vivre avec les imperfections de l'autre, Janda, Dr Louis H.
Vivre c'est vendre, Chaput, Jean-Marc

ROMANS/ESSAIS

* **Affrontement, L',** Lamoureux, Henri
* **C't'a ton tour Laura Cadieux,** Tremblay, Michel
* **Cœur de la baleine bleue, Le,** Poulin, Jacques
* **Coffret petit jour,** Martucci, Abbé Jean
* **Contes pour buveurs attardés,** Tremblay, Michel
* **De Z à A,** Losique, Serge
* **Femmes et politique,** Cohen, Yolande
* **Il est par là le soleil,** Carrier, Roch
* **Jean-Paul ou les hasards de la vie,** Bellier, Marcel
* **Neige et le feu, La,** Baillargeon, Pierre
* **Objectif camouflé**, Porter, Anna
* **Oslovik fait la bombe,** Oslovik
* **Train de Maxwell, Le,** Hyde, Christopher
* **Vatican -Le trésor de St-Pierre,** Malachi, Martin

SANTÉ

Tao de longue vie, Le, Soo, Chee
Vaincre l'insomnie, Filion, Michel et Boisvert, Jean-Marie

SPORT

* **Guide des rivières du Québec,** Fédération cano-kayac
* **Ski nordique de randonnée,** Brady, Michael

TÉMOIGNAGES

Merci pour mon cancer, De Villemarie, Michelle

COLLECTIFS DE NOUVELLES

* **Aimer,** Beaulieu, V.-L., Berthiaume, A., Carpentier, A., Daviau, D.-M., Major, A., Provencher, M., Proulx, M., Robert, S. et Vonarburg, E.
* **Crever l'écran,** Baillargeon, P., Éthier-Blais, J., Blouin, C.-R., Jacob, S., Jean, M., Laberge, M., Lanctôt, M., Lefebvre, J.-P., Petrowski, N. et Poupart, J.-M.
* **Dix contes et nouvelles fantastiques,** April, J.-P., Barcelo, F., Bélil, M., Belleau, A., Brossard, J., Brulotte, G., Carpentier, A., Major, A., Soucy, J.-Y. et Thériault, M.-J.
* **Dix nouvelles de science-fiction québécoise,** April, J.-P., Barbe, J., Provencher, M., Côté, D., Dion, J., Pettigrew, J., Pelletier, F., Rochon, E., Sernine, D., Sévigny, M. et Vonarburg, E.
* **Dix nouvelles humoristiques,** Audet, N., Barcelo, F., Beaulieu, V.-L., Belleau, A., Carpentier, A., Ferron, M., Harvey, P., Pellerin, G., Poupart, J.-M. et Villemaire, Y.
* **Fuites et poursuites,** Archambault, G., Beauchemin, Y., Bouyoucas, P., Brouillet,C., Carpentier, A., Hébert, F., Jasmin, C., Major, A., Monette, M. et Poupart, J.-M.
* **L'aventure, la mésaventure,** Andrès, B., Beaumier, J.-P., Bergeron, B., Brulotte, G., Gagnon, D., Karch, P., LaRue, M., Monette, M. et Rochon, E.

DIVERS

* **Beauté tragique,** Robertson, Heat
* **Canada — Les débuts héroïques,** Creighton, Donald
* **Défi québécois, Le,** Monnet, François-Marie
* **Difficiles lettres d'amour,** Garneau, Jacques
* **Esprit libre, L',** Powell, Robert
* **Grand branle-bas, Le,** Hébert, Jacques et Strong, Maurice F.
* **Histoire des femmes au Québec, L',** Collectif, CLIO
* **Mémoires de J. E. Bernier, Les,** Therrien, Paul

DIVERS

* **Mythe de Nelligan, Le,** Larose, Jean
* **Nouveau Canada à notre mesure,** Matte, René
* **Papineau,** De Lamirande, Claire
* **Personne ne voudrait savoir,** Schirm, François
* **Philosophe chat, Le,** Savoie, Roger
* **Pour une économie du bon sens,** Bailey, Arthur
* **Québec sans le Canada, Le,** Harbron, John D.
* **Qui a tué Blanche Garneau?,** Bertrand, Réal
* **Réformiste, Le,** Godbout, Jacques
* **Relations du travail,** Centre des dirigeants d'entreprise
* **Sauver le monde,** Sanger, Clyde
* **Silences à voix haute,** Harel, Jean-Pierre

LIVRES DE POCHES 10 /10

* **37 1/2 AA,** Leblanc, Louise
* **Aaron,** Thériault, Yves
* **Agaguk,** Thériault, Yves
* **Blocs erratiques,** Aquin, Hubert
* **Bousille et les justes,** Gélinas, Gratien
* **Chère voisine,** Brouillet, Chrystine
* **Cul-de-sac,** Thériault, Yves
* **Demi-civilisés, Les,** Harvey, Jean-Charles
* **Dernier havre, Le,** Thériault, Yves
* **Double suspect, Le,** Monette, Madeleine
* **Faire sa mort comme faire l'amour,** Turgeon, Pierre
* **Fille laide, La,** Thériault, Yves
* **Fuites et poursuites,** Collectif
* **Première personne, La,** Turgeon, Pierre
* **Scouine, La,** Laberge, Albert
* **Simple soldat, Un,** Dubé, Marcel
* **Souffle de l'Harmattan, Le,** Trudel, Sylvain
* **Tayaout,** Thériault, Yves

LIVRES JEUNESSE

* **Marcus, fils de la louve,** Guay, Michel et Bernier, Jean

MÉMOIRES D'HOMME

* **À diable-vent,** Gauthier Chassé, Hélène
* **Barbes-bleues, Les,** Bergeron, Bertrand
* **C'était la plus jolie des filles,** Deschênes, Donald
* **Bête à sept têtes et autres contes de la Mauricie, La,** Legaré, Clément
* **Contes de bûcherons,** Dupont, Jean-Claude
* **Corbeau du Mont-de-la-Jeunesse, Le,** Desjardins, Philémon et Lamontagne, Gilles
* **Guide raisonné des jurons,** Pichette, Jean
* **Menteries drôles et merveilleuses,** Laforte, Conrad
* **Oiseau de la vérité, L',** Aucoin, Gérard
* **Pierre La Fève et autres contes de la Mauricie,** Legaré, Clément

ROMANS/THÉÂTRE

- **1, place du Québec, Paris VIe,** Saint-Georges, Gérard
- **7° de solitude ouest,** Blondin, Robert
- **37 1/2 AA,** Leblanc, Louise
- **Ah! l'amour l'amour,** Audet, Noël
- **Amantes,** Brossard, Nicole
- **Amour venin, L',** Schallingher, Sophie
- **Aube de Suse, L',** Forest, Jean
- **Aventure de Blanche Morti, L',** Beaudin-Beaupré, Aline
- **Baby-boomers,** Vigneault, Réjean
- **Belle épouvante, La,** Lalonde, Robert
- **Black Magic,** Fontaine, Rachel
- **Cœur sur les lèvres, Le,** Beaudin-Beaupré, Aline
- **Confessions d'un enfant d'un demi-siècle,** Lamarche, Claude
- **Coup de foudre,** Brouillet, Chrystine
- **Couvade, La,** Baillie, Robert
- **Danseuses et autres nouvelles, Les,** Atwood, Margaret
- **Double suspect, Le,** Monette, Madeleine
- **Entre temps,** Marteau, Robert
- **Et puis tout est silence,** Jasmin, Claude
- **Été sans retour, L',** Gevry, Gérard
- **Filles de beauté, Des,** Baillie, Robert
- **Fleur aux dents, La,** Archambault, Gilles
- **French Kiss,** Brossard, Nicole
- **Fridolinades, T. 1, (1945-1946),** Gélinas, Gratien
- **Fridolinades, T. 2, (1943-1944),** Gélinas, Gratien
- **Fridolinades, T. 3, (1941-1942),** Gélinas, Gratien
- **Fridolinades, T. 4, (1938-39-40),** Gélinas, Gratien
- **Grand rêve de Madame Wagner, Le,** Lavigne, Nicole
- **Héritiers, Les,** Doyon, Louise
- **Hier, les enfants dansaient,** Gélinas, Gratien
- **Holyoke,** Hébert, François
- **IXE-13,** Saurel, Pierre
- **Jérémie ou le Bal des pupilles,** Gendron, Marc
- **Livre, Un,** Brossard, Nicole
- **Loft Story,** Sansfaçon, Jean-Robert
- **Maîtresse d'école, La,** Dessureault, Guy
- **Marquée au corps,** Atwood, Margaret
- **Mensonge de Maillard, Le,** Lavoie, Gaétan
- **Mémoire de femme, De,** Andersen, Marguerite
- **Mère des herbes, La,** Marchessault, Jovette
- **Mrs Craddock,** Maugham, W. Somerset
- **Nouvelle Alliance, La,** Fortier, Jacques
- **Nuit en solo,** Pollak, Véra
- **Ours, L',** Engel, Marian
- **Passeport pour la liberté,** Beaudet, Raymond
- **Petites violences,** Monette, Madeleine
- **Père de Lisa, Le,** Fréchette, José
- **Plaisirs de la mélancolie,** Archambault, Gilles
- **Pop Corn,** Leblanc, Louise
- **Printemps peut attendre, Le,** Dahan, Andrée
- **Rose-Rouge,** Pollak, Véra
- **Sang de l'or, Le,** Leblanc, Louise
- **Sold Out,** Brossard, Nicole
- **Souffle de l'Harmattan, Le,** Trudel, Sylvain
- **So Uk,** Larche, Marcel
- **Triangle brisé, Le,** Latour, Christine
- **Vaincre sans armes,** Descarries, Michel et Thérèse
- **Y'a pas de métro à Gélude-la-Roche,** Martel, Pierre

Ce livre est imprimé sur du papier contenant plus de 50% de papier recyclé dont 5% de fibres recyclées.

Achevé d'imprimer au Canada
Imprimerie Gagné Ltée Louiseville